中國學術思想 研究輯刊

二四編
林慶彰 主編

第 **6** 冊

由歷史脈絡論西漢儒學之意義
張慧芳 著

魏晉士人的身名觀
陳玉芳 著

花木蘭文化出版社

國家圖書館出版品預行編目資料

由歷史脈絡論西漢儒學之意義 張慧芳 著／魏晉士人的身名觀
陳玉芳 — 初版 — 新北市：花木蘭文化出版社，2016〔民105〕
目 2+84 面／目 2+146 面；19×26 公分
（中國學術思想研究輯刊 二四編：第 6 冊）
ISBN 978-986-404-719-2／978-986-404-720-8（精裝）
1. 儒學 2. 西漢／1. 魏晉南北朝哲學 2. 知識分子
030.8　　　　　　　　　　　　　105013476／105013477

ISBN-978-986-404-719-2

9 789864 047192

ISBN-978-986-404-720-8

9 789864 047208

中國學術思想研究輯刊
二四編　第 六 冊　　ISBN：978-986-404-719-2／978-986-404-720-8

由歷史脈絡論西漢儒學之意義
魏晉士人的身名觀

作　　者　張慧芳／陳玉芳
主　　編　林慶彰
總 編 輯　杜潔祥
副總編輯　楊嘉樂
編　　輯　許郁翎、王筑　美術編輯　陳逸婷
出　　版　花木蘭文化出版社
社　　長　高小娟
聯絡地址　235 新北市中和區中安街七二號十三樓
　　　　　電話：02-2923-1455／傳真：02-2923-1452
網　　址　http://www.huamulan.tw 信箱 hml810518@gmail.com
印　　刷　普羅文化出版廣告事業
封面設計　劉開工作室
初　　版　2016 年 9 月
全書字數　68874 字／125903 字
定　　價　二四編 11 冊（精裝）新台幣 20,000 元

由歷史脈絡論西漢儒學之意義

張慧芳　著

作者簡介

張慧芳,臺灣師範大學國文研究所碩士,現任靜宜大學中國文學系副教授。講授論孟、老子、中國思想史及紅樓夢。著有《大智度論初品的結構與意義──菩薩‧具足‧一切法》,及〈《舍利弗阿毘曇論》入品與相應品關於心所有法的規定〉、〈施護譯綱要性般若經典論析〉、〈論佛教有部的煩惱義〉、〈論佛教二十二根〉、〈《大念住經》兩種漢譯本之比較〉、〈朱子的心性觀與格物致知〉、〈朱子的理氣觀〉、〈王陽明傳習錄辯朱子注再議〉、〈論《紅樓夢》賈瑞與秦可卿之死複線並行的結構與意義〉……等論文。

提　要

　　本書是 1982 年我的碩士論文《西漢之儒學》的修訂版。緣於西漢儒者的關懷多集中於政治問題,思想始於政治,終於政治;儒者與西漢歷史的連結非常緊密;而本書論述西漢儒學的價值與意義,無論漢儒對「內聖外王」理想的用心與限度,或西漢儒學在傳承中的流變與發展,探討的主題皆貼合著歷史脈絡,修訂時,因更名為《由歷史脈絡論西漢儒學的意義》。

　　全書分六章,第一章總起全文,敘儒學在傳承中之演變,分別以西漢政治制度與禮樂教化為架構,述學術與政治之關係,結以儒者以天下為己任之精神。第二章至第四章,論西漢儒學發展的三個階段,以漢高至景帝,為儒道並行時期;武、昭、宣三世,為儒家大有為時代,亦儒法並行時期;元、成、哀、平,為儒家復古學說盛行時期,終結以王莽篡漢。此三章,採歷史敘述之方式,以時君之政治措施為線索,將西漢之大儒分別安置於歷史中,深入探討其用心與作為,彰顯西漢儒者的理想與現實困境。第五章記西漢經學之概要。經學之流傳,實為儒學之主要部分,而漢世經師,派別繁多,要皆與政爭息息相關。此章歷記秦焚書與漢初經學之復原、經學博士之設立、石渠閣之議、劉歆爭立古文經等重要事件,採重點式整理與分析,以為前三章之補充資料。第六章是結論。

目

次

第一章 緒 論

第一節 儒學在傳承中之演變

　　周自平王東遷，國勢愈衰，而封建諸侯，因近三百年之滋長，皆有其各自之表現；政治中心，已不在天子，而在諸侯，史稱春秋，殆孔子所云「禮樂征伐，自諸侯出」之世也。雖然，諸侯有僭號稱霸之實，仍尊天子為共主，所謂尊王攘夷，繼絕存亡之事業，具見猶有文化生命之存在者。從此而後，政治之轉變，直趨而下，至三家分晉，進入戰國時期，象徵周代之宗法封建制度衰滅，社會組織及經濟制度，亦隨之而有根本之改變。貴族陵夷，平民崛起，井田破壞，履畝而稅。就歷史發展言，如此轉變，乃為必然，本不必謂為衰世，其所以為衰世者，以戰國之精神純為「富利」之精神也。不僅宗法封建制度瓦解，並其所代表之文化意義，親親之殺，尊尊之等，亦一併擯棄，呈現一片衰象。因此，乃有所謂百家爭鳴，思想界大放異彩之時代。然而，其所爭鳴，實九流歧出，其中趨炎附勢，馳騁浮辭，謀功名富貴於諸侯之間者，往往皆是。繼承二帝三王歷史文化傳統之儒家大道，寢假衰微矣。故孟子有「諸侯放恣，處士橫議」之嘆〔註1〕，以當時政治、學術大抵皆為負面，而無積極之文化理想。又《荀子·非十二子篇》云：「假今之世，飾邪說，文姦言，以梟亂天下，矞宇嵬瑣，使天下混然不知是非治亂之所存者，有人矣。縱情性，安恣睢，禽獸行，不足以合文通治，然而其持之有故，其言之

〔註1〕見《孟子·滕文公下篇》。

成理，足以欺惑愚眾，是它囂魏牟也。忍情性，綦谿利跂，苟以分異人為高，不足以合大眾，明大分，然而其持之有故，其言之成理，足以欺惑愚眾，是陳仲史鰌也。不知壹天下建國家之權稱，上功用，大儉約，而僈差等，曾不足以容辨異，縣君臣，然而其持之有故，其言之成理，足以欺惑愚眾，是墨翟宋鈃也。尚法而無法，下脩而好作，上則取聽於上，下則取從於俗，終日言成文典，反紃察之，則倜然無所歸宿，不可以經國定分，然而其持之有故，其言之成理，足以欺惑愚眾，是慎到田駢也。不法先王，不是禮義，而好治怪說，玩琦辭，甚察而不惠，辯而無用，多事而寡功，不可以為治綱紀，然而其持之有故，其言之成理，足以欺惑愚眾，是惠施鄧析也。」自經國定分，人倫治道上斥之，亦足見當代之風氣。

　　而戰國諸侯中，大抵受周之文化影響深者，轉形最難，國力亦弱，如魯衛是，其次為齊，其次為晉，秦楚自始即被視為夷狄而見外於諸夏，反起為強國。尤其秦自孝公用商鞅變法，國以富強，後遂常雄諸侯。鞅之變法，則重法治，務耕戰，合人民之力以趨國家之急也。《史記‧商君列傳》記其成效曰：「道不拾遺，山無盜賊，家給人足，民勇於公戰，怯於私鬥。」誠為法家在政治上之大成功。秦始皇二十六年，并天下，為統一之帝國，仍以法家之言施諸天下，韓非謂「儒以文亂法，俠以武犯禁」〔註2〕，犯者必誅，李斯謂「以法為教，以吏為師」〔註3〕，始皇乃有焚書禁學至拙之舉，凡此無不充分暴露法家之不足以施於天下，與其手段之狠愎。秦雖二世即亡，然聖賢大道，既經戰國之紛亂，復歷焚書之劫難，反覆沉痼，幾至泯滅矣。

　　漢高繼秦而有天下，至王莽篡位，西漢二百年為中國歷史第一個輝煌之統一大帝國，而儒家大道劫後復蘇，漸成為漢帝國思想之中心。其後二千年之中華歷史，雖儒生於政治上有進退行藏，然其所承接之文化系統已領風俗教化於有形無形間，則西漢儒學之可貴遂大。唯漢儒起於戰國百家爭鳴及暴秦禁學之後，漢興，儒術復與君主結合，如此一波三折，為適應時代之需要，其思想內容已與先秦儒家，名同而實異矣，即僅就西漢二百年而論，儒學之發展，亦不斷在調整演變之中，而呈現三個明顯階段。

〔註2〕 見《韓非子‧五蠹篇》。
〔註3〕 見《史記》秦始皇本紀及李斯列傳。

第二節　西漢政治制度與儒學之關係

　　《漢書‧高帝紀》云：「初，高祖不脩文學，而性明達，好謀能聽，自監門戍卒，見之如舊。初順民心，作三章之約。天下既定，命蕭何次律令，韓信申軍法，張蒼定章程，叔孫通制禮儀，陸賈造《新語》，又與功臣剖符作誓，丹書鐵契，金匱石室，藏之宗廟。雖日不暇給，規模弘遠矣。」蕭何為秦吏掾，〈刑法志〉云：「相國蕭何攈摭秦法，取其宜於時者，作律九章。」張蒼為秦御史，本傳謂：「主柱下方書。」其章程想必依於秦法。叔孫通為秦博士，本傳言：「臣願頗採古禮與秦儀雜就之。」韓信制軍法，曰「申」者，殆沿於秦，唯陸賈《新語》反秦耳，足示漢初之法制，多沿秦舊。而由功臣侯者之坐法隕命，及惠帝四年始除挾書之律，文帝時猶有肉刑，具說明漢法之嚴苛。

　　漢代法制之襲秦朝，蓋亦有其原因焉，緣高帝起自草莽，不識任何文化系統，其輔相者，除張良外，亦皆平民，朴直原始，無成規可依據，天下既定，為方便計，其政治之制度，乃多因於秦。又因漢初民生凋蔽，財用匱乏，百姓劫後餘生，咸欲得休息，能得苟安，即不欲動，漢高君臣皆出微細，深體其苦，遂行清靜之政，繼以文景之世，好黃老之學，道家之說，大行天下，既主無為，則勢必因循秦制。由此可見漢雖仍因襲秦法家之政治制度，而立國精神與本質，實為道家，其所以重法者務在綜覈名實，以刑罰為德政之佐，非任法術也。唯其如此，陸賈仁義之說，始足以感動高帝，代表漢初之政治思想，而異於秦。

　　法家之要務，殆恃法以為治，故嚴刑罰而廢德教；以農戰立國，故驅民於耕戰；塞詩書文學之途，以敵國為輸毒之所，故貴鬥爭而賤和平。無德教禮樂，則民如虎狼，在上者一失統制之力，乃群起為亂；天下一統，無輸毒之所，則毒潰於內；此其國家主義不足以施於大一統之世也。漢祖定天下，陸賈為造《新語》，反秦之任刑而尚德教，懲秦之興作而尚無為，即是以儒家思想對法家政治之掊擊。然諸子學在戰國末期，已由互相攻擊而互相采取，故有雜家出而混合之，《呂氏春秋》可為代表，漢代諸子學亦未嘗絕，唯相互依存，特性不顯而已，陸賈當此之世，亦不免擷取他家學說，其所立論，以勢利導，補偏救蔽，其所主張之儒家思想已稍近道家。而漢初無為，非廢事之謂，乃在息兵事與興作，與民休息，輕徭薄賦，至其安輯人民之道，如召歸流民，復其田宅，免奴婢為庶人，獎勵生育，蕃滋戶口，困辱商人，抑止

兼併，亦可謂兢兢焉，與儒家仁民愛物之理想，雖一為道家，一為儒家，所行則一。大抵漢代政治思想，自高祖至景帝末年，為儒道思想所支配者蓋如此也，而可以陸賈思想為代表。武帝時則為儒法思想成形，唯其轉變則自文帝開始，而賈誼實為關鍵人物。

蓋漢經數十年之休養生息，離散之民，咸歸鄉里，戶口寖息，衣食滋殖，民生康樂，生活富裕。而漢初諸侯之封，自為政如戰國。當此之時，役財驕溢，爭于奢侈，室廬輿服僭於上，無限度，此賈誼所謂「天下之勢，方病大瘇，一脛之大幾如要，一指之大幾如股。」〔註4〕自鞏固中央政權論，黃老無為放任之治，實不足適應。賈誼陳政事疏中，慷慨論述，以解牛為喻，言人主應握有仁義恩厚與權勢法制二柄，仁義恩厚可施於百姓，不可用於諸侯王，諸侯王若髖髀，釋斧斤而嬰以芒刃，不缺則折，故非權勢法制不可。此德威並重之政治主張，為漢代政治制度由道轉法之儒家思想之代表。賈誼之主張，文帝未嘗不有動于中者，亦未嘗不尊禮而護念之。然文帝沉潛從容，有玄默之智，並不驟然實施。其不能以力視，必制之以漸，不能功成其身，而蓄過渡之勢以待來者，皆時勢使然。而審察時機，順而制之，導而轉之，則文帝大才足智者，景帝即位，遂用晁錯，請諸侯之罪過，削諸侯之支郡，更法令三十章，而錯少學申商刑名之術，為人峭直刻深，其所更之法令，想必法家嚴刑峻法。當時諸侯聞之，莫不譁然，吳楚七國遂起兵反，景帝殺晁錯以撫諸侯，而以梁國周亞夫討伐亂事，不旋踵而平。由文帝經景帝至武帝，漢代之中央政權，益加鞏固，而儒法並行之政治制度亦因之奠立。

武帝時，漢初清靜無為之風，已成過往，而儒生論政之格局，已由賈誼開其端，董仲舒適遇其時，成就儒家大有為之時代。仲舒對策云：「春秋大一統者，天地之常經，古今之通誼也。今師異道，人異論，百家殊方，指意不同，是以上亡以持一統；法制數變，下不知所守。臣愚以為諸不在六藝之科，孔子之術者，皆絕其道，勿使並進。邪辟之說滅息，然後統紀可一，而法度可明，民知所從矣。」〔註5〕武帝採之，經學遂為國人行事之準則。政治出於人君，教化出於師儒，人君既服膺六經孔子之教，官吏又為儒者，此為儒者與君主結合後之形式，亦漢武以後儒法並行之形式。儒家政治以民為本，既與君主結合，不能不變，春秋尊王而重民，上下相顧，於是漢儒言春秋為漢

〔註4〕 見《漢書‧賈誼傳》。
〔註5〕 見《漢書‧董仲舒傳》。

制法，大一統之義所以維持統一，敬天重民之義所以節制君權，此儒者繼承法家政治之後，而以春秋代之也。

蓋文法之吏與儒生，本爲二事。秦焚詩書，以吏爲師，此輕儒生而尊法吏也。漢興，因而不改，以文法吏治民，其時大臣或起於文法，或出於武功，賈誼非之曰：「文法之吏，務筐篋不知大體。」〔註6〕此以儒生而攻法吏也。儒生之不同於法吏者，自其大者言之，其爲政也，有其政治思想，不欲苟且因循，法吏則恪守法令以爲治，奉行時憲以爲功，不欲高道上古。自漢武之世，採董仲舒議，六經爲進身之術，公孫弘爲儒相，其後，蔡義、韋賢、韋玄成、匡衡、張禹、翟方進、孔光、平當、馬宮、平晏咸以儒宗居相位。而《漢書·公孫弘傳》云：「習文法吏事，緣飾以儒術，上說之。」〈循吏傳〉云：「江都相董仲舒、內史公孫弘、兒寬，居官可紀，三人皆儒者，通於世務，明習文法，以經術潤飾吏事，天子器之。」〈翟方進傳〉云：「方進知能有餘，兼通文法吏事，以儒雅緣飾法律，號爲通明相，天子甚器重之。」殆儒生兼習法令，律令滲合儒術，雖言崇儒黜法，實則儒法並重矣。然法家持法以爲治，於守法之外無有教化，儒家以刑輔禮，即用刑之中亦含教化之意，故曰「有恥且格」〔註7〕，刑不上大夫，所以養恥，不加以刑，使其自殺，是於刑罰之外，又加以禮義之防。立法之心，用法之意，迥異於法家，爲漢代儒家政治之特質，然原情定罪，以經義斷獄，其弊則以意爲輕重者有之。

昭宣二帝，大抵爲武帝政治之延伸，蓋宣帝所謂：「漢家自有制度，本以霸王道雜之，奈何純任德教，用周政乎？」〔註8〕儒法德威並行之政制也。元帝之後，政治制度，雖亦未有多大改變，然元帝以爲宣帝持刑太深，宜用儒生，於刑則有寬緩，《漢書·刑法志》曰：「至元帝即位，乃下詔曰：夫法令者，所以抑暴扶弱，欲其難犯而易避也。今律令煩多而不約，自典文者不能分明，而欲羅元元之不逮，斯豈刑中之意哉？其議律令可蠲除輕減者，條奏，唯在便安萬姓而已。」此乃惠民之攻也，特其牽制文義，優游不斷，且儒學自董仲舒後，日入於普及，迂腐之論亦日出，學者倡言復古，乃至知常而不知變，泥古不化，其所言政，類皆因事納忠，無復有漢初諸大儒之閎議者，而以刑罰理亂，尤爲復古儒者所諱言。崔實政論曰：「近孝宣皇帝，明於君人

〔註6〕 見《漢書·賈誼傳》。
〔註7〕 《論語·爲政篇》，子曰：「道之以政，齊之以刑，民免而無恥；道之以德，齊之以禮，有恥且格。」
〔註8〕 見《漢書·元帝紀》。

之道，審於為政之理，故嚴刑峻法，破姦軌之膽，海內肅清，天下密如，嘉瑞並集，屢獲豐年，薦勳祖廟，享號中宗，算計見效，優於孝文。元帝即位，多行寬政，卒於墮損，威權始奪，遂為漢室禍基之主。治國之道，得失之理，於是可以鑒矣。」其言固未盡當，然則亦對元帝以後，儒者泥古而發，而武宣之業，至此確已衰矣。

西漢末年，儒家論政唯以復古為事，後轉其形至禪讓論，引出荒謬之王莽，結束西漢之國祚，其來亦有自焉。先秦儒家政治思想為賢人政治，天下為公，君師合一，政教不分。及秦開一統之大帝國，不用儒術，漢人承之；漢初儒者雖力詆秦政，攻擊法家，卒其大變於秦者，唯是風俗教化，於政治則僅有調節之功用。漢武興學崇儒，經學為政治之標準，通經可以致用，然儒家思想之與君主政治相抵觸者，亦非人主所樂聞，此即宣帝所謂「奈何純任德教」〔註9〕者，並不盡符儒家理想。儒者為勢所趨，論政往往雜以法家思想，如賈生、董生之德刑並重之說是也。其次，則轉而用力於限制君權，與匡正君行之上。漢儒言此義，頗受陰陽學說之影響，固然，言陰陽可上溯至鄒衍及燕齊海上方士，然董仲舒治公羊春科，始推陰陽，為儒者宗。蓋人主至尊，無所畏憚，借天象以示儆，此春秋以元統天，以天統君之義，漢儒藉此以匡正其主，故災異與經學雜揉。儒者上封事固頗以之警戒君主，人主亦常因災異舉賢良方正直言極諫之士，或以陰陽災異策問學者。儒家賢人政治與公羊三統說結合，導致禪讓之意，復以陰陽災異印證禪讓說之可靠，遂逐漸為元帝以後，學術與政治界之普遍風氣。王莽始得利用風潮所趨，起而代漢。

第三節　西漢之禮樂教化

漢代政治既為儒術與君主結合之形態，而前亦述及儒家之政治思想為君師合一，政教不分，然漢儒或由於處君主專制政體下，因時制宜，而有所調整，或由於自身雜揉他家之言，不能盡符古代儒家之本意。然則，漢代亦頗論禮樂教化，亦因其有禮樂教化，乃可謂為儒家政治，而不同於道家與法家。

《史記・儒林列傳》云：「及至秦之季世，焚詩書，坑術士，六藝從此缺

〔註 9〕 同註8。

焉。陳涉之王也,而魯諸儒持孔氏之禮器,往歸陳王。於是孔甲爲陳涉博士,卒與涉俱死。陳涉起匹夫,驅瓦合適戍,旬月以王楚,不滿半歲竟滅亡,其事至微淺,然而縉紳先生之徒,負孔子禮器,往委質爲臣者,何也?以秦焚其業,積怨而發憤于陳王也。」秦漢之際,學者皇皇然企望得君行道,蓋如是者。漢高既立,天下共尊,叔孫通乃爲之起朝儀,《漢書・叔孫通傳》曰:「漢王已并天下,諸侯共尊爲皇帝於定陶,通就其儀號。高帝悉去秦儀法,爲簡易。群臣飲爭功,醉或妄呼,拔劍擊柱,上患之。通知上益厭之,說上曰:『夫儒者難與進取,可與守成。臣願徵魯諸生,與臣弟子共起朝儀。』高帝曰:『得無難乎?』通曰:『五帝異樂,三王不同禮。禮者,因時世人情爲之節文者也。故夏、殷、周禮所因損益可知者,謂不知復也。臣願頗采古禮與秦儀雜就之。』」儒家論「禮樂」,必與「教化」連言,而以仁義充沛之,故孔子曰:「禮云,禮云,玉帛云乎哉?樂云,樂云,鐘鼓云乎哉?」〔註10〕明玉帛鐘鼓乃其末也。漢書記高祖於朝儀後說而歎曰:「吾乃今日知爲天子之貴也。」並無教化之意貫乎其中,則叔孫通定朝儀,抑亦玉帛鐘鼓之設耳?而采古禮與秦儀雜就之,所謂秦儀者,則禮已雜有秦法,故諸侯王以下莫不震恐肅敬,儸其威,畏其法,此所以所撰禮儀與律令同錄,藏於理官者,禮以法爲內容,已失孔子論禮之本意矣。

至文帝時,賈誼以爲「漢承秦之敗俗,廢禮義,捐廉恥,今其甚者殺父兄,盜者取廟器,而大臣特以簿書不報期會爲故,至於風俗流溢,恬而不怪,以爲是適然耳。夫移風易俗,使天下回心而鄉道,類非俗吏之所能爲也。夫立君臣,等上下,使綱紀有序,六親和睦,此非天之所爲,人之所設也。人之所設,不爲不立,不修則壞。漢興至今二十餘年,宜定制度,興禮樂,然後諸侯軌道,百姓素樸,獄訟衰息。」〔註11〕賈生本「移風易俗,回心鄉道」之旨,議定制度,興禮樂,其理想之崇高,遠超過叔孫通,而進於復興華族傳統文化生命之位矣。然則,漢初開國之君臣,率爲平民,初不知學術也,其於秦制,以簡單素樸之心靈,習而安之,不能有價值上之鑒別;於社會風俗,亦以簡單素樸之心靈適之,無造反叛亂即可,秦所遺之敗俗,殆不甚有感觸,而思有以匡正之。其次,復以賈誼所論,類非軍吏所能爲,恐因此喪失既有之權位利祿,故毀誼曰:「洛陽之人,年少初學,專欲擅權,

〔註10〕見《論語・陽貨篇》。
〔註11〕見《漢書・賈誼傳》。

紛亂諸事。」其議遂寢。雖然，漢代至乎文帝，已達富庶之時矣，既富矣，則教之，乃儒家爲政崇高莊嚴之理想，而大異於法家，故反秦與法家，改制興禮，已爲其時儒生之普遍意識，賈誼首開先聲，雖未彰著於當時，然終醞釀出董仲舒之「復古更化」，儒家禮樂教化之理想得逐步注入漢代政治中。

《漢書‧郊祀志》曰：「武帝初即位，尤敬鬼神之祀。漢興已六十餘歲矣，天下艾安。縉紳之屬皆望天子封禪改正度也，而上鄉儒術，招賢良。趙綰、王臧等以文學爲公卿，欲議古立明堂城南，以朝諸侯，草巡狩封禪改曆服色，事未就，竇太后不好儒術，使人微伺趙綰等姦利事，按綰、臧，綰、臧自殺，諸所興爲皆廢。六年，竇太后崩，其明年，徵文學之士。」封禪者，古代祭天地之祀典，明堂者，朝諸侯所在。顧戰國以來，儒家頗採陰陽之言，秦漢之際，儒術與陰陽方士雜流，竟相比附，皆所以反對法家政治，故漢人言封禪明堂則怪異，凡言鬼神者方士之言，言服色者陰陽之言，以封禪明禪讓，以明堂言議政者儒者之言，三者合而爲一，郊祀之事與禮樂之事，幾於相混。而漢代諸帝多重郊祀，於禮樂則難臻完備。〔註12〕至武帝太初元年，改曆以正月爲歲首，色上黃，數用五，定官名，協音律，而《漢書‧禮樂志》則云：「武帝征討四夷，銳志武功，不暇留意禮文之事。」明不以太初改制爲興禮樂也。武帝雖未制作禮樂，其建元元年詔曰：「古之立教，鄉里以齒，朝廷以爵，扶世導民，莫善於德。然則於鄉里先耆艾，奉高年，古之道也。今天下孝子順孫願自竭盡以承其親，外迫公事，內乏資財，是以孝心闕焉。朕甚哀之。民年九十以上，已有受鬻法，爲復子若孫，令得身帥妻妾遂其供養之事。」元朔元年詔曰：「公卿大夫，所使總方略，壹統類，廣教化，美風俗也。夫本仁祖義，襃德祿賢，勸善刑暴，五帝三王所繇昌也。朕夙興夜寐，嘉與宇內之士，臻於斯路。故旅耆老，復孝敬，選豪俊，講文學，稽參政事，祈進民心，深詔執事，興廉舉孝，庶幾成風，紹休聖緒。」元朔五年詔曰：「蓋聞導民以禮，風之以樂，今禮壞樂崩，朕甚閔焉。故詳延天下方聞之士，咸薦諸朝。其令禮官勸學，講義洽聞，舉遺興禮，以爲天下先。太常其議予博士弟子，崇鄉黨以化，以厲賢材焉。」及元狩元年、六年，下詔存問鰥寡廢疾無以自養者。〔註13〕皆兢兢於禮讓風教之事也。故《漢書‧武帝紀》贊曰：「漢承百王之弊，高祖撥亂反正，文景務在養

〔註12〕 參見李源澄著《秦漢史》。
〔註13〕 具見《漢書‧武帝紀》。

民，至于稽古禮文之事，猶多闕焉。孝武初立，卓然罷黜百家，表章六經。遂疇咨海內，舉其俊茂，與之立功。興太學，修郊祀，改正朔，定曆數，協音律，作詩樂，建封禪，禮百神，紹周後，號令文章，煥焉可述。後嗣得遵洪業，而有三代之風。如武帝之雄材大略，不改文景之恭儉以濟斯民，雖詩書所稱何有加焉。」而武帝禮教之措施，多受當時儒者之影響，尤以董仲舒復古更化之議，意義最為深遠。其對策以為：「教化立而姦邪止，教化廢而姦邪並出，刑罰不能勝。古之明王南面而治天下，莫不以教化為大務。立太學以教於國，設庠序以化於邑，漸民以仁，摩民以義，節民以禮，故其刑罰甚輕而禁不犯者，教化行而習俗美矣。」〔註14〕賈誼始專重教化，董仲舒始言教化之原，教化之原非他，學校是也。武帝建元五年，置五經博士，元朔五年，丞相公孫弘請為博士置弟子員，此後，漢朝中央有太學，地方有學校官，公孫弘復議通經取士之法，教育制度因而建立，砥礪人倫風化之效，於焉而生。然則，儒者既與君主結合，通經可以致仕，常有援經術以飾吏事者，已如上節所述，影響所及，春秋可以斷獄，詩可以為諫書，離古義甚遠矣。

宣帝時，王吉上疏請：「與公卿大臣延及儒生，述舊禮，明王制。」〔註15〕宣帝不納其言，蓋武宣之世，雖頗重興學校、明教化之事，而政治上之實際措施，則非純任儒教也。元帝以後，儒學益為普及，學者遠追古昔，盛言禮制，舉凡議罷郡國廟，定漢宗廟迭毀之禮，祭祀之禮、修辟雍、立明堂、罷樂府，郊祭樂及古兵法武樂別屬他官、定婚禮、車服制度……，無不以復古禮為事，然而，禮文缺微，學者繁滋，紛紛不定，率盤辟為禮容而已。國勢凌夷而衰矣。

第四節　西漢儒家之精神

《孟子‧滕文公篇》引傳云：「孔子三月無君，則皇皇如也，出疆必載質。」以言古君子求君行道之積極入世精神。故孔子雖曰：「用之則行，捨之則藏。」〔註16〕然而其周遊列國，面對荷蓧丈人、楚狂接輿、長沮桀溺之譏，則曰：「鳥獸不可與同群，吾非斯人之徒與而誰與，天下有道，丘不與易

〔註14〕見《漢書‧董仲舒傳》。
〔註15〕見《漢書‧王貢兩龔鮑傳》。
〔註16〕見《論語‧述而篇》。

也。」〔註17〕此爲個人生命與民族生命相契接，以天下爲己任，知其不可爲而爲之之仁心表現。自孔子沒，微言滅，大義乖，弟子各傳其道，學術互異，各有所長，亦各有所偏，《韓非·顯學》云：「自孔子之死也，有子張之儒，有子思之儒，有顏氏之儒，有孟氏之儒，有漆雕氏之儒，有仲良氏之儒，有孫氏之儒，有樂正氏之儒。」派別既分，其不僅不如孔子之大成，且流傳日久，雜揉他家學說者有之。雖然，不害其同出於孔門，而求君行道之入世精神，亦無不有之。特別是在戰國及暴秦，賢聖大道陵夷，儒者求用展志之心，益爲急切。由陳涉起，縉紳之士不顧其事至微淺，負孔子之禮器，往委質爲臣者，可見一般。

漢興，天下粗定，繼之以黃老之無爲，雖其黃老，只言清靜無爲，謙退養生而已，並不非毀禮法，遠慕皇古，然無儒家禮樂人倫之理想，提撕於其中，又高祖守其本素，甚厭儒生，且曰：「我方以天下爲事，未暇見儒人也。」〔註18〕其時其勢與儒者皆不相適，陸賈且時時前說稱詩書，以辯才相折衝，終至爲高祖陳《新語》，叔孫通則明察高帝之患，適時請起朝儀；雖《新語》頗有道家之言，朝儀則取秦儀雜就之，然當此之時，二人固本其儒者積極進取，勇於陳言之心也。陸賈《新語》，叔孫通定朝儀是，賈誼改制，董仲舒更化亦是。漢自武帝，進於儒家政治極盛時期，打破封侯拜相之慣例，儒者有盡其責任之途徑，人才輩出，足爲式範，至西漢末年，儒家學說轉於言禪讓、災異，自思想論，固有迂遠怪誕之失，而其用心未嘗不在解決政治實際問題上奮鬥。西漢二百年，儒者與君主緊密結合之情形，爲歷代所罕見，儒家在漢王所謂「度吾所能行爲之」〔註19〕之專制政體中，求用務實，表現以天下爲己任，思治國安邦之精神，誠爲莊嚴而可貴也。

漢儒經世致用之精神，固有其不可泯滅之貢獻，然亦爲其不重視性命哲學之主因，此後人每論西漢儒者，甚乏思想家之意味者。此一缺失，直接影響於西漢之禮教。蓋周公、孔子之禮樂，原爲陶冶心性而立，以萬物之質與天性之誠爲本，發爲周旋之文采，於一一威儀，皆通其豐富之意義，於一一威儀，皆曉其象徵精神之指點，因能踐其位，行其禮，奏其樂，敬其所尊，愛其所親，事死如事生，事亡如事存。西漢之禮樂，於此則闕如。故《漢書·

〔註17〕見《論語·微子篇》。
〔註18〕見《史記·酈生陸賈列傳》。
〔註19〕見《漢書·酈陸朱劉叔孫傳》。

郊祀志〉中，各種祭天祀地之禮甚多，而〈禮樂志〉中，乃無甚可言者，而即如〈郊祀志〉所載之禮儀，亦多爲免災異，順五行而設，人倫教化之意味甚淺。西漢末年，學者雖倡言復古禮，亦缺乏內省，不免於以陰陽災異爲用，且說者紛紛，興廢不定，徒具體容耳。顧此，前者爲由內在性命以建立道德，進而安民；後者乃藉天意以限制君行，而求安民。兩者相較，其充實而有光輝與虛浮而流爲迂闊，亦可謂遠矣。

第二章　漢初之儒學

第一節　高祖時代儒生之用心

一、漢初政治之基本性格

漢高祖以布衣提三尺劍取天下，是中國歷史前所未有之大變。故《史記‧秦漢之際月表》序云：「王迹之興，起於閭巷，合從討伐，軼於三代。鄉秦之禁，適足以資賢者為驅除難耳。故憤發其所為天下雄，安在無土不王？此乃傳之所謂大聖乎？豈非天哉？豈非天哉？非大聖，孰能當此而受命者乎？」

漢王既代秦而有天下，其初一切法制，多沿秦舊，所不同者，郡縣與封建並行耳。漢仍秦制，而天下以寧，固時移勢變也，然亦有其政治本質之內在因素。而奠定漢家政治之基本性格者，殆有二人。一曰，張良；其次曰，蕭何。茲先歷敘之。

《史記‧留侯世家》云：「良數以太公兵法說沛公，沛公善之，常用其策。良為他人言，皆不省。良曰：『沛公殆天授。』故遂從之。」高祖與張良之相得，於斯可見。而張良說高祖者，乃太公兵法。太公為「齊學」之祖，本姓姜氏，先祖嘗封於呂（呂為齊地，即今山東省呂縣。），從其封姓，故曰呂尚。殷末亂世，太公隱海濱，文王聘以為師。其與文王謀傾商政，多兵權與奇計。其後復佐武王伐紂，建立周朝，受封於齊，都營丘（故城位今山東省青州昌樂縣）。太公至齊修政，因其俗，簡其禮，通商工之業，便魚鹽之利。〔註 1〕

〔註 1〕 見《史記‧齊太公世家》。

由此大抵可知太公之學，多陰謀，善順勢，重現實，求革新，乃一主變之學也；而與魯學之守常道，法古、不移者有別。張良自見圯下老人，得太公兵法，深明其道，沈潛從容，靈府獨運，逢高祖成敗存亡之關，默觀大勢，運籌設計，非其幾不言，言則必中。究其謀策，率皆以柔克剛，以少勝多，以奇制勝，道家之術也。而高帝受之於子房，天下未定前，用以克敵制勝，既定後，轉爲制服諸侯功臣，無一不是也。

張良與高祖相得而彰智，智之靈所以運事；蕭何與高祖相得而成事，事之局所以定世。蕭何，沛豐人，與高祖同邑，秦時本爲刀筆吏。及高祖起爲沛公，何常爲丞督事。沛公至咸陽，諸將皆爭走金帛財物之府分之，何獨先入收秦丞相御史律令圖書藏之。其後，項王與諸侯屠燒咸陽而去，漢王所以具知天下阨塞，戶口多少，彊弱之處，民所疾苦者，以何具得秦圖書也。居相位，塡國家，撫百姓，給餉饋，不絕糧道，取秦法之宜於時者，作律九章。蕭何可謂謹慎誠篤，處事縝密之人也，其雖無才學之可言，然而綜核名實，爲法畫一之事功精神，卻足以定一代之大局。漢高初定天下，不修文學，章則法度，非其所長，又無既成之文化系統，可資憑藉，其所賴者唯蕭何耳，而何之所承者，秦之吏制也，然而其人格堅凝而不刻薄，渾樸而不陰森，故雖承秦制，不礙其大異於秦，此亦漢之治權所以能持久也。

當是時，丁壯苦軍旅，老弱罷轉餉，以戰國窮困之民，繼以秦漢間之戰禍，人民咸欲得休息，高祖出自微細，知人民疾苦，能行清靜之政，唯以安民爲務。蓋秦之所以苦民者，內事興作，外攘夷狄，漢初反之，即內無所興作，而外與匈奴和親，結懽南粵趙佗。然則漢初君臣之無爲，非廢事之謂，即在息兵事與興作，其餘安民之道，尤兢兢焉。如安集軍吏，復民田宅，免奴婢爲庶人，獎勵生育，困辱商賈，皆可謂盡心也。高祖猶慮天下之有變，徙都關中以自固，又徙六國豪族於關中，誅功臣之據地自主者，懲戒亡秦孤立之敗，剖疆裂土，大封同姓子弟。雖然，大封同姓，其後淪爲子孫憂，唯在當時，以異姓諸侯王之強，不能不大封同姓，所以抗之，亦無可奈何之事耳。

《史記‧高祖本紀》曰：「高祖爲人……仁而愛人，喜施，意豁如也，常有大度。」又曰：「高祖常繇咸陽，縱觀，觀秦皇帝。喟然太息曰：嗟乎！大丈夫當如此也。」《漢書‧高帝紀》曰：「高祖不修文學，而性明達，好謀能聽，自監門戍卒，見之如舊。」高祖以其自有之生命充沛氣象，呈天資而服

善，好簡易而從理，容受張良、蕭何，創西漢二百年之光榮時代。然則，張良之智慧固屬道家之形式，蕭何之堅凝，來自其質樸之心靈與夫事功之精神。因此，漢初君臣之胸襟，及其勤政愛民之政治措施，雖與儒家政治之理想，若合符節，固無關儒家之思想也。《史記·酈生陸賈列傳》記高祖鄙視儒生之狀，云：「沛公不好儒，諸客冠儒冠來者，沛公輒解其冠，溲溺其中。」遂令漢初儒生之用心，倍為委曲。

二、叔孫通之古禮雜秦法

劉邦既開歷史之創例，以平民得天下，及其成功，自謂曰：「天命」，人亦名之曰：「真命天子」。其資也素樸，其才也豁達，揮洒無賴，自我作古。詩書禮樂，固其所未聞，亦非其所欲聞。唯彼時，戰國遺風流傳，辨才之士，猶不少概見，其或識禮，或知書，而稱儒生者，皆思有所見用於世。由諸生之言論行誼，亦可見當時學術與制度之情況於一斑，其為漢帝國創禮者，有叔孫通；其學說足以代表漢初政治思想，且為西漢孔學之先驅者，推陸賈。茲先論叔孫通。

叔孫通本魯國薛人，秦時以文學徵為博士待詔。陳勝起山東，二世召博士儒生，諸生或曰造反，或曰盜匪，惟叔孫通曰：「鼠竊狗盜耳，何足置之齒牙間。」二世喜，賜帛二十匹，衣一襲，拜為博士。既出宮反舍，諸生責其何言諛也，通曰：「公不知也，我幾不脫於虎口。」其後亡去，先投項梁，再隨楚懷王，懷王徙長沙，通留事項羽，漢二年始降漢王，故後來魯地儒生曰：「公所事者，且十主，皆面諛以得親貴。」〔註2〕

觀其降漢一節，《史記·叔孫通列傳》曰：「叔孫通儒服，漢王憎之。迺變其服，服短衣，楚製，漢王喜。」又曰：「叔孫通之降漢，從儒生弟子百餘人，然通無所言進，專言諸故群盜壯士進之。弟子皆竊罵曰：『事先生數歲，幸得從降漢，今不能進臣等，專言大猾，何也？』叔孫通聞之，迺謂曰：『漢王方蒙矢石爭天下，諸生寧能鬥乎？故先言斬將搴旗之士，諸生且待我，我不忘矣。』」

而漢王即帝位，儀號皆叔孫通擬就。《史記》本傳曰：「高帝悉去秦苛儀，法為簡易。群臣飲酒爭功，醉或妄呼，拔劍擊柱。高帝患之，叔孫通知上益厭之也。說上曰：『夫儒者難與進取，可與守成。臣願徵魯諸生，與臣弟子共

〔註2〕 事見《史記·劉敬叔孫通列傳》。

起朝儀。』高帝曰：『得無難乎？』叔孫通曰：『五帝異樂，三王不同禮。禮者，因時世人情爲之節文者也。故夏殷周之禮，所因損益可知者，謂不相復也。臣願頗采古禮，與秦儀雜就之。』上曰：『可試爲之，令易知，度吾所能行爲之。』」由「五帝異樂，三王不同禮」之說，其受荀卿、韓非之影響可見。於是，叔孫通使徵魯諸生三十餘人，魯有兩生不肯行，曰：「公所事者，且十主，皆面諛以得親貴。今天下初定，死者未葬，傷者未起，又欲起禮樂。禮樂所由起，積德百年，而後可興也。吾不忍爲公所爲。公所爲不合古，吾不行，公往矣。無汙我。」叔孫通笑曰：「若眞鄙儒也。不知時變。」乃定朝儀。漢七年，長樂宮成，諸侯群臣皆朝。《史記》本傳記其情況曰：「十月儀，先平明，謁者治禮，引以次入殿門。廷中，陳車騎，步卒衛官，設兵，張旗志。傳言趨，殿下，郎中俠陛，陛數百人。功臣列侯，諸將軍軍吏，以次陳西方，東鄉。文官丞相以下，陳東方，西鄉。大行設九賓臚傳。於是皇帝輦出房，百官執職傳警，引諸侯王以下至吏六百石，以次奉賀。自諸侯王以下，莫不震恐肅敬。至禮畢，復置法酒，諸侍坐殿上，皆伏抑首。以尊卑次起上壽。觴九行，謁者言罷酒。御史執法，舉不如儀者，輒引去。竟朝置酒，無敢讙譁失禮者。於是高帝曰：『吾迺今日知爲皇帝之貴也。』迺拜叔孫通爲太常（漢書作「奉常」，應作「奉常」）〔註3〕，賜金五百斤。叔孫通因進曰：『諸弟子儒生，隨臣久矣，與臣共爲儀，願陛下官之。』高祖悉以爲郎。叔孫通出，皆以五百斤金賜諸生。諸生迺皆喜曰：『叔孫生誠聖人也。知當世之要務。』」

固然，叔孫通定朝儀是漢帝國文治化歷史之開始。劉邦素來輕視儒生，諸客冠儒冠來者，嘗解其冠，溲溺其中，叔孫通以圓滑權變之手段，令漢帝知禮，且進用儒生。故太史公評曰：「叔孫通希世，度務制禮，進退與時變化，卒爲漢家儒宗，大直若詘，道固委蛇，蓋謂是乎？」稱漢家儒宗，惟「大直若詘，道固委蛇」，則已是道家權術之用，所定期儀之內容及意義，復有深厚之法家思想，此亦漢代儒生思想駁採他家，無純儒之謂也。

古者興禮樂以治天下，樂以治內而爲同，禮以修外而爲異；同則和親，異則畏敬；和親則無怨，畏敬則不爭，揖讓而天下治。王者因前王之禮，有所損益，三代之禮，至周大備，孔子美其文而欲從之。及至後世，諸侯踰越

〔註3〕 《漢書‧百官公卿表》曰：「奉常，秦官，掌宗廟禮儀，有丞。景帝中六年更
　　　　名太常。」故此時應作奉常。

法度，惡禮法之害己，去其篇籍，復遭秦火，禮最失傳，故失之久矣。〔註4〕則叔孫通雖采古禮，已難盡備，而復雜秦儀，則禮已滲合法之思想可知矣。且群臣朝賀而已，使諸侯王以下伏席震恐，其法之嚴可見，於高帝亦不過知爲皇帝之尊嚴，幾無教化之用，俱去古禮之意遠矣。此法家思想正式納入儒家思想中，令其合理化，而平民革命推翻秦帝國之後，又進入一專制政體之歷史也。故朱子評曰：「其效至於群臣震恐，無敢失禮者，比之三代之燕享，君臣氣象便大不同。蓋只是秦人尊君卑臣之法。」〔註5〕

　　孔子言禮，於修身言，以仁爲內涵，故曰：「人而不仁，如禮何？人而不仁，如樂何？」〔註6〕而門弟子問仁，應答雖有不同，內容無非禮之表現。於行事言，則求其宜，曰；「天下有道，則禮樂征伐自天子出，天下無道，則禮樂征伐自諸侯出。」〔註7〕至禮之本質，又與天道相合，林放問禮之本，孔子答以「禮，與其奢也，寧儉。喪，與其易也，寧戚。」〔註8〕蓋制禮之始，本有樸素之本質，而後始有周旋之文采，有慘怛之誠心，而後有衰麻之節文。儉與戚，雖未得禮之本也。然樸素者，萬物之質；慘怛者，天地之誠，以是求之，可視禮之本矣。萬物之質與天地之誠，皆出於天道之本然。此孔子言禮與天道相合之證也。〔註9〕叔孫通制禮雜法，非孔子論禮之意，究其源，則出於荀子。蓋荀子主性惡，論禮之起源，非出於天性之誠，乃因人生而有慾，其〈禮論篇〉曰：「禮起於何也？曰：人生而有欲，欲而不得，則不能無求，求而無度量分界，則不能不爭。爭則亂，亂則窮。先王惡其亂也，故制禮義以分之，以養人之欲，給人之求，使欲必不窮乎物，物必不屈於欲，兩者相持而長，是禮之所起也。故禮者，養也。」「禮」之轉化爲「法」，其關鍵已顯見。叔孫氏言禮既出荀子，復以身事秦廷數年，習染秦國極權法制之風，由定朝儀一事已可得而見。至其對惠帝曰：「人主無過舉」，並爲惠帝緣飾過失。此尊君卑臣，有功歸君，有過罪臣之思想，則已進於申韓矣。

　　漢自叔孫通創禮，即以禮與法同科，甚至禮幾淪爲形式，然則叔孫氏此舉，仍有其歷史之意義，其可言者殆有三者焉：

〔註4〕參見《漢書·禮樂志》，及黃錦鋐著《秦漢思想研究》，漢代儒家之特質。
〔註5〕見《朱子語類·卷一三五》。
〔註6〕見《論語·八佾篇》。
〔註7〕見《論語·季氏篇》。
〔註8〕見《論語·八佾篇》。
〔註9〕參見黃錦鋐著《秦漢思想研究》，漢代儒家之特質，（三）漢代之禮樂。

（一）自周衰以來，禮樂陵夷，儒家地位日趨下流，曰儒「倨傲自順」者有之〔註10〕，曰儒「無益於人之國」者有之〔註11〕，曰儒「以文亂法」者有之〔註12〕，甚至，焚書坑儒。而叔孫通召魯生定朝儀，爲戰國中葉以來，統治君主首次引儒家之禮樂爲治國之具。雖其目的在威震臣下，其內容亦不外法家精神，但明用儒生，標著禮樂，實爲一絕大之轉機，開後起儒者用世之先聲，史遷謂其「爲漢家儒宗」不亦可乎？

（二）叔孫通雖援引禮樂，但因雜秦法以威臣下，充分顯示其法後王、重實利之精神。順勢制宜，謀求實利，此乃太公治齊之略，與周公治魯者，截然不同。儒家必待荀子之出，始有法後王及富國強兵等重實利之論。法後王、重實利之優劣，本文不暇詳論。但漢乃承襲荀子，乃至戰國之學風，必無疑也。

（三）叔孫通因定朝儀而封奉常，追隨之儒生亦皆得利，而譽之爲聖人，此明爲戰國以來，立學說以干卿祿之術也。然在此追求利祿之心態後，仍有一經世致用之理想，自孔子周遊列國，至劉歆爲左傳爭立學官，皆出自此一理想。另以其重外王之道，故曾子、子思、孟子所傳之內聖之學不彰。而重外王之道，必在政治求實現理想，稍一不愼，即由荀卿而入申韓，但漢之儒家雖雜法家，卻持守不失，未滋生戰國末年學術之大弊。

三、陸賈首開學術風氣

漢代之書，以陸賈《新語》最純最早。《史記》列酈生與陸賈同傳，目陸賈爲辯者之流。究其生平行徑，以客從高祖，有口辯，居左右，常使諸侯，後使南越，說其王尉佗，令稱臣，奉漢約，高帝大說，拜爲太中大夫。及其後誅呂氏，立孝文，賈雖頗有力，而若行其所無事。只見其從容暇豫，微赴事機，並不汲汲於功名，亦無矯情以干譽之態度。其書大抵尊王絀霸，歸本修身，所援引春秋，論語之文，論者以爲在漢儒爲最醇，卓然爲西漢儒學先趨者，史遷之言未足盡之也。

《史記・陸賈列傳》曰：「陸生時時前說稱詩書，高帝罵之曰：『迺公居

〔註10〕《史記・孔子世家》云：「景公說，將欲以尼谿田封孔子。晏嬰進曰：『夫儒者滑稽，而不可執法，倨傲自順，不可以爲下。……』後景公敬見孔子，不問其禮。」

〔註11〕《荀子・儒效篇》：「秦昭王問孫卿子曰：『儒無益於人之國。』」

〔註12〕見《韓非子・五蠹篇》。

馬上而得之，安事詩書？』陸生曰：『居馬上得之，寧可以馬上治之乎？且湯武逆取而以順守之，文武竝用，長久之術也。昔者吳王夫差、智伯，極武而亡，秦任刑法不變，卒滅趙氏。鄉使秦已并天下，行仁義，法先聖，陛下安得而有之？』高帝不懌，而有慙色，迺謂陸生曰：『試爲我著秦所以亡天下，吾所以得之者何？及古成敗之國。』陸生乃粗述存亡之徵，凡著十二篇，每奏一篇，高帝未嘗不稱善。左右呼萬歲。號其書曰《新語》。」

　　《新語》本陸賈應高祖「試爲我著秦所以失天下，吾所以得之者，及古成敗之國」之命而作，其根據係身歷之歷史政治興亡之經驗教訓，故能眞實不迂闊，而感動劉邦。

　　〈道基第一〉首云：「傳曰：天生萬物，以地養之，聖人成之，功德參合，而道術生焉。故曰：張日月、列星辰、序四時、調陰陽，布氣治性，次置五行。春生夏長，秋收冬藏，陽生雷電，陰成雪霜，養育群生，一茂一亡。潤之以風雨，曝之以日光，溫之以氣節，降之以殞霜。位之以眾星，制之以斗衡，包之以六合，羅之以紀綱，改之以災變，告之以禎祥，動之以生殺，悟之以文章。故在天者可見，在地者可量，在物者可紀，在人者可相。故地封五嶽，畫四瀆，規污澤，通水泉，樹物養類，苞殖萬根，暴形養精，以立群生。不違天時，不奪物性，不藏其詐。故知天者仰觀天文，知地者俯察地理。跂行喘息，蛢飛蠕動之類，水生陸行，根著葉長之屬，爲寧其心，而安其性。蓋天地相承，氣感相應而成者也。於是先聖乃仰觀天文，俯察地理，圖畫乾坤，以定人道，民始開悟，知有父子之親，君臣之義，夫婦之道，長幼之序，於是百官立，王道乃生。」此由仰觀俯察而悟天道，由天道而立人道，而立王道，其源蓋出於《易》。《易・繫辭》曰：「天尊地卑，乾坤定矣。卑高已陳，貴賤位矣。動靜有常，剛柔斷矣。方以類聚，物以群分，吉凶生矣。在天成象，在地成形，變化見矣。是故剛柔相摩，八卦相盪，鼓之以雷霆，潤之以風雨，日月運行，一寒一暑，乾道成男，坤道成女。」又曰：「仰以觀於天文，俯以察於地理，是故知幽明之故。」觀察陰陽消息，大化流行，進而法乎天道，以言人道，爲儒家之精神。陸生雖言陰陽消息，而不與陰陽家同趣，以其不以陰陽解災異，更不言五德轉移，且能善自陰陽變化中體察天道，剛健進取，建立人道，與陰陽家因變化而推衍無窮，不知所終，有其方法與內容上之截然分別。故陸生雖有「治道失於下，則天文變於上。」〔註13〕「惡

─────────────

〔註13〕見陸賈《新語・明誠第十一》。

政生於惡氣，惡氣生於災異。」〔註14〕等涉言災異之語，然其不與陰陽、吉
凶、五行等連言，非如後來言災異頗取陰陽家之宇宙架格者。則其似不過順
世俗之信仰，藉一二以言治道，實反對世人「說災異之變，弃先王之法，異
聖人之意，惑學者之心，移眾人之志。」〔註15〕此其學說在漢儒為最醇之明
證也。

　　陸賈言馬上得天下，不可以馬上治天下，當求以詩書，亦即以仁義為轉
換之方向，此其所以發心立言也。故〈道基第一〉曰：「齊桓公尚德以霸，秦
二世尚刑而亡。故虐行則怨積，德布則功興。百姓以德附，骨肉以仁親。
夫婦以義合，朋友以義信，君臣以義序，百官以義承。曾閔以仁成大孝，伯
姬以義建至貞。守國者以仁堅固，佐君者以義不傾。君以仁治，臣以義平。
鄉黨以仁恂恂，朝廷以義便便，美女以貞顯其行，列士以義彰其名。陽氣以
仁生，陰節以義降。鹿鳴以仁求其群，關雎以義名其雄。春秋以仁義貶絕，
詩以仁義存亡。乾坤以仁和合，八卦以義相承。書以仁敘九族，君臣以義制
忠，禮以仁盡節，樂以禮升降。仁者道之紀，義者聖之學。學之者明，失之
者昏，背之者亡，陳力就列，以義建功。師旅行陣，德仁為固。仗義而強，
調氣養性，仁者長壽，美才次德，義者行方。君子以養相褒，小人以利相
欺。愚者以力相亂，賢者以義相治。穀梁傳曰：仁者以治親，義者以利尊，
萬世不亂，仁義之所治也。」仁義為儒家修養之最高境界，陸生可謂深得儒
家之大旨。

　　然則，戰國時社會變遷，豪傑兼并，詐偽叢生，而儒家嚴肅之道德觀念，
被社會目為迂腐，因此儒家認為有修正之必要，於是荀子應運而生。〔註16〕
而漢儒顯受其影響，陸生亦是，故其雖稱述仁義，不與孟子同趣，而有法後
王之說。〈術事第二〉云：「善言古者，合之于今；能述遠者，考之于近。」
即是《荀子・性惡篇》「善言古者，必有節於今；善言天者，必有徵於人。」
之語。又：「世俗以為自古而傳之者為重，以今之作者為輕。澹于所見，甘于
所聞。……道近不必出于久遠，取其致要而有成。春秋上不及五帝，下不至
三王，述齊桓晉文之小善，魯之十二公，至今之為政，足以知成敗之效，何
必于三王？故古人之所行者，亦與今世同，立事者不離道德，調絃者不失宮

〔註14〕　同註13。
〔註15〕　見陸賈《新語・懷慮第九》。
〔註16〕　參見梁啓超著《二千五百年儒學變遷概略》。

商。……周公與堯舜合符瑞，二世與桀紂同禍殃。文王生于東夷，大禹出于西羌，世殊而地絕，法合而度同。……萬世不異法，古今同紀綱。」考之荀子法後王之主張，則〈非十二子〉篇云：「略法先王而不知其統，……是則子思、孟軻之罪也。」〈儒效篇〉云：「略法先王而足亂世術，……不知法後王而一制度，……呼先王以欺愚者而求衣食焉，……是俗儒者也。法後王，一制度，……是雅儒者也。」至其法後王之理由，就消極面而言，則謂：「妄人者，門庭之間猶可誣欺也，而況於千世之上乎？……五帝之外無傳人，非無賢人也，久故也。五帝之中無傳政，非無善政也，久故也。……傳者久則論略，近則論詳，略則舉大，詳則舉小，……是以文久而滅，節族久而絕。」〔註17〕又謂：「言道德之求，不二後王，道過三代謂之蕩，法二後王謂之不雅。」〔註18〕先王固亦有賢人，亦有善政，惟時代久遠，其時法度縱有傳述於今世者，亦大略而已，不知其詳，而取其大略以為法，是「略法先王而不知其統」〔註19〕，「略法先王而足亂世術」。〔註20〕門庭之間猶有不可盡信者，遠在千世以上之事，更為不可信。而遠古法度早經絕滅，雖欲取法，亦無可取法。不足信，無可法，猶欲取法，是為俗儒。至若積極理由，則曰：「欲觀聖王之跡，則於其粲然者矣，後王是也。彼後王者，天下之君也。舍後王而道上古，譬之是猶舍己之君而事人之君也。」〔註21〕曰：「百王之道，後王是也。」〔註22〕此謂美制非一人一時而成，乃歷代聖王智慧累積之結晶，後代之法度中，有前代法度之遺跡，累積愈多，時代愈後，其法度愈能粲然大備。〔註23〕荀卿信古今同理，法後王之因，唯在其近、其備、其美，故不必遠法上古，但「取其致要而有成」而已。陸賈「萬世不異法，古今同紀綱」正為此意。但陸賈又言：「故制事者因其則，服藥者因其良，書不必起仲尼之門，藥不必出扁鵲之方，合之者善，可以為法，因世而權行。」〔註24〕已超出此意，而近於申韓「世異則事異，事異則備變。」之意味。蓋荀子之思想，一轉化即為法家，此由李斯而得證。法家緣荀子「法後王」之說，而進一步言

〔註17〕 見《荀子·非相篇》。
〔註18〕 見《荀子·儒效篇》。
〔註19〕 見《荀子·非十二子篇》。
〔註20〕 見《荀子·儒效篇》。
〔註21〕 見《荀子·非相篇》。
〔註22〕 見《荀子·不苟篇》。
〔註23〕 參見陳大齊著《荀子學說》。
〔註24〕 見陸賈《新語·術事第二》。

「古今異勢」，則其「法後王」已異於荀子矣。陸賈不自知，而將韓非「古今異勢」，與荀子「古今同理」相混淆，致其「法後王」之理論根基有矛盾處。〔註25〕然其不入於法家者，以陸生論政極力主張輕刑尚德，〈至德第八〉曰：「天地之性，萬物之類，儀道者眾歸之，恃刑者民畏之，歸之則附其側，畏之則去其域，故設刑者不厭輕，為德者不厭重，行罰者不患薄，布賞者不患厚，所以親近而致疏遠也。」是卓然儒家之言也。

陸賈懲秦之興作，復以漢興天下初定，瘡痍未復，上下咸思休養生息，因將儒家之仁義，與道家之無為結合，開兩漢儒道互用之學風。其〈無為第四〉首云：「夫道莫大於無為」，來自老子，接云：「行莫大於謹敬」，合於《論語‧仲弓》之「居敬而行簡」。而〈至德第八〉云：「夫欲建國彊威，辟地服遠者，必得之於民。欲建功興譽，垂名烈，流榮華者，必取之於身，……天地之性，萬物之類，懷德者眾歸之，恃刑者民畏之。歸之則附其側，畏之則去其域。故設刑者不厭輕，為德者不厭重。行罰不患薄，布賞不患厚。所以親近而致疏遠也。夫刑重者則心煩，事眾者則身勞。心煩者則刑罰縱橫而無所立，身勞者則百端迴邪而無所就。是以君子之為治也，混然無事，寂然無聲，官府若無吏，亭落若無民。閭里不訟於巷，老幼不悉於庭。近者無所議，遠者無所聽。郵驛無夜行之卒，鄉閭無夜召之征。犬不夜吠，雞不夜鳴。老者甘味於堂下，壯者耕耘於田。在朝者忠於居，在家者孝於親。於是賞善罰惡而潤澤之，興辟雍庠序而教誨之，然後賢愚異議，廉鄙異科，長幼異節，上下有差，強弱相扶，小大相懷，尊卑相承，雁行相隨，不言而誠，不怒而行。豈恃堅甲利兵，深牢刻法，朝夕切切而後行哉。」正是將儒道兩家思想，於政治上作合理實際之融合。

要而論之，陸賈之學，乃出於儒家而兼治道家之言者也。漢志所稱儒家者流，自孔子沒，至戰國之際，其能光大孔子之道者，端推孟、荀二子矣。然荀子固嘗游於齊，居稷下，為祭酒者三焉，其染於齊教，亦已深矣。故其言禮也，又參於法，稷下諸子，若田駢，慎到、接子之流，無一非法家鉅子。故凡如性惡、法後王、隆禮義，皆有異於孟子。漢代既繼戰國法度陵夷、秦世專制集權之後，與孔孟守經抱道，只言仁義，不論功利之精神，格格不入，故儒者率皆荀氏之儒，陸賈《新語》所在皆其跡也。

劉邦以豁達之才，縱橫之姿，憤發於草莽中，見儒生輒謾罵輕侮，然以

〔註25〕參見胡適著《中國中古思想史長編》，第三章秦漢之間的思想狀態──陸賈。

其無成見，不沾滯，聞「居馬上得之，寧可以馬上治之乎？」即轉而問天下興亡之理。史公言「號其書曰《新語》」，見其確有真實之感受。蓋漢初大臣多鄙野無文，張良雖沈潛智慧，終不與詩書之文化系統，陸賈必予漢高一新啓示。漢志諸子略儒家有高祖傳十三篇，班固自註「高祖與大臣述古語及詔策也。」向、歆父子以之列儒家，其中多少含儒家意味。而十一年求賢詔，標舉晉文齊桓，與陸賈求賢之意正同。十二年十一月，行自淮南，過魯，「以太牢祀孔子」，爲帝王祀孔子之始，若非陸賈啓示，而對孔子有真誠敬意者，當難有此空前之舉。〔註 26〕陸賈予漢代實際政治之影響，必然極輕，惟反任刑尙德教，懲興作倡仁義，以道家之態度立身處世，以儒家之用心論政治社會，正爲漢初儒學之特徵。

第二節　惠帝至景帝時期儒學之發展

一、蕭規曹隨，躬修玄默

　　惠帝寬仁，朝中大臣一仍高祖之舊。蕭何爲相，惠帝二年薨，推曹參爲賢。曹參秦時爲獄掾，高帝爲沛公，參從起兵，戰功僅次於韓信。高帝即位，以參爲齊相國。惠帝元年，復以參爲齊丞相，聞蓋公善治黃老，貴清靜，而民自定，拜爲師。相齊九年，齊國安樂，大稱賢相。參既代何爲相國，舉事無所變更，一遵何之約束，擇郡國吏木訥於文辭，謹厚長者，即召除爲丞相吏。吏言文刻深，欲務聲名，輒斥去之。見人之有細過，掩匿覆蓋之，府中無事。清靜安寧，生息滋養。百姓歌之曰：「蕭何爲法，講若畫一，曹參代之，守而勿失，載其清淨，民以寧一。」皇帝垂拱，群臣守職，秉要執本，即無爲之治也。太史公曰：「參爲漢相國，清靜，極言合道，然百姓離秦之酷後，參與休息無爲，故天下俱稱其美矣。」〔註27〕

　　惠帝之立，以呂后故也。呂后剛毅，佐高祖取天下，將相大臣皆畏之。高祖崩，惠帝即位，受制於呂后，七年而崩，呂后乃立少帝，一切詔制出之呂后。〈太史公自序〉曰：「惠之早薨，諸呂不台，崇彊祿產，諸侯謀之，殺隱幽友，大臣洞疑，遂及宗禍，作呂太后本紀。」《史記》不立惠帝本紀，

〔註26〕參見徐復觀著《兩漢思想史》，漢初的啓蒙思想家——陸賈，五、陸賈啓蒙的影響。
〔註27〕以上并見《史記·曹相國世家》。

以此也。然呂后之私德，無關天下治亂，《史記・呂后本紀》論云：「孝惠皇帝、高后之時，黎民得離戰國之苦，君臣俱欲休息乎無爲，故惠帝垂拱，高后女主稱制，政不出房戶，天下晏然，刑罰罕用，罪人是希，民務稼穡，衣食滋殖。」此蓋其時政治之定評。政治固承高祖，然離禍亂日遠，民生日裕，而孝弟力田之選，省法令妨吏民者，除挾書律，除三族辠，妖言令，弘商賈之律等，皆於秦時刑法多所修改，比之高帝，顯爲寬緩。繼此而往，乃有文景之治。

文帝以外藩入繼大統，躬修玄默，勸趨農桑，減損租賦，將相皆舊功臣，少文多質，懲惡亡秦之政，論議務在寬厚，恥言人之過失，化行天下，告訐之俗易，吏安其官，民樂其業，蓄積歲增，戶口浸息，風流篤厚，禁網疏闊。〔註28〕

惟文帝之時，已爲多事之秋。李源澄曰：「高祖時之困難，外患則匈奴，內患則異姓諸侯王。高后惠帝時，惟匈奴爲患。惠帝歿後，始有大臣之偪，而同姓諸侯無憂也。文帝時，三者並起，夷狄、諸侯、大臣皆可畏，稍一不慎，即足以傾覆漢室。幸大臣無篡奪之心，不與夷狄諸侯相合。不然，則漢朝必致瓦解。文帝才大，能銷患于無形，史家但稱其德，罕言其才用。劉向且謂治理之才不及宣帝，失其實矣。」〔註29〕蓋自戰國以來，楚漢之際，禮義法度盡失，惟力巧詐，漢高掃平群雄，風俗之雜駁，未因之而轉，曹參之風，乃動亂之自然生息，而生息後之民心習尚，社會秩序，仍未有一文教制度足以節之。且文帝入嗣大統，以呂后之亂故也，平、勃立之，亦利其仁厚。然觀其使宋昌先至長安觀變，西嚮讓三，南嚮讓再，即位之夕，即收兵柄，元年先封賞功臣，還呂后所奪齊楚地，以慰大臣宗藩之望，後修代來功，封宋昌爲壯武侯，有司請早建太子，則推尊吳楚，明不敢長有天下，明尊平勃，而銷其權於無形。……非有智術者不能。

其時，在內之患莫過強藩，蓋漢初之封，儼如戰國，天子於諸侯，亦置關以備之，如秦之於六國，則漢之與諸侯其實均也。賈誼痛哭太息以陳之，文帝未嘗不動於中，而護念也，然則，賈生終不得大用，其於諸侯王，亦終不能以力視，固由文帝性寬仁，亦慮之周矣。其分齊、趙、梁諸國，固已師賈誼之意，其後，主父偃推恩之策，賈誼啓之也。文帝制諸侯王以漸，減殺

〔註28〕 見《漢書・刑法志》。
〔註29〕 見李源澄著《秦漢史》。

其勢，大封梁國，以周亞夫屬景帝，吳楚七國反，不旋踵而平。此後，封建廢、郡縣成，大一統始正式奠立焉。於外患匈奴，當其初立仍守漢初成法，使公主和親。後採晁錯守邊備塞，勸農立本之策，漢廷有邊備，晁錯之謀也。《漢書・匈奴傳》贊曰：「文帝中年，赫然發憤，遂躬戎服，親御鞍馬，從六郡良家材力之士，馳射上林，講習戰陣，聚天下精兵軍於廣武，顧問馮唐，與論將帥，喟然嘆息，思古名臣，此則和親無益，已然之明效也。」漢之備禦匈奴，亦文帝植其基礎，景帝時匈奴始不爲寇，至武帝遂撻伐匈奴也。文帝於諸侯王用賈誼之策，列侯就國亦賈誼發之，於匈奴用晁錯之策。用其言而不顯其身者，時勢然矣；其未竟之功，必待景帝之後，武帝以成之，亦時勢矣。則文帝實盡勢盡智者也。

　　景帝承文帝之後，人民樂業，邊備已修，諸侯已不如文帝時之強，所處較容易。景帝一如文帝，精於黃老，唯仁慈不及，而刻削過之，然亦一代明主。《史記・平準書》形容武帝初年之政治社會，曰：「漢興七十餘年之間，國家無事，非遇水旱之災，民則人給家足，都鄙廩庾皆滿，而府庫餘貨財，京師之錢累巨萬，貫朽而不可校。太倉之粟，陳陳相因，充溢露積於外，至腐敗不可食。眾庶街巷有馬，阡陌之間成群，而乘字牝者，擯而不得聚會，守閭閻者食梁肉，爲吏者長子孫，居官者以爲姓號，故人人自愛而重犯法，先行義而後絀恥辱焉。當此之時，網疏而民富，役財驕溢，或至兼併豪黨之徒，以武斷於鄉曲。宗室有土，公卿大夫以下，爭於奢侈，室廬輿服，僭於上，無限度。」如此富裕之景況，皆以文、景二代之蓄積也。史家因稱文景之治，比於成康，又謂爲漢初黃老政治之極盛。然由文帝思用賈誼改制之議，以勢而戒懼；景帝之以晁錯爲內史，法令多所更改諸端，則由道轉法之跡，亦已至明矣。

二、賈誼之儒家格局

　　《漢書・賈誼傳》云：「賈誼，洛陽人也。年十八，以能誦詩書屬文，稱於郡中。河南守吳公聞其秀才，召置門下，甚幸愛。文帝初立，聞河南守吳公治平爲天下第一，故與李斯同邑，而嘗學事焉，徵以爲廷尉。廷尉乃言誼年少，頗通諸家之書，文帝召以爲博士。是時誼年二十餘，最爲少。每詔令議下，諸老先生未能言，誼爲之對，人人各如其意所出，諸生於是以爲能。文帝說之，超遷，歲中至中大夫。」此是賈誼之出身。未幾，誼因與朝中舊

臣不洽，出為長沙太傅。歲餘，文帝思之，復召至京，拜為梁懷王太傅，懷王，上少子，愛而好書，故令誼傅之。後梁王勝墜馬死，誼自傷為傅無狀，常哭泣，後歲餘亦死，年三十三矣。誼初見文帝僅二十餘歲，自為梁王傅至死，其間不過十年，賈生之表現，亦可謂不凡者矣。

《史記》列賈誼與屈原同傳，而太史公自序言漢初思想大勢則謂：「漢興，蕭何次律令，韓信申軍法，張蒼為章程，叔孫通定禮儀，則文學彬彬稍進，詩書往往間出矣。自曹參薦蓋公言黃老，而賈生、晁錯明申商，公孫弘以儒顯。」以賈生屬申商。前者，史公著眼於「自屈原沈汩羅後百餘年，漢有賈生，為長沙王太傅，過湘水，投書以弔屈原。」且誼之賦篇為荀子短賦之承繼者，楚辭之轉變者，亦為漢賦之先聲。〔註 30〕於文學史上有重大之意義。後者，則因賈生主張削弱諸侯，加強中央集權，國家統一，與後之晁錯有同工者，其激烈處，無儒家「親親」之觀念，言「權勢法則」、「慶賞刑罰」，出於法家公而無私之思想，亦無疑義矣，史公取意殆有所側重者。然則，賈誼以「法者禁於已然之後」，又以「刑罰積而民怨背」，故必由法而通往「禁於將然之前」之禮，以期「絕惡於未萌，而起教於微眇，使民日遷善遠罪而不自知。」〔註 31〕此即由法家通向儒家也。至其探求人生根源處，則通向老子，境遇挫折，自加排解處，則通向莊子，主張「色上黃、數用五」，則受陰陽家影響。其餘如引墨子、髡子、粥子諸說，具可見賈生通百家之學，不足以言其思想之所自出。〔註 32〕

賈誼對當時政治之積極主張，乃針對「是時，匈奴強，侵邊。天下初定，制度疏闊。諸侯王僭儗，地過古制，淮南、濟北王皆為逆誅。」〔註 33〕而陳治安之策。其時對匈奴委曲求全之態度，誼雖以為可為流涕者，然並未主張用兵，其《新書・匈奴篇》中，謂以「三表」、「五餌」係之，班固以為「其術固已疏矣」，未加採錄。本傳採錄之重點，在如何解決「諸侯王僭儗，地過古制」，及「天下初定，制度疏闊」之問題。本文亦就此二端，觀賈生之議論，究其思想淵源，然後乃論賈生於時代之意義。

關於「諸侯王僭儗，地過古制」，賈生之議，一言以蔽之，則「眾建諸侯，以少其力」。《史記・高祖功臣侯年表》序云：「漢初功臣受封者百有餘人。

〔註 30〕 參見劉大杰著《中國文學發展史》。
〔註 31〕 引文并見《漢書・賈誼傳》。
〔註 32〕 參見徐復觀著《兩漢思想史》，《賈誼・思想的再發現》，三、賈誼的思想領域。
〔註 33〕 見《漢書・賈誼傳》。

天下初定，故大城名都散亡，戶口可得而數者十二三，是以大侯不過萬家，小者五六百戶。後數世，民咸歸里，戶益息。蕭、曹、絳、灌之屬，或至四萬，小侯自倍，富厚如之。」大國之諸侯王，幾可與中央抗衡，隨時有分裂叛變之虞，賈生痛切陳之，曰：「天下之勢，方病大瘇，一脛之大幾如要，一指之大幾如股，平居不可屈伸，一二指搐，身慮無聊，失今不治，必為痼疾，後雖有扁鵲，不能為已。」〔註34〕諸侯強者先反，弱者後反，故欲其忠附朝廷，莫若眾建之而少其力。循此，因勢利用，賈誼遂有刑德並行之論，其言曰：「屠牛坦一朝解十二牛，而芒刃不頓者，所排擊剝割，皆眾理解也。至於髖髀之所，非斤則斧。夫仁義恩厚，人主之芒刃也；權勢法制，人主之斤斧也。今諸侯王皆眾髖髀也，釋斤斧之用，而欲嬰以芒刃，臣以為不缺則折。」〔註35〕此刑德並行，係源於荀子，《荀子‧成相篇》曰：「治之經，禮與刑，君子以修百姓寧，明德慎罰，國家既治，四海平。」荀子禮刑治政，至韓非遂為賞罰並重之思想，《韓非子‧二柄篇》曰：「二柄者，刑德也。何謂刑德，曰：殺戮之謂刑，慶賞之謂德。為人臣者，畏誅罰而利慶賞，故人主自用其刑德，則群臣畏其威，而歸其利矣。」賈誼本從吳公受學，而吳公之學出自李斯，李斯與韓非同門，從荀子游，故當其言「慶賞以勸善，刑罰以懲惡」，儼然法家之語，而刑德論，亦頗有法家傾向。唯荀子「明德慎罰」，乃揉雜一致，不分彼此，韓非「二柄」說，純為君王控制臣民之方，賈誼則主張以「仁義恩厚」感化百姓，以「權勢法制」限制諸侯王，而漢代王霸雜用，大抵如賈誼之說。

至若「天下初定，制度疏闊」，其要則標舉儒家之「禮」，以為上下共循之軌範，與精神之維繫，顯然深受荀子影響。茲就移風易俗、教養太子，及尊禮大臣三端論之，以觀賈生之議：

（一）移風易俗

賈誼於〈陳政事疏〉中曰：「商君遺禮義，棄仁恩，并心於進取，行之二歲，秦俗日敗。故秦人家富子壯則出分，家貧子壯則出贅。借父耰鉬，慮有德色；母取箕箒，立而誶語。抱哺其子，與公併倨；婦姑不相說，則反脣

〔註34〕見賈誼《新書‧大都篇》。
〔註35〕見《漢書‧賈誼傳》〈治安策〉。按：此在《新書》為〈制不定篇〉，語氣較治安策為完足，而〈治安策〉於義亦為無損。此後徵引之文，凡本傳〈治安策〉所有者，皆本〈治安策〉，不另注明出處，或為本傳所未錄者，則用《新書》。

－27－

而相稽。其慈子耆利，不同禽獸者亡幾耳。然并心而赴時，猶日躆六國，兼天下。功成求得矣，終不知反廉愧之節，仁義之厚。信并兼之法，遂進取之業，天下大敗。眾掩寡，智欺愚，勇威怯，壯陵衰，其亂至矣。是以大賢起之，威震海內，德從天下。曩之爲秦者，今轉而爲漢矣。然其遺風餘俗，猶尚未改。今世以侈靡相競，而上亡制度，棄禮誼，捐廉恥，日甚，可謂月異而歲不同矣。……而大臣特以簿書不報，期會之間，以爲大故。至於俗流失，世壞敗，因恬而不知怪，慮不動於耳目，以爲是適然耳。夫移風易俗，使天下回心而鄉道，類非俗吏之所能爲也。俗吏之所務，在於刀筆筐篋，而不知大體。……夫立君臣，等上下，使父子有禮，六親有紀，此非天之所爲，人之所設也。夫人之所設，不爲不立，不植則僵，不修則壞。」法家與秦世大敗天下之民，漢興，其遺風餘俗猶存。文帝一朝之元老重臣，皆爲楚漢之際助高祖取天下之英雄豪傑，彼等以力取，以氣勝，要皆有實際之幹才，憑軍功而居要地，以其簡樸之心，持重守成，毋動毋爲，於天下初定，固有療護創夷之效，然於制度、風俗之流敗，卻無移改匡正之才識。賈誼本文化意識而言治體之大者，故觸目驚心，陳言痛切，其理想實爲漢代精神上之開國。

（二）教養太子

其言曰：「古之王者，太子乃生，固舉以禮，使士負之，有司齊肅端冕，見之南郊，見于天也。過闕則下，過廟則趨，孝子之道也。故自爲赤子，而教固已行矣。昔者成王幼在繈抱之中，召公爲太保，周公爲太傅，太公爲太師。保，保其身體；傅，傅之德〔義〕；師，道之教訓，此三公之職也。於是爲置三少，皆上大夫也，曰少保、少傅、少師，是與太子宴者也。故乃孩提有識，三公、三少固明孝仁禮義以道習之，逐去邪人，不使見惡行。於是皆選天下之端士，孝悌博聞有道術者，以翼衛之，使與太子居處出入。故太子乃生而見正事，聞正言，行言道，左右前後皆正人也。……及太子既冠成人，免於保傅之嚴，則有記過之史，徹膳之宰，進善之旄，誹謗之木，敢諫之鼓。瞽史誦詩，工誦箴諫，大夫進謀，士傳民語。習與智長，故切而不媿，化與心成，故中道若性。……夫三代之所以長久者，以其輔翼太子有此具也。及秦而不然。……」儒家禮之內容，至荀子已有極大之發展，賈誼繼之，以禮爲法治之根據，及教化之手段與目標。此外，誼亦如荀子重視環境與習慣對

於教育之意義，唯荀子是教育家，賈誼是政論家。〔註36〕故論天下存亡之機，治亂之關，全在太子一人，而太子教育又在環境之良窳。蓋君主專制下，太子為國本，此亦治體之大者。

（三）尊禮大臣

誼於〈陳政事疏〉中，復云：「古者大臣有坐不廉而廢者，不謂不廉，曰『簠簋不飾』；坐污穢淫亂男女亡別者，不曰污穢，曰『帷薄不修』；坐罷軟不勝任者，不謂罷軟，曰『下官不職』。故貴大臣定有其辠矣，猶未斥然正以諝之也，尚遷就而為之諱也。故其在大譴大何之域者，聞譴何則白冠氂纓，盤水加劍，造請室而請辠耳，上不執縛係引而行也。其有中罪者，聞命而自弛，上不使人頸戾而加也。其有大辠者，聞命則北面再拜，跪而自裁，上不使捽抑而刑之也，曰：子大夫自有過耳，吾遇子有禮矣。遇之有禮，故群臣自憙；嬰以廉恥，故人矜節行。上設廉恥以遇其臣，而臣不以節行報其上者，則非人類也。」賈生之言此，於當時亦有所對而發，《漢書·賈誼傳》曰：「是時丞相絳侯周勃免，就國。人有告勃謀反，逮繫長安獄治。卒亡事，復爵邑。故賈誼以此譏上。」漢初殺戮大臣，令其先受五種刑，可謂慘絕。且如周勃之事，聞告未察，先捕下獄，《漢書·張陳王周傳》曰：「勃恐，不知置辭，吏稍侵辱之。勃以千金與獄吏，……勃既出，曰：『吾嘗將百萬軍，安知獄吏之貴也。』」見獄吏，則頭搶地，他日將不知如何佐天子以治萬民，可見誼之議實出於尊君，而不在刑法本身。其〈階級篇〉曰：「天子如堂，群臣如陛，眾庶如地。此其辟也。故陛九級，上廉遠地，則堂高。陛無級，廉近地，則堂卑。高者難攀，卑者易陵，理勢然也。故古者聖王，制為等列，內有公卿大夫士，外有公侯伯子男。然後有官師小史，延及庶人，等級分明，而天子加焉，故其尊不可度也。……君之寵臣雖或有過，刑僇不加其身，尊君之勢也。……今日王侯三公之貴，皆天子所改容而禮之者也，……令與眾庶徒隸同黥劓髡刖笞罵弃市之法，然則堂下不無陛乎？」故主張尊禮大臣，而援封建時代「禮不及庶人，刑不至大夫」之意，以廉恥屬群臣，養臣下有節，是後大臣有罪，皆自殺，不受刑。賈生乘時，繼往開來而發之，亦大智慧者也。

在漢初崇尚黃老，一切毋動毋為之時，賈誼首發改革之聲，慷慨陳辭，

〔註36〕參見黃錦鋐著《秦漢思想研究》，賈誼和晁錯的政治思想。

英氣蓬勃。劉向稱「言三代與秦治亂之意，其論甚美，通達國體，古之尹管，未能遠過。」〔註37〕良有以也。觀其削藩、定制之議，文帝固已用矣，而移風易俗，更爲後來董仲舒復古更化之先聲。其才亦天縱也。

〔註37〕 《漢書・賈誼傳》，班固贊引言。

第三章　儒家大有爲之時代

第一節　仲舒對策，漢武更化

一、武帝獨尊儒術

　　漢自高帝得天下，經孝惠、文、景三帝之休養生息，發展至武帝，平民政府已屆有爲之時。就現實事業而言，殆有二焉，一、郡縣制之統一告成，二、撻伐匈奴。景帝時，令諸侯王不得復治國，天子爲置吏，此後，諸侯王雖據地而王，其權在天子所置之相及二千石也。武帝元朔二年，藩國始分，子弟畢侯矣。元鼎五年，列侯坐獻黃金酎祭宗廟不如法，奪爵者百六人。周代封建，秦代廢之，漢初復活，及武帝封建之勢力始盡，大一統之局告成。故錢穆云：「漢初先則有異姓封王，繼則封王唯限於同姓。又次，則諸王惟得衣租食稅，同于富人。此自景武，下逮東漢，封建名存實亡，尺土一民，皆統于中央，諸封王惟食邑而已。」〔註1〕武帝遂於元封五年初置刺史部十三州，撻伐匈奴一事，亦如郡縣制之完成，乃文景蓄其勢，而完成於武帝也。漢興以來，匈奴爲最大外患，高祖建國，固無暇顧及，呂后時，單于且爲書嫚侮，樊噲請以十萬眾橫行匈奴，季布曰：「且秦以事胡，陳勝等起，今創夷未瘳，噲又面諛，欲動搖天下。」以秦爲戒，不欲事夷狄而敝中國，乃當時人所共然，故和親爲西漢初年之國策，莫之敢易。文帝立，復和親之事，其三年五月，匈奴右賢王入居河南地，侵盜上郡葆塞蠻夷，殺掠人民，於是，文帝詔

〔註1〕　見錢穆著《國史大綱》，第三編秦漢之部，第七章大一統政府之創建，二、國家民族之搏成。

丞相灌嬰發軍騎八萬五千詣高奴擊右賢王。右賢王走出塞，文帝幸太原。漢議擊與和親孰便，公卿皆曰：「單于新破月氏，乘勝不可擊，且得匈奴地，澤滷非可居也。和親甚便。」其後匈奴益爲猖獗，漢始終以和親爲事，入寇則備邊而已，朝中舊臣固以此爲便矣。而新銳如賈誼者，乃發憤上書，言可爲流涕者也，文帝戒懼，亦植其基，蓋備禦而不發兵深入也。景帝時，匈奴始不大寇，而使公主如故約，至武帝遂撻伐匈奴，則在於復漢家數十年之仇以安邊境，亦漢家數十年之休息而欲發憤於此時也。〔註2〕由上所述，可見漢初之封建，緣於群雄並起，暫時因勢而主之，與夫因親親之義而王骨肉者，不可同日而語，迨及帝國之基漸穩，初期封建之義逐日消失，復以漢帝國自身政權之利害關係，其勢必至封建廢，郡縣成。自孝惠至文景，此歷史演變趨勢，愈顯愈明，而成就於武帝。至於撻伐匈奴，則爲華夏民族之生存與安定，亦是前代蓄積而發憤於武帝者。唯有一事，雖文帝時亦已露其跡象，然其非關具體之事功，武帝竟然爲之，斯爲難能可貴，而「雄才大略」不足盡之，則復古更化也。

復古更化一事，亦需由賈誼述起，《漢書‧賈誼傳》曰：「誼以爲漢興二十餘年，天下和洽，宜當改正朔，易服色制度，定官名，興禮樂。乃草具其儀法，色上黃，數用五，爲官名，悉更，奏之。文帝謙讓未皇也。」蓋漢興大臣皆出軍吏，懲秦之擾民而亡，一切矯之以無爲，漢之制度，大抵皆襲秦舊，秦之制度，率本於法家思想，與儒學違異。至文帝時，天下粗安，賈誼深痛秦俗之惡敗，欲以儒道化之也。此賈誼所謂改制，董仲舒所謂更化之事，改制者，改正朔、服色、制度、官名，係形貌、表徵之改；更化者，以儒家之禮樂教化變秦人強悍貪利之俗，乃內容、實質之變。誼當文帝世，外憂匈奴，內患諸侯，大臣且相安於無爲，故其言未能見之行事，於文帝固含蓄而未發也。武帝即位，所謂「富有四海，居得致之位，操可致之勢，又有能致之資。」〔註3〕董仲舒繼賈誼，於建元元年〔註4〕對策，又復言之：「夫萬民之從利也，如水之走下，不以教化隄防之，不能止也。是故教化立而姦邪

〔註2〕并見《漢書‧季布欒布田叔傳》、〈賈誼傳〉及〈匈奴傳〉。
〔註3〕見《漢書‧董仲舒傳》。
〔註4〕《漢書‧武帝紀》曰：「元光元年，五月，詔賢良曰……董仲舒、公孫弘等出焉。」則以董仲舒對策在元光元年五月。《通鑑考異》發其疑，沈欽韓以爲當在建元元年。《漢書補注》亦以建元元年，董仲舒舉〈賢良對策〉，上〈天人三策〉。

皆止者，其隄防完也；教化廢而姦邪並出，刑罰不能勝者，其隄防壞也。……故漢得天下以來，常欲善治而至今不可善治者，失之於當更化而不更化也。」〔註5〕賈生言改制，董生言更化，皆以儒家政治代替法家政治，董仲舒適遇其時耳。蓋漢家至乎此已第四代矣，初期清靜無爲之風氣，已成過去，武帝英明，善因其憑藉，而以其豐富之生命與時代精神相應，由此開展歷史上最富麗堂皇而帶正統性之時代。

　　然則，董仲舒未能於政治上居要位，其主張遂由另一班人付諸實現。與董仲舒同其時，而亦有其主張者，尙有衛綰、竇嬰、田蚡、公孫弘，具居政壇要位。《漢書·武帝紀》曰：「建元元年冬十月，……丞相綰（衛綰）奏：所舉賢良，或治申、商、韓非、蘇秦、張儀之言，亂國政，請皆罷。」皇帝可其奏。其後，衛綰以病免，竇嬰繼爲丞相，田蚡爲太尉，咸好儒術，推轂趙綰爲御史大夫，王臧爲郎中令，迎魯申公，欲設明堂，令列侯就國、除關，以禮爲服制，以興太平，舉讁諸竇宗室無行者，除其屬籍。其時諸外家爲列侯，列侯多尙公主，皆不欲就國，以故毀日至竇太后。太后好黃老言，而嬰、蚡、趙綰等務隆推儒術，貶道家言，是以太后滋不悅。建元二年，御史大夫趙綰請毋奏事東宮，竇太后大怒曰：「此欲復爲新垣平邪！」乃罷逐趙綰、王臧，而免丞相嬰，太衛蚡。〔註6〕後四年，竇太后崩，武安侯田蚡爲丞相，絀黃老、刑名百家之言，延文學儒者數百人，而公孫弘以春秋白衣爲天子三公，封以平津侯，天下之學靡然鄉風矣！〔註7〕仲舒之議，至此付諸實現。武帝秉其對禮樂政治之嚮往，及勇於行事之性格，開創儒家之新局面，其功厥偉。而儒家正統地位，自此之後數千年，均無法再貶。

二、董仲舒復古更化之得失

　　董仲舒，廣川人也。少治春秋，孝景時爲博士。下帷講誦，弟子傳以久，次相授業，或莫見其面。蓋三年不窺園，其精如此。進退容止，非禮不行，學士皆師尊之。武帝即位，舉賢良文學之士，前後數百，而仲舒以賢良對策，天子以仲舒爲江都相，事易工。易工素驕好勇，仲舒以禮誼匡正，王敬重焉。久之，王問仲舒曰：「粵王句踐與大夫泄庸、種、蠡謀伐吳，遂滅之。孔子稱殷有三仁，寡人亦以爲粵有三仁。」仲舒對曰：「粵本無一仁，夫

〔註5〕　見《漢書·董仲舒傳》。
〔註6〕　見《漢書·竇田灌韓傳》。
〔註7〕　見《史記·儒林列傳》。

仁人者，正其誼不謀其利，明其道不計其功。是以仲尼之門，五尺之童，羞
稱五伯，爲其先詐力而後仁誼也。五伯比於他諸侯爲賢，其比三王猶武夫之
與美玉也。」仲舒治國，以春秋災異之變，推陰陽所以錯行，故求雨，閉諸
陽縱諸陰，其止雨，反是行之。一國未嘗不得所欲中，廢爲中大夫。先是，
遼東高廟長陵高園殿災，仲舒居家，推說其意。艸稾未上，主父偃候仲舒，
私見，嫉之，竊其書奏焉。上召視諸儒，仲舒弟子呂步舒，不知其師書，以
爲大愚。於是下仲舒吏，當死，詔赦之。仲舒遂不敢復言災異。仲舒爲人廉
直，公孫弘治春秋，不如仲舒，而弘希世用事，位至公卿，仲舒以弘爲從諛，
弘嫉之。膠西王亦上兄也，尤恣縱，數害吏二千石，弘乃言於上曰：「獨仲舒
可使相膠西王。」膠西王聞仲舒大儒，善待之。仲舒恐久獲罪，病免。凡相
兩國，輒事驕王，正身以率下，數上疏諫爭，教令國中，所居而治。及去位
歸居，終不問家產業，以修學著書爲事。仲舒在家，朝廷如有大議，使使者
及廷尉張湯就其家而問之，其對皆有明法。自武帝初即位，魏其武安侯爲相，
而隆儒矣。及仲舒對策，推明孔氏，抑黜百家，立學校之官，州郡舉茂材孝
廉，皆自仲舒發之，年老以壽終於家。家徙茂陵，子及孫皆以學至大官。仲
舒所著皆明經術之意，及上疏條教，凡百二十三篇，而說《春秋》事得失，〈聞
舉〉、〈玉杯〉、〈蕃露〉、〈清明〉、〈竹林〉之屬復數十篇，十餘萬言，皆傳於
世。〔註8〕

　　董生之學，繼承堯舜禹湯文武周公以來之文化系統，唯其發揮也，以儒
兼攝陰陽，故其說多依《尚書・洪範》，《易》之陰陽，而結集於《春秋》，由
此以陶鑄其體系。《易》、《書》、《春秋》亦因其影響，而爲漢代特重之三大經。
仲舒所發，雖不能盡其中之精微，然規模廣大，取義超越，則爲漢家定一型
範，代表當代之學術主流，形成漢代思想之特性。蓋漢初思想，大抵傳承先
秦思想之形態，不易標明而舉爲漢代思想之特性，董仲舒出，由其公羊春秋
學對《春秋》之解釋，援陰陽家學說正式入於儒，影響西漢學術，乃至先秦
儒家思想發展上之全面轉折。《漢書・五行志》敘曰：「漢興，承秦滅學之後，
景武之世，董仲舒治公羊春秋，始推陰陽爲儒者宗。」蓋得其實。

　　其超越理想之結成，惟在《春秋》「春王正月」之一語，與《易》「乾天
大始」一思想相溝通，即以「道之大源出於天」爲樞紐，成其天之哲學。故
其對策云：「臣謹案春秋之文，求王道之始。得之於正。正次王，王次春。春

〔註8〕見《漢書・董仲舒傳》。

者，天之所爲也。正者，王之所爲也。其意曰：上承天之所爲，而下以正其所爲，正王道之端云爾。」又云：「臣謹案春秋謂一元之意。一者，萬物之所從始也，元者，辭之所謂大也。謂一爲元者，視大始而欲正本也。春秋深探其本，而反自貴者始。」王道之端，得之於「正」。正者，王之所爲也。王所爲之正，本於天所爲之春，即王道本於天道也。王道之端，本於天道之端。此處之端，作「始」解。此即爲一元之大始，而「始」者，以理言，不以時言。依此，則天人同道之「始」，即爲一切之「本」，就現實措施言，此「本」即爲一超越之理想。仲舒之政治理論，大抵皆援此天人同道之義而發揮。〔註9〕故主張「任德不任刑」。其言曰：「陽爲德，陰爲刑，刑反德而順於德，亦權之類也。雖曰權，皆在權成。是故陽行於順，陰行於逆，逆行而順，順行而逆者，陰也。是故天以陰爲權，以陽爲經。陽出而南，陰出而北，經用於盛，權用於末。以此見天之顯經隱權，前德而後刑。故曰：『陽，天之德。陰，天之刑也。』……此見天之近陽而遠陰，大德而小刑也。是故人主近天之所近，遠天之所遠……右陽而不右陰，務德而不務刑。刑之不可任以成世也，猶陰之不可任以成歲也。爲政而任刑，謂之逆天，非王道也。」〔註10〕自天道觀之，天地之氣，合而爲一，分爲陰陽，陽主生生，陰主肅殺，陽出而前，長養萬物，陰出而後，輔佐而成之也。王道法天道，陽爲德，陰爲刑，任德以歲事，錯刑於空處，所謂尊德而卑刑，不過先德而後威耳。故曰：「天有和有德，有平有威。春者，天之和，夏者，天之德，秋者，天之平，冬者，天之威。」〔註11〕有夏必有冬，則有德必有威矣。「任德不任刑」，實「務德而務刑也」。

　　而董仲舒所顯示之思想體系，固有其駁雜處，其駁雜處，約可自二處而言：

　　（一）因言「天人相與之際」之可畏，而言災異之變與受命之符；因言災異符命，而有取於陰陽家之宇宙架構，多聯想比附。〈天人三策〉曰：「故春秋之所譏，災異之所加也，春秋之所惡，怪異之所施也。書邦家之過，兼災異之變，以此見人之所爲，其美惡之極，乃與天地流通，而往來相應，此亦言天之一端也。」又：「……淫佚衰微，……殘賊良民，……廢德教而任

〔註9〕　參見牟宗三著《歷史哲學》，第四部，第二章，第一節武帝之性格與董仲舒之文化運動。
〔註10〕　見董仲舒《春秋繁露·陽尊陰卑第四十三》。
〔註11〕　見董仲舒《春秋繁露·德威所生第七十九》。

刑罰，……則生邪氣，……上下不和，則陰陽繆戾，而妖孽生矣。此災異所緣而起也。」仲舒以「陰陽五行」與「天人相副」爲基礎，認災異之起，乃因人君有過，天以災變或怪異譴告之，使其有所反省，而好修德改政。其救變之道，即「救之以德，施之天下。」而木之變，因徭役多，賦稅重，救變之道，在「省徭役，薄賦斂。」火之變，因善惡不明，賢愚失序，賞罰欠當，救變之道，在「舉賢良，賞有功，封有德。」土之變，因不孝不弟，荒淫無度，救變之道，在「省宮室，去雕文，舉孝弟，恤黎元。」金之變，因棄義而重利，救變之道，在「舉廉潔，立正直，隱武行文，束甲械。」水之變，因法令緩，刑罰不行，救變之道，在「憂囹圄，案奸宄，誅有罪，葸五日。」〔註12〕此是董生災異說之主要論點。其符命說，立論之薄弱，一如災異說，目的蓋在藉以強化其天人感應之主張，使新舊政權之轉移，得一合理之解釋，並勉國君行仁政，惟董生只言瑞應之現象，未明其所以然者。災異說與符命說之理論，詳載《春秋繁露》中，且爲《漢書·五行志》所採用，使陰陽五行滲入儒學，而爲西漢學術之一大主流。此種駁雜之思想，有其時代背景，李源澄曰：「顧戰國以來，儒家頗采陰陽之言，秦漢之際，儒術與陰陽方士雜流，竟相比附，皆所以反對法家政治。郊祀志言，武帝初即位，尤敬鬼神之祀，漢興已六十餘歲，天下艾安，縉紳之屬皆望天子封禪改正度也，此可以見漢初學者對此之殷望。封禪明堂本極尋常之事，封禪者古代祭天地之祀典，明堂者朝諸侯所在。而漢人言封禪明堂則怪異，凡言鬼神者方士之言，言服色者陰陽之言，以封禪明禪讓，以明堂言議政者儒者之言。三者合而爲一，故郊祀之事與禮樂之事，幾於相混。秦皇雖坑儒生，而陰陽方士大顯，漢初其迹不絕，文帝時方士則新垣平，陰陽則公孫臣，儒者則賈誼，皆未得志，故至武帝之世，不僅董仲舒之儒術顯，而陰陽方士亦喧赫一時，非無故也。」〔註13〕故董仲舒之駁雜亦有其時代因素。且表面言之，災異符命說，雖不能以理性解之，然於其時，自有嚴肅之寓意，仲舒言災異，固自有敬畏之感，即各帝之詔令頻以災異爲言，亦同此也。惟其蔚爲風氣後，飄蕩遠離原始之敬畏精神，不僅產生許多怪異荒誕之說，且令王莽引爲篡位之具。亦仲舒始料所不及。

（二）爲「大一統」之政治主張，言「嚴上下之等」，而以尊卑定貴賤，

〔註12〕見董仲舒《春秋繁露·五行變救第六十三》。
〔註13〕見李源澄著《秦漢史》。

頗涉法家之意。漢初滅異姓諸侯王之後，大封同姓諸侯王；同姓諸侯王之存在，遂爲漢初政治上之大問題。賈誼〈治安策〉鑑此，而主張強幹弱枝，晁錯繼之，而有七國之亂。董仲舒於此，主張以禮制嚴上下之等，亦援強幹弱枝之要求而來，唯其欲於經書上，尋得理論根據，乃引《春秋》「大一統」之義，然《春秋》大一統之意，實主張明天子諸侯大夫之職，故大夫不可僭諸侯之職，諸侯不得僭天子之職，乃分權之一統，非集權之一統，因此，天子所封之諸侯，皆望其能保存，其或已滅亡者，亦必「興滅繼絕」。可知賈誼、晁錯，乃至董仲舒之大一統主張，已不同於孔子作《春秋》大一統之意矣。董仲舒循以禮制嚴上下之等，進而言君臣、父子、夫婦相互間之絕對關係，亦與孔孟之說異。孔子曰：「君君。臣臣。父父。子子。」〔註14〕孟子更進而有：「君之視臣如手足，則臣視君如腹心；君之視臣如犬馬，則臣視君如國人，君之視臣如土芥，則臣視君如寇讎。」〔註15〕之言，皆視倫理關係爲相對而非絕對者。仲舒之「尊君卑臣」說，且謂「春秋君不名惡，臣不名善，善皆歸於君，惡皆歸於臣。」〔註16〕頗有法家之味。法家於管仲時，君權尚且爲相對、有限度者，至申、韓、商君之「刑名」學起，始有君主集權之法治思想，仲舒豈接受申韓刑名之學乎？然則，觀其《春秋繁露》，以人民之立場，爲衡定政治得失之思想，貫穿全書，且言治重在任賢，皆卓然儒家之言。故徐復觀謂其「屈民而伸君」之說，乃爲使其「屈君而伸天」之主張，得帝王之承認，而能實現其所傳承之儒家政治理想，使國君能奉承以仁爲心之天心，行愛民之實，係「牛鼎之意」，其言曰：「春秋之法，以人隨君，以君隨天，……故屈民而伸君，屈君而伸天，春秋之大義也。」〔註17〕故「屈民而伸君」一句是虛，是陪襯，「屈君而伸天」一句是實，是主體，惟統治者及後世小儒，取「屈民而伸君」，棄「屈君而伸天」，致弊害無窮，爲仲舒始料所不及。〔註18〕或可解其中之矛盾。然於此，亦見其駁雜也。

　　經賈誼，至董仲舒時，封禪改制度與興禮教改秦俗，已爲時代之迫切需

〔註14〕見《論語・顏淵篇》。

〔註15〕見《孟子・離婁下篇》。

〔註16〕見董仲舒《春秋繁露・陽尊陰卑第四十三》。

〔註17〕見董仲舒《春秋繁露・玉杯第二》。

〔註18〕參見徐復觀著《兩漢思想史》，先秦儒家思想發展中的轉折及天的哲學大系統的建立──董仲舒《春秋繁露》的研究，六、董氏的春秋學之二，(3)君、臣、民的關係。

要，此是天下安定後，追求理想之表徵，唯封禪改制度乃一外在浮禮之要求，而興禮教爲內在生活之覺醒，特別值得引導向上。在此時代要求之風氣下，倡議者，當直接在生活上使人有人性之自覺，由此而移風易俗，而表現禮樂教化；以與聖賢經書所載之文化系統相印證，弘揚。然而，董仲舒倡議「復古更化」，並未順孟子之路由人性之自覺以肯定人性之尊嚴，孟子言「人人有貴於己者」，言「四端」，言「性善」，皆極力呈露精神主體。蓋言天道，必賴精神主體，精神主體者，心也，精神主體呈露，而後可證實天道爲不虛，即孟子所謂：「盡其心者，知其性也，知其性則知天矣。」〔註19〕中華文化，自堯舜以來所傳之道統，（包括通天人爲一之形上義理與夫周之禮樂典章），具載于五經，此道統之形上義理經孔孟之批判、反省，闡述光大，不僅予以消化，且予以新鮮活潑之意義，而呈之於現實社會，爲民族建立一理想精微之最高生活典範。然而，仲舒卻跨過孔孟，外在地直接繼承五經，由《易》、《春秋》，推出天道，以爲「大始」，未能歸於精神主體，因此爲抽象、外在者，故有駁雜及虛而不實處。後來，乃流爲迂遠荒誕。又因依附政治措施，儒者由此以通經致用，形成外在形式之儒術，甚爲可惜。〔註20〕

然董仲舒之〈天人三策〉，確在當代政治引起作用，其見諸行事，而爲武帝一朝政治之重大改革者，依錢穆之說〔註21〕，略述如下：

（一）設立五經博士：博士遠始戰國，秦有博士七十人，掌通古今，備問對。漢承之。武帝從董仲舒之請，罷黜百家，從此博士一職，漸漸從方技神怪旁門雜流中解放出，純化爲專門研治歷史與政治之學者。其雖不參加實際政務，但常得預聞政務會議，故五經博士漸對政治發生重大影響。

（二）爲博士設立弟子員：（其議始於公孫弘）當時額定五十人，能通一藝以上，得補吏。高第可以爲郎中。自此漸有文學入仕一正途，代替以前之任蔭與貲選。士人政府由此造成。

（三）立郡國長官察舉屬吏之制度：博士弟子以考試中第，補郡國吏。再從吏治成績得察舉爲郎。從此再入中央仕途。此制與博士弟子相輔。

（四）禁止官吏兼營商業：從此社會上新興之富人階級，漸漸轉向。〈儒林傳〉中人物，逐次超過於〈貨殖傳〉。實爲武帝以下社會一大轉變。

〔註19〕　見《孟子・盡心上篇》。
〔註20〕　參見牟宗三著《歷史哲學》，第四部，第二章，第一節理性之超越表現。
〔註21〕　參見錢穆著《國史大綱》，第三編秦漢之部，第八章統一政府文治之演進，五、漢武一朝之復古更化。

（五）打破封侯拜相之慣例：漢代宰相必用封侯階級。如蕭何、曹參、王陵、陳平、審食其、周勃、灌嬰、張蒼、申屠嘉，皆軍人也。陶青、周亞夫、劉舍皆功臣子嗣侯，其先亦軍人也。則漢初丞相，顯爲軍人階級所獨佔。武帝始相公孫弘。以布衣儒術進。既拜相，乃封侯。此又漢廷政治一絕大轉變也。其先惟軍人與商人，爲政治上兩大勢力，至是乃一易以士人，此尤見爲轉向文治之精神。

三、公孫弘之習文法緣飾以儒術

與董仲舒同時，有公孫弘者，據《漢書・董仲舒傳》言，其治春秋，不如仲舒，位至公卿，仲舒廉直，以其從諛，弘嫉之，因排擠仲舒相驕主膠西王。二人殆不相契也。然則，漢武罷黜百家，獨尊儒術，董仲舒承賈誼，有倡議之功，而仲舒學者，不得意於政壇，其對策之若干主張，卻因公孫弘用事，而得實現，且立爲制度，則弘在漢代政治與儒術之結合上，自應定其位矣。今據《史記・平津侯列傳》、《漢書・公孫弘傳》所敘，及散見於《漢書・儒林傳》、〈循吏傳〉、〈食貨志〉中之有關史料，究公孫弘其人其事，並漢儒布衣卿相之貌。

公孫弘，菑川薛人，少時爲獄吏，有罪，免。家貧，牧豕海上。年四十餘，乃學《春秋》、雜說。年六十，以賢良徵爲博士。使匈奴，還報，不合上意，移病免歸。元光五年，復徵賢良文學，武帝擢其對爲第一，拜爲博士，待詔金馬門，自是日見寵信。爲左內史四年，遷御史大夫，又二年，爲丞相，居相位二年餘，卒於官，時當元狩二年三月。

弘爲人恢奇多聞，常以爲人主病不廣大，人臣病不節儉。弘爲布被，食不重肉。後母死，服喪三年。每朝會議，開陳其端，令人主自擇，不肯面折庭爭。於是上察其行敦厚，辯論有餘，習文法吏事，而又緣飾以儒術，大悅之。弘嘗與主爵都尉汲黯請間，汲黯先發之，弘推其後，天子常悅，所言皆聽，以此日益親貴。常與公卿議，至上前，皆倍其約，以順上旨。汲黯廷詰弘曰：「齊人多許而無情實，始與臣等建此議，今皆倍之，不忠。」上問弘，弘謝曰：「夫知臣者，以臣爲忠，不知臣者，以臣爲不忠。」上益厚遇之。元朔三年，弘爲御史大夫，是時通西南夷，東置滄海，北築朔方之郡。弘數諫，以爲罷敝中國，以奉無用之地，願罷之。於是天子乃使朱買臣等難弘，置朔方之便，發十策，弘不得一。弘迺謝曰：「山東鄙人，不知其便若是，願罷西南夷、滄海，而專奉朔方。」上乃許之。汲黯曰：「弘位在三公，奉祿甚多，

然爲布被，此詐也。」上問弘，弘謝曰：「有之。夫九卿與臣善者，無過黯。然今日庭詰弘，誠中弘之病。夫以三公爲布被，誠飾詐欲以釣名。且臣聞管仲相齊有三歸，侈擬於君，桓公以霸，亦上僭於君。晏嬰相景公，食不重肉，妾不衣絲，齊國亦治，此下比於民。今臣弘位爲御史大夫，而爲布被，自九卿以下至於小吏無差，誠如汲黯言。且無汲黯忠，陛下安得聞此言？」天子以爲謙讓，愈益厚之。卒以弘爲丞相，封平津侯。

弘爲人意忌，外寬內深，諸嘗與弘有卻者，雖詳與善，陰報其禍。殺主父偃，徙董仲舒於膠西，皆弘之力也。

以上所記，爲《史記》與《漢書》本傳中所載，公孫弘生平行誼。

《漢書・儒林傳》序言：「弘爲學官，悼道之鬱滯，奏請爲博士官置弟子五十人，制曰可，自此以來，公卿大夫士吏彬彬多文學之士矣。」

《漢書・儒林轅固傳》言：「武帝初即位，復以賢良徵，諸儒多嫉毀曰固老，罷歸之。時固已九十餘矣。公孫弘亦徵，仄目而事固，固曰：『公孫子，務正學以言，無曲學以阿世。』」

《漢書・儒林瑕丘江公傳》謂：「瑕丘江公受《穀梁春秋》及《詩》於魯申公，傳子至孫爲博士。武帝時，江公與董仲舒並，仲舒通五經，能持論，善屬文。江公吶於口，上使與仲舒議，不如仲舒。而丞相公孫弘本爲公羊學，比輯其議，卒用董生。於是上因尊公羊家，詔太子受《公羊春秋》，由是公羊大興。」

《漢書・循吏傳》序曰：「孝武之世，外攘四夷，內改法度，民用彫敝，姦軌不禁。時少能以化治稱者，惟江都相董仲舒，內史公孫弘、兒寬，居官可紀。三人皆儒者，通於世務，明習文法，以經術潤飾吏事，天子器之。仲舒數謝病去。弘、寬至三公。」

《漢書・食貨志》云：「公孫弘以《春秋》之義繩臣下，取漢相。又云，公孫弘以宰相，布被，食不重味，爲下先，然而無益於俗，稍務於功利矣。」

此外，《漢書》本傳中所引弘之對策及上疏文字，大抵主張選賢與能，賞功罰罪，斥邪佞，省賦歛，使民以時，皆合儒家之道。唯弘爲齊化之儒家，其可證者有：一、治公羊，本齊學，且促武帝尊公羊，抑穀梁。二、汲黯言其「齊人多詐而無實」，轅固言「務正學以言，無曲學以阿世」。三、對策言「擅殺生之柄，通雍塞之塗，權輕重之數，論得失之道，使遠近情僞必見於上，謂之術。」以爲「治之本，道之用」四端之一。「輕重」即管仲之財

經政策，亦桑弘羊所行「平準」之法也。四、仲尼之徒，無道桓文之事，其援引古例，則以齊桓、管仲、晏嬰故事，最爲具體。〔註22〕且其與汲黯間之往來言語，及「詳與人善，陰報其禍」之風，乃爲巧慧之人，去孔門儒學遠矣。

《漢書・匡張孔馬傳》贊曰：「自孝武興學，公孫弘以儒相，其後，蔡義、韋賢、玄成、匡衡、張禹、翟方進、孔光、平當、馬宮及當子晏，咸以儒宗居宰相位，服儒衣冠，傳先王語，其醞藉可也。然皆持祿保位，被阿諛之譏。彼以古人之跡見繩，烏能勝其任乎？」可謂知言也。

雖然，漢武之更化，儒生部份教化之理想，於現實政治中，立爲制度，固由賈生首發議論，董生對策復力倡之，卻待公孫弘爲相，始眞正實現，此不能不明。

仲舒對策云：「養士之大者，莫大虖太學。太學者，賢士之所關也，教化之本原也。今以一郡一國之衆，對無應書者，是王道往往而絕也。臣願陛下興太學，置明師，以養天下之士，數考問以盡其材，則英俊宜可得矣。」此爲興太學之論。又云：「今之郡守、縣令，……既無教訓於下，或不承用主上之法，暴虐百姓，與姦爲市，貧窮孤弱，冤苦失職，甚不稱陛下之意。……夫長吏多出於郎中、中郎，吏二千石子弟選郎吏，又以富訾，未必賢也。且古所謂功者，以任官稱職爲差，非謂積日累久也。故小材雖累日，不離於小官，賢材雖未久，不害爲輔佐。是以有司竭力盡知，務治其業而以赴功。今則不然，累日以取貴，積久以致官，是以廉恥貿亂，賢不肖渾殽，未得其眞。臣愚以爲使諸列侯、郡守、二千石各擇其吏民之賢者，歲貢各二人以給宿衛，且以觀大臣之能，所貢賢者有賞，所貢不肖者有罰。夫如是，諸侯、吏二千石皆盡心於求賢，天下之士可得而官使也。……毋以日月爲功，實試賢能爲上，量材而授官，錄德而定位，則廉恥殊路，賢不肖異處矣。」〔註23〕此選士任官之論。太學之立，固由公孫弘策畫成之。選士任官，與文帝以來舉「賢良方正，直言極諫」，與舉「賢良文學」之制用意同，武帝舉「茂材孝廉」，已近仲舒理想，然亦因公孫弘議定之制，使其更具體之實現。

武帝元朔四年，詔曰：「蓋聞導民以禮，風之以樂，今禮壞樂崩，朕甚閔

〔註22〕 參見李則芬著《先秦及兩漢歷史論文集》，從叔孫通、公孫弘、董仲舒三人看儒家的齊化，三、公孫弘。

〔註23〕 見《漢書・董仲舒傳》。

焉。故詳延天下方聞之士，咸薦朝，其令禮官勸學，講議洽聞，舉遺興禮，以爲天下先。太常議，予博士弟子，崇鄉黨之化，以屬賢材焉。」〔註 24〕時公孫弘爲丞相，與太常孔臧、博士平等議奏曰：「聞三代之道，鄉里有教，夏曰校，殷曰序，周曰庠。其勸善也；顯之朝廷，其懲惡也，加之刑罰。故教化之行也，建首善自京師始。繇內及外。今陛下昭至德，開大明，配天地，本人倫，勸學興禮，崇化屬賢，以風四方，太平之原也。古者政教未洽，不備其禮，請因舊官而興焉。爲博士官置弟子五十人，復其身。太常擇民年十八以上，儀狀端正者，爲博士弟子。郡國縣官有好文學，敬長上，肅政教，順鄉里，出入不悖所聞者，令相長丞上屬所二千石。二千石謹察可者，常與計偕，詣太常，得受業如弟子。一歲皆輒課，能通一藝以上，補文學掌故缺，其高第可以爲郎中，太常籍奏。即有秀才異常，輒以名聞，其不事學若下材，及不能通一藝，輒罷之。而請諸能稱者。」〔註 25〕此爲太學最初之制度，於古無所依據，故弘曰「古者不備其禮」，乃「請因舊官而興焉」，蓋舊時博士本有弟子，如賈山之祖父賈袪，故魏王時博士弟子〔註 26〕，又如漢景帝末，蜀郡守文翁選郡縣小吏開敏有材者張叔等十餘人，親自飭屬，遣詣京師，受業博士〔註 27〕。公孫弘乃緣此，定設博士弟子員爲制度，並以其爲定額之太學生。此舉有二層意義：其一，太學之設，爲官立學校制度之建立，其二，因有弟子員，博士遂不僅爲政府所養之學術之官，且爲國家之教師。當時，博士弟子員爲五十人。昭帝時，增爲百人。宣帝末，增倍之。元帝時，已設員千人。成帝末，增至三千人。東漢晚期，太學生多至三萬餘人。而郡國之學，亦於武帝時興。於是京師內外，文質彬彬之士多矣。

此奏議中，並請立選士任官之制度。弘曰：「臣謹案詔書律令下者，明天人分際，通古今之誼，文章爾雅，訓辭深厚，恩施甚美。小吏淺聞，弗能究宣，亡以明布諭下。」〔註 28〕其意與仲舒「今以一郡一國之眾，對無應書者，是王道往往而絕也。」之言同。故議爲：「以治禮掌故以文學禮義爲官，遷留滯，請選擇其秩比二百石以上，及吏百石，通一藝以上，補左右內史，大行卒史，比百石以下，補郡太守卒史，皆各二人，邊郡一人。先用誦多

〔註 24〕 見《漢書・武帝紀》。
〔註 25〕 見《漢書・儒林傳》。
〔註 26〕 見《漢書・賈鄒枚路傳》。
〔註 27〕 見《漢書・循吏傳》。
〔註 28〕 見《漢書・儒林傳》。

者，不足，擇掌故以補中二千石屬，文學掌故補郡屬，備員。請著功令，它如律令。」〔註29〕此制之定，與博士弟子之設相輔，開後世以經學、文學取士制度之先聲。

如此，京師有太學，州郡有學官，又有通經取士之法，教育制度之規模於斯成立。士人政府亦由此形成。公孫弘之影響，不可謂不大。

第二節　昭宣時期儒學之分歧

一、昭宣二帝之治績

武帝時，外事四夷，國力甚爲消耗，當其晚年，內部社會亦惶惶不安，雖民不加賦，以征伐太多，民不堪命，流亡轉徙，遂爲盜賊。天漢二年，因山東群盜，而遣直指使者，衣繡衣杖斧，分部逐捕，刺史郡守以下皆伏誅。山東郡國之動搖，影響至關中，於是年多，詔關都尉，令謹察出入者，征和元年，冬十一月，發三輔騎士大搜上林，閉長安城門索，十一月乃解。同年，巫蠱事起，皇后、太子先後自殺，武帝晚年遂陷於疲敝之局，深有悔意，而思有以挽救。《漢書·西域傳》曰：「自武帝初通西域，置校尉，屯田渠犁。是時軍旅連出，師行三十二年，海內虛耗。征和中，貳師將軍李廣利以軍降匈奴。上既悔遠征伐，而搜粟都尉桑弘羊與丞相御史奏言：『故輪臺以東捷枝、渠犁皆故國，地廣，饒水草，有溉田五千頃以上，處溫和，田美，可益通溝渠，種五穀，與中國同時孰。其旁國少錐刀，貴黃金采繪，可以易穀食，宜給足不乏。臣愚以爲可遣屯田卒詣故輪臺以東，置校尉三人分護，各舉圖地形，通利溝渠，務使以時益種五穀。……』上乃下詔，深陳既往之悔，曰：『前有司奏，欲益民賦三十助邊用，是重困老弱孤獨也。而今又請遣卒田輪臺。……乃者貳師敗，軍士死略離散，悲痛常在朕心。今請遠田輪臺，欲起亭隧，是擾勞天下，非所以優民也。今朕不忍聞。……當今務在禁苛暴，止擅賦，力本農，脩馬復令，以補缺，毋乏武備而已。……』由是不復出軍。而封丞相車千秋爲富民侯，以明休息，思富養民也。」桑弘羊田輪臺之議，實爲經營西域要著之一，而武帝卒不採用，見其政策轉變之端。後元二年，武帝崩。太子弗陵即位，是爲昭帝。

昭帝在位十三年，霍光輔政，霍光不學無術，其所委任者爲杜延年，《漢

書》本傳稱其吏材有餘，見國家承武帝奢侈師旅之後，數爲大將軍光言，年歲比不登，流民未盡還，宜修孝文時政，示以儉約寬和，順天心，悅民意，年歲宜應，光納其言，舉賢良，議罷酒榷鹽鐵，皆自延年發之。是霍光之爲政實以杜延年爲謀主也。而霍光事武帝幾十年，其人知世變，及領遺詔輔八歲幼主，攬權於朝，施惠逮下，天下承平。《漢書·昭帝紀》贊云：「承孝武奢侈餘敝，師旅之後，海內虛耗，戶口減半。光知時務之要，輕繇薄賦，與民休息。至始元元鳳之間，匈奴和親，百姓充實，舉賢良文學，問民所疾苦，議鹽鐵而罷榷酤。尊號曰昭，不亦宜乎？」因武帝末年，民流爲盜賊，故昭帝時，流民還歸，遂爲當時要務。而觀其詔書，或貸民種食，或罷苑地賦貧民，或賑民困乏，或免田租口賦，胥以恤民爲急。繼武帝之後，與民休息，亦如漢初繼亡秦之後，濟之以無爲。然漢初政治與民休息而已，蓋道家之治也，文帝時始多免田租，景武之世頗除豪猾，惠民之政，則自昭帝益多，此儒家思想影響於政治之效也。唯始元六年，議罷酒榷鹽鐵一事，雖頗涉權位、利害之爭，亦見西漢儒學之分歧。其論見後。

宣帝起自民間，自霍光薨始親政，其時地節二年也。宣帝之治，課吏甚嚴，而恤民甚周，所謂吏畏其威，民懷其惠也。《漢書·循吏傳》序云：「及至孝宣，繇仄陋而登至尊，興于閭閻，知民事之艱難。自霍光薨後，始躬萬機，屬精爲治，五日一聽事，自丞相已下各奉職而進。及拜刺史守相，輒親見問，觀其所繇，退而考察其所行，以質其言，有名實不相應，必知其所以然。常稱曰：『庶民所以安其田里，而亡歎息愁恨之心者，政平訟理也。與我共此者，其唯良二千石乎！』以爲太守，吏民之本也，數變易則下不安，民知其將久，不可欺罔，乃服從其教化。故二千石有治理效，輒以璽書勉厲，增秩賜金，或爵至關內侯，公卿缺則選諸所表以次用之。是故漢世良吏，於是爲盛，稱中興焉。」此劉向謂宣帝治理之材，優於文帝者也。

然則，宣帝之政，蓋以霸王道雜之。《漢書·元帝紀》曰：「孝元皇帝……，柔仁好儒，見宣帝所用，多文法吏，以刑名繩下，大臣楊惲，蓋寬饒等坐刺譏語爲罪而誅，嘗侍燕從容曰：『陛下持刑太深，宜用儒生。』宣帝作色曰：『漢家自有制度，本以霸王道雜之，奈何純任德教，用周政乎？且俗儒不達時宜，好是古非今，使人眩於名實，不知所守，何足委任！』」所謂「以霸王道雜之」，即儒法德威並行之政制也。蓋宣帝治政，實事求是，循名課實，即如《漢書·宣帝紀》贊所云：「孝宣之治，信賞必罰，綜核名實，故事文

學法理之士，咸精其能，至于技巧工匠器械，自元成間鮮能及之，亦足以知吏稱其職，民安其業也。」而考其政，如謹刑獄，觀風俗，存問鰥寡，察吏治得失，固本乎儒道。至其增博士弟子員，頗講論五經同異，有石渠閣之會，亦重儒術者。而石渠奏議，關係漢儒治經師法之異同，見論於第五章第三節。

漢代政治，自文帝起，已有由儒道轉儒法之趨勢，至武帝，儒法之政治思想完全成形，昭宣繼之，尤其是宣帝，其吏治之優，爲史上所罕見，儒法合一之政，達乎此時，幾臻完美之狀態。如上所引，宣帝課吏之嚴，率爲法家之精神，恤民之周，則爲儒家之德政。儒者秉「德化」之大原則，卻不能由此轉出一客觀之制度，運用於現實政治，以實現其理想，故往往於經世致用之時，呈現迂遠之病。儒者未盡之責，竟於一帝王之身而實現，亦可爲贊歎者。其後，元成哀平，繼其善政，而漢代民生日益滋盛也。

二、《鹽鐵論》中之新舊儒家思想

《漢書・昭帝紀》，始元六年，二月，「詔有司問郡國所舉賢良文學，民所疾苦，議罷鹽鐵榷酤。」又〈車千秋傳〉云：「訖昭帝世，國家少事，百姓稍益充實。始元六年，詔郡國舉賢良文學士，問以民所疾苦，於是鹽鐵之議起焉。」傳贊曰：「所謂《鹽鐵論》者，起始元中，徵文學賢良，問以治亂，皆對願罷郡國鹽鐵酒榷均輸，務本抑末，毋與天下爭利，然後教化可興。御史大夫桑弘羊以爲此乃所以安邊境，制四夷，國家大業，不可廢也。當時相詰難，頗有其議文。至宣帝時，汝南桓寬次公治《公羊春秋》，舉爲郎，至盧江太守丞，博通善屬文，推衍鹽鐵之議，增廣條目，極其論難，著數萬言，亦欲以究治亂，成一家之法焉。」按班固「亦欲以究治亂，成一家之法」一語，彷彿《鹽鐵論》一書係桓寬執春秋之筆，托事立言，然就其中所載之論辯情況，與御史大夫，賢良文學說辭之勢觀之，則桓寬乃集其時記錄，序其次第，飾其語言，增其條目，以成書耳，不必視爲一家之言。

據《漢書・食貨志》及〈貨殖傳〉載，漢興，接秦之敝，諸侯並起，民失其業，而大饑饉。天下既定，民亡蓋藏，自天子不能具醇駟，將相或乘牛車。而逐利之民，畜積餘贏以稽市物，痛騰躍，米至石萬錢，馬至匹百金。有「以貧求富，農不如工，工不如商，刺繡文不如倚市門。」之俗諺。高祖乃令賈人不得衣絲乘車，重稅租以困辱之。然重稅徒增民累，而商賈擅物利

依舊。孝惠、高后時，為天下初定，復弛商賈之律。文帝間，國家無事，文帝且除盜鑄錢令，使民放鑄，商利愈厚。漢武因文景之畜，忿胡粵之害，內脩政理，外務遠略，府庫空虛，國用不贍。而富商或墆財役貧，轉轂百數，廢居居邑，封君皆氐首仰給焉。冶鑄鬻鹽，財或累萬金，而不佐公家之急，黎民重困。武帝元狩四年，遂始議變通鹽制，改行專賣。然其制度，或未盡善，主其事者或非其人，因之頗有非議。至元封元年，桑弘羊領大農，斡天下鹽鐵。

弘羊以諸官各自市相爭，物以故騰躍，而天下賦輸或不償其僦費，乃請置大農部丞數十人，分部主郡國，各往往置輸鹽鐵官，令遠方各以其物如異時商賈所轉販者為賦，而相灌輸。置平準於京師，都受天下委輸。召工官冶車諸器，皆仰給大農。大農諸官盡籠天下之貨物，貴則賣之，賤則買之。如此，富商大賈亡所牟大利，則反本，而萬物不得騰躍。故抑天下之物，名曰「平準」。於是民不益賦，國用饒給。則均輸由便遠方貢賦，擴大而成平準令之全國經濟動脈之功能。而桑弘羊蓋持經濟之大權也，以為國興大利，頗伐其功，其自述云：「余結髮束脩，年十三，幸得宿衛，給事輦轂之下，以至卿大夫之位，獲祿受賜，六十有餘年矣。車馬衣服之用，妻子僕養之費，儉節以居之。奉祿賞賜，一一籌策之。積浸以致富成業。故分土若一，賢者能籌之。夫白圭之廢著，子貢之三至千金，豈必賴之民哉？運之方寸，轉之息耗，取之貴賤之間耳。」〔註30〕且不無亦官亦商之象，故為當時人所反對，董仲舒曾進言曰：「……古井田法雖難卒行，宜少近古，限民名田，以澹不足，塞并兼之路。鹽鐵皆歸於民。去奴婢，除專殺之威。薄賦斂，省繇役，以寬民力，然後可善治也。」〔註31〕蓋首發議論者。昭帝即位六年，而有議鹽鐵罷榷酤之會。然據近人《鹽鐵論》讀本序云，此次鹽鐵會議，係霍光所主動，蓋昭帝稚齡即位，霍光輔政，欲轉變武帝奢侈之政策，此其一；又霍光為大司馬大將軍，居內朝主政，復冀謀取桑弘羊之財經大權，以集軍事，財經之權於一身，此其二。則《鹽鐵論》之辯，實有個人政治得失上；意氣、利害、權位之爭，而賢良文學不過為其假借耳。雖然，漢代君主固與儒術結合，而儒者在君主集權下，不能申其宏義，惟因勢利導。且由《鹽鐵論》中，御史大夫與賢良文學論戰時，皆緣引孔孟之旨以為助，可視為西漢儒學之分歧，

〔註30〕見桓寬《鹽鐵論‧貧富第十七》。
〔註31〕見《漢書‧食貨志上》。

亦即復古儒家思想起而與新興儒家思想之論戰。賢良文學代表文景時代儒道混合之守舊派儒家思想，屢稱文景之治績；御史大夫則爲武昭之世儒法混合之革新派儒家思想，時述武昭之事功。茲述兩派論政之不同，依黃錦鋐之說，分四點以明之〔註32〕：

（一）復古與革新

文學與大夫政見之所以不同，在於基本思想之差異。文學主張復古，近於道；大夫主張革新，近於法。文學嚮往古代優哉游哉，聊以卒歲之純樸原始社會，曰：「上古至治，民樸而貴本，安愉而寡求。當此之時，道路罕行，市朝生草。雖有湊會之要，陶、宛之術，無所施其巧。」〔註33〕故堯舜無爲之治，爲其政治之理想。大夫反對文學懷古道而不能行，其言曰：「文學言治尙於唐虞，言義高於秋天，有華言矣，未見其實也。昔魯穆公之時，公儀爲相，子思、子原爲之卿，然北削於齊，以泗爲境，南畏楚人，西賓秦國，孟軻居梁，兵折於齊，上將軍死而太子虜，西敗於秦，地奪壤削，亡河內河外，故玉屑滿篋，不爲有寶，詩書負笈，不爲有道。要在安國家，利人民，不苟繁文眾辭而已。」〔註34〕基本精神已有差異，故政見不一。

（二）民有與國有

上古民風淳樸，不競貨利，所謂「天子藏於海內，王者不畜聚，下藏於民。」故有「百姓足，君孰與不足，百姓不足，君孰與足。」之思想，文學因此以爲利國則不能利民，曰：「利不從天來，不從地出，一取之民，謂之百倍，此計之失者也，無異於愚人反裘而負薪，愛其毛，不知其皮之盡也。夫李梅實多者，來年爲之衰，新穀熟而舊穀爲之虧。自天地不能兩盈，而況於人事乎？故利於彼者必耗於此，猶陰陽之不並曜，晝夜之有長短也。」〔註35〕唯鹽鐵之利，必在深山窮澤之中，非豪民不能通其利。漢自武帝以前，豪強大族，得管山海之利，采鐵石鼓鑄，煮海爲鹽。一家聚眾，或至千餘人，大抵盡收流放人民。其既專山澤之饒，薄賦其民，賑贍窮小，以成私威，私威積，而逆節之心作矣。故大夫以山海有禁而民不傾，貴賤有平而民不疑，縣官設衡立準，人從所欲，雖使五尺之童適市，莫之能欺。今罷去之，則豪民

〔註32〕 參見黃錦鋐著《秦漢思想研究》，西漢之儒家，陸、桓寬——西漢孔學之分歧。
〔註33〕 見桓寬《鹽鐵論·力耕第二》。
〔註34〕 見桓寬《鹽鐵論·相刺第二十》。
〔註35〕 見桓寬《鹽鐵論·非鞅第七》。

擅其用而專其利，是養強抑弱而藏於跖也。且鹽鐵之利，所以佐百姓之急，足軍旅之費，務畜積以備乏絕，有益於國，無害於民。故曰：「王者塞天則，禁關市，執準守時，以輕重御民。豐年歲登，則儲積以備乏絕，凶年惡歲，則行幣物，流有餘而調不足也。昔禹水湯旱，百姓匱乏，或相假以接衣食，禹以歷山之金，湯以莊山之銅，鑄幣以贖其民，而天下稱仁。往者財用不足，戰士或不得祿，而山東被災，齊趙大饑，賴均輸之畜，倉廩之積，戰士以奉，饑民以賑。故均輸之物，府庫之財，非所以賈萬民而專奉兵帥之用，亦所以賑困乏而備水旱之災也。」〔註36〕

（三）重農與重商

中國自古以農立國，故天子有躬耕勸農之舉。自高祖立國，至孝惠、高后，皆禁市井子孫，不得仕官，欲令務農也，故重農為古代政治之首要措施。文學本此，主張尚力務本。曰：「衣食者，民之本，稼穡者，民之務也。二者修，則國富而民安也。」〔註37〕然漢武治邊，輻員廣闊，需行平準、均輸之策，以通有無。而政府控制商事，亦在排除富商大賈。是以終漢武之世，兵事雖多，而賦歛不增財用足。故大夫曰：「管子曰：『國有沃野之饒而民不足於食者，器械不備也。有山海之貨而民不足於財者，商工不備也。』隴、蜀之舟漆旄羽，荊、揚之皮革骨象，江南之柟梓竹箭，燕齊之魚鹽旃裘，兗、豫之漆絲絺紵，養生送終之具也，待商而通，待工而成。故聖人作為舟楫之用，以通川谷，服牛駕馬，以達陵陸，致遠窮深，所以交庶物而便百姓。是以先帝建鐵官以贍農用，開均輸以足民財，鹽鐵、均輸，萬民所載仰而取給者也。」〔註38〕則大夫之重商，亦在「以贍農用」。

（四）德治與法治

文學曰：「古者篤教以導民，明辟以正刑。刑之於治，猶策之於御也。良工不能無策而御，有策而勿用。聖人假法以成教，教成而刑不施。故威厲而不殺，刑設而不犯。今廢其紀綱而不能張，壞其禮義而不能防。民陷於罔，從而獵之以刑，是猶開其闌牢，發以毒矢也，不盡不止。曾子曰：『上失其道，民散久矣。如得其情，則哀矜而勿喜。』夫不傷民之不治，而伐己之能

〔註36〕 見桓寬《鹽鐵論・力耕第二》。
〔註37〕 同註36。
〔註38〕 見桓寬《鹽鐵論・本議第一》。

得姦，猶戈者覩鳥獸挂尉羅而喜也。今天下之被誅者不必有管、蔡之邪，鄧
晢之僞，恐苗盡而不別，民欺而不治也。」〔註39〕大夫曰：「古之君子，善善
而惡惡，人君不畜惡民，農夫不畜無用之苗，無用之苗，苗之害也，無用之
民，民之賊也，鉏一害而眾苗成，刑一惡而萬民悅。雖周公、孔子不能釋刑
而用惡。家之有鉏子，器皿不居，況鉏民乎！民者教於愛而聽刑。故刑所以
正民，鉏所以別苗也。」〔註40〕是文學之意，亦非盡廢法治，唯在先德教而
後刑威耳，大夫主法治，亦在除穢鉏豪，使百姓均平，各安其宇。則大夫與
文學所論爭之法治問題，其本質實無甚差別。

　　夫國以民爲本，儒家尤重民生。曰：「民爲貴，社稷次之，君爲輕。」〔註41〕
綜觀賢良文學與御史大夫之爭論，固有其分歧，然目標則一，要皆以民生爲
本。其爭論之始，即曰：「問民所疾苦」，文學以治民之本在務農，引《詩·
周頌·良耜篇》云：「百室盈止，婦子寧止」以證之，大夫主重商以富國利
民，亦引「百室盈止，婦子寧止」以應之。故兩方爭論縱激烈，皆不離以民
爲本之目標，特實施之過程各異耳。唯聖人之道，本爲一普遍之常道，聖人
之言，本爲一涵蓋之大前題，後之儒者，或得其一端，或羼雜他家思想，或
惑於時世事功，每於經世致用時，輒有所偏，爭辯遂因是而起。御史大夫
緣商賈暴利，來自屯積居奇，賤買貴賣，因「開委府於京師，以籠貨物」，以
平物價，饒給國用，爲國興利之功，固不可滅矣，然彼等「籌策致富」，則已
有握國家經濟大權，行假公濟私之嫌，宜乎文學指斥其「豪吏富商」。自戰
國以迄漢初，因社會結構變遷，所產生之獨立商人，固不利於農民，而在此
亦官亦商之情勢下，民雖不益賦，亦未解其苦。且大夫恃才自誇，以富驕奢，
皆已去本遠矣。然則，賢良文學守成而不知變，苟執一大原則，而無致用之
道。故大夫謂其「磒磒然守一道，能言而不能行。」蓋漢至武帝時，政事漸
繁，黃老無爲之治，不足以適當世複雜之情勢，故假儒道以化民，藉法治以
禁姦，王霸雜揉，成爲治政之方。文學賢良設辭問難，不顧時宜，故有亂其
大體之疵。唯御史大夫、賢良文學，切直指責，針鋒相對之後，果爲霍、桑
二氏權位之爭，則漢代儒生固不能脫離政治也。

〔註39〕見桓寬《鹽鐵論·後刑第三十四》。
〔註40〕同註39。
〔註41〕見《孟子·盡心下篇》。

第四章　西漢末年之儒學

第一節　復古之風與儒生政治

一、元成哀平之政治與儒學

　　宣帝在民間依許廣漢兄弟及祖母史氏，即位後，爲報舊恩而侯許、史兩家，許、史遂貴，漢之用外戚自宣帝始。外戚不必皆不肖，亦視人主用之如何耳。宣帝以許延壽爲大司馬車騎將軍，〈外戚傳〉謂其輔政，蓋尊官而無常職，武帝時之人司馬人將軍、人司馬驃騎將軍，率爲此類也。宣帝明察，雖任外戚，未嘗專寵，亦親賢並用也。元帝仁柔，不能御下，致成外戚佞幸政治。又宣帝自霍光薨後，親政，集權於中書，任弘恭、石顯爲令僕，其後復遺詔史高爲大司馬車騎將軍，蕭望之爲前將軍光祿勳，周堪爲光祿大夫輔政，同領尚書，元帝時，中書遂與尚書爭權。成帝即位，以母舅王鳳爲大司馬大將軍，領尚書事，王氏之興自鳳始。而王鳳既以大司馬大將軍領尚書事，以元舅之尊傾石顯，故成帝建始四年卒罷中書宦官，置尚書員五人，中書遂不復見於漢世。王鳳之後，王音、王商、王根、王莽相繼爲大司馬執政，終西漢滅亡，王家侯者乃有十人之多，而成王莽之篡。此爲西漢末年政局之變遷。

　　元成哀平之朝政，雖有轉移，而所以治民者，皆承昭宣以來之政治。元帝省郡國公田、苑囿、苑馬，振救貧民，貸種食予貧民，存問耆老鰥寡孤獨困乏失職之民，令郡國被天災甚者，毋出租賦，罷角抵及上林宮館希御幸者，齊三服官，北假田官，鹽鐵官，常平倉。成帝、哀帝之德政，亦大抵若

是，故人民蒙休，戶口滋盛。凡此惠民之政，固漢家建國以來，一貫之精神，抑亦儒家思想普及之效歟？

漢高祖以平民起義，得天下，率以軍吏執政，至景帝之申屠嘉爲止，宰相皆漢初功臣。武帝始用儒生，公孫弘以儒相，其後蔡義、韋賢、韋玄成、匡衡、張禹、翟方進、孔光、平當、馬宮、平晏，咸以儒宗居相位，元成之後，儒生執政，已爲常事。唯儒家之政治理想，原爲天下爲公，選賢與能之賢人政治，在專制政體之下，其於政治僅有調節之作用，不能盡申理想。漢元帝以後爲儒家政治極盛時代，其時儒者論政之要義在闡明立君以爲民之基本理論，天下乃天下人之天下，非一人之天下。天生聖人，蓋爲萬民，非獨使自娛樂而已。故雖不能於政治上盡展抱負，於節制君主之言行，則不無實效。其所以節制君主之道有二：一爲犯顏直諫，一爲以災異評時政。茲舉一、二實例以見之：《漢書・雋疏于薛平彭傳》云：「（薛）廣德爲人溫雅有醞藉，及爲三公，直言諫爭。始拜旬日間，上幸甘泉，郊泰畤，禮畢，因留射獵。廣德上書曰：『竊見關東困極，人民流離。陛下日撞亡秦之鐘，聽鄭衛之樂，臣誠悼之。今士卒暴露，從官勞倦，願陛下亟反宮，思與百姓同憂樂，天下幸甚。』上即日還。其秋，上酎祭宗廟，出便門，欲御樓船，廣德當乘輿車，免冠頓首曰：『宜從橋。』詔曰：『大夫冠。』廣德曰：『陛下不聽臣，臣自刎，以血汙車輪，陛下不得入廟矣！』上不說。先敺光祿大夫張猛進曰：『臣聞主聖臣直。乘船危，就橋安，聖主不乘危。御史大夫言可聽。』上曰：『曉人不當如是邪。』乃從橋。」又《漢書・楊胡朱梅云傳》曰：「成帝時，丞相故安昌侯張禹以帝師位特進，甚尊重。（朱）雲上書求見，公卿在前，雲曰：『今朝廷大臣，上不能匡主，下亡以益民，皆尸位素餐，孔子所謂「鄙夫不可與事君」，「苟患失之，亡所不至」者也。臣願賜尚方斬馬劍，斷佞臣一人以厲其餘。』上問：『誰也？』對曰：『安昌侯張禹。』〔註1〕上大怒，曰：

〔註 1〕 成帝永始、元延之間，日蝕地震數見，吏民多上疏言災異之應，譏切王氏專政所致。成帝憂懼，意頗然之，未有以明見。時張禹家居，上乃車駕至禹第，辟左右，親問禹以天變，因用吏民所言王氏事示禹。禹自見年老子孫弱，又與曲陽侯（王根）不平，恐爲所怨。乃謂上曰：「春秋二百四十二年間，日蝕三十餘，地震五十六，或爲諸侯相殺，或夷狄侵中國。災變之異深遠難見，故聖人罕言命，不語怪神。性與天道，自子貢之屬不得聞，何況淺見鄙儒之所言。陛下宜修政事以善應之，與下同其福善，此經義意也。新學小生，亂道誤人，宜無信用，以經術斷之。」成帝雅信愛禹，由是不疑王氏。此朱雲欲得尚方劍斷其頭也。事見《漢書・匡張孔馬傳》。

『小臣居下訕上，廷辱師傅，罪死不赦。』御史將雲下，雲攀殿檻，檻折。雲呼曰：『臣得下從龍逢、比干遊於地下，足矣！未知聖朝何如耳？』御史遂將雲去。於是左將軍辛慶忌免冠解印綬，叩頭殿下曰：『此臣素著狂直於世，使其言是，不可誅，其言非，固當容之。臣敢以死爭。』慶忌叩頭流血。上意解，然後得已。及後當治檻，上曰：『勿易，因而輯之，以旌直臣。』」諫爭之美談，元成之後頻傳，此其犖犖大者。自漢以降，諫議遂成制度。其次爲以災異言治道，此在文帝求言詔〔註2〕，武帝賢良策問〔註3〕，已啓其端，而董仲舒對策謂：「國家將有失道之敗，而天乃先出災害以譴告之，不知自省，又出怪異以警懼之，尚不知變，而傷敗乃至。以此見天心之仁愛人君欲止其亂也。」〔註4〕爲言之最切者。此後，漢儒借天道以恐時君，漸爲普遍。宣帝詔書始頗言災異，至元帝以後大盛。元帝初元三年，詔丞相御史，舉天下明災異者各三人，於是言事者衆，或進握召見，人人自以爲得上意。陰陽學說累見於奏疏詔令，有因日食策免三公，災異罷免郡守等事。儒臣如翼奉謂，人氣內逆則感動天地，變見於天，星氣猶人之五臟六體，臟病則氣色發於面，體病則欠伸動於貌也〔註5〕。李尋謂，日失其度，晻昧無光，陰雲邪氣在日出時者爲牽於女謁，日出後者爲近臣亂政，日中者爲大臣欺誣，日入時爲妻妾役使所營也〔註6〕。孔光謂，皇之不極，則咎徵薦臻，有日月亂行諸變異也〔註7〕。谷永謂，災異者，天之所以譴告人君過失，猶嚴父之明誡，畏懼敬改，則禍銷福降，忽然簡易，則咎罰不除〔註8〕。是皆援天道以證人事，而其時人君亦多過災而懼，如成帝因何武言，擢用辛慶忌〔註9〕。哀帝亦以災異用鮑宣言，召用彭宣、何武、孔光，而罷孫寵、息夫躬等〔註10〕。足見災異說在元帝以後，對政治關係之大。

漢武宣用儒生，頗重文學。然則，汲黯言：「陛下（武帝）內多欲而外施仁義，奈何欲效唐虞之治乎？」蓋寬饒言：「方今（宣帝）聖道寖廢，儒術不

〔註2〕　見《漢書·文帝紀》，後元年，春三月詔。
〔註3〕　見《漢書·武帝紀》及〈董仲舒傳〉。
〔註4〕　見《漢書·董仲舒傳》。
〔註5〕　見《漢書·眭兩夏侯京翼李傳》。
〔註6〕　同註5。
〔註7〕　見《漢書·匡張孔馬傳》。
〔註8〕　見《漢書·谷永杜鄴傳》。
〔註9〕　見《漢書·趙充國辛慶忌傳》。
〔註10〕　見《漢書·王貢兩龔鮑傳》。

行，以刑餘爲周召，以法律爲詩書。」可知武宣之用儒，亦事緣飾耳，儒生真正被重用，自元帝始。此由王吉、貢禹奏言之事可證，王吉上疏言得失，引述舊禮〔註 11〕，蓋寬饒奏封，言三王五帝〔註 12〕，皆見當時學者之風尚，特宣帝以其不達時宜，是古非，遂不用。及元帝即位，徵貢禹爲諫大夫，數虛己問以政事，禹奏言，古者宮室有制，至高祖孝文孝景皇帝，循古節儉，後世爭爲奢侈，希望元帝承衰救亂，矯復古化。〔註 13〕王、貢皆主興復古禮以幾太平，宣帝不用吉，而元帝專信禹，此爲漢代政治、學術風氣之一大變。亦宣帝所歎「亂我家者，太子也。」者也。緣儒學自董仲舒以後，日入於普及，迂闊之論亦日出，適仲舒以前儒者言改制，以後儒者言復古，此其大較。其時儒者言復古，著者有：貢禹之毀宗廟，匡衡之改郊兆，何武之定三公。然禮文缺微，古今異制，學者繁滋，多用力於虛文，鮮能深究精義，適時濟世，則禮文固反復再三，紛紛不定，禮意亦無由而彰。其後，更爲外戚王莽所利用，此於第二節論之。

自漢室一家興衰論之，元成以後，誠衰世矣。唯儒學普及，元帝時之增博士弟子員，成帝時之求遺書、校經籍，固於學術之蓬勃，有直接之助益。而諸帝王損上益下之惠民政治，哀帝時之限田宅奴婢，陳任子令，亦關係社會文化頗大。故《漢書·元帝紀》贊云：「（元帝）少而好儒，及即位，徵用儒生委之以政，貢、薛、韋、匡迭爲宰相，而上牽制文義，優游不斷，孝宣之業衰焉。然寬弘盡下，出於恭儉，號令溫雅，有古之風烈。」

二、劉向之論政

劉向，字子政，本名更生，楚元王交之後，乃漢宗世也。楚元王交，爲高祖同父少弟，好書，多材藝。少時嘗與魯穆生、白生、申公，俱受詩於浮丘伯。漢六年，高祖廢楚王信，分其地爲二國，立賈爲荊王，交爲楚王。元王既至楚，以穆生、白生、申公爲中大夫。高后時，浮丘伯在長安，元王遣子郢客與申公俱卒業。文帝時，聞申公爲詩最精，以爲博士。元王好詩，諸子皆讀詩。申公始爲詩傳，號魯詩。元王亦次之詩傳，號曰元王詩，世或有之。可見元王於劉邦家族中，爲文化教養最高者。元王薨，子郢客嗣，另有五子封侯，其中富爲休侯，富子辟彊，辟彊子德，德子向，自元王至向，爲

〔註11〕 同註 10。
〔註12〕 見《漢書·蓋諸葛劉鄭孫毋將何傳》。
〔註13〕 同註 10。

第五代，其世系如下〔註14〕：

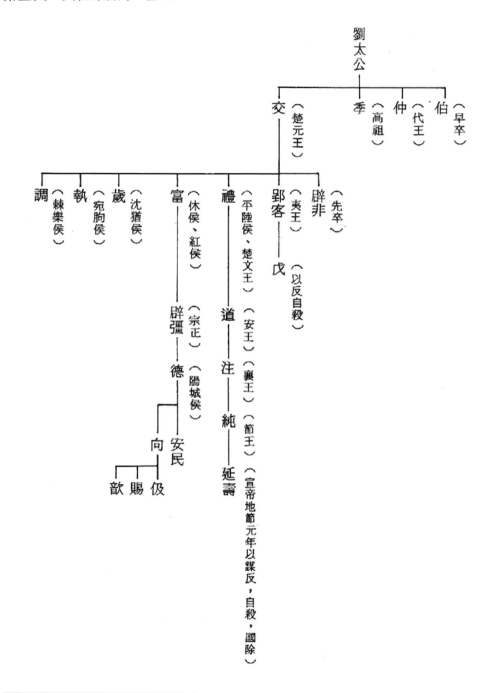

〔註14〕參見徐復觀著《兩漢思想史》，劉向新序《說苑》的研究，一、劉向的家世、
　　　　時代與生平。

揆劉向之家世，既是宗室懿親，得封王封侯與仕進上之優厚憑藉。亦因兩次叛逆，時在避難遠禍中。在學術上則與詩有長久之淵源，又以處在宗室避嫌之地位，及當時竇太后提倡黃老，故與道家思想，亦有密切關係，此皆予劉向在思想與政治上深遠之影響。

　　向年十二，以父德任為輦郎。既冠，以行修飭擢為諫大夫。是時，宣帝循武帝故事，招選名儒俊材置左右。更生以通達能屬文辭，與王褒、張子僑等並進對，獻賦頌凡數十篇。上復興神僊方術之事，而淮南有枕中鴻寶苑祕書，書言神僊使鬼物為金之術，及鄒衍重道延命方，世人莫見，而更生父德，武帝時治淮南獄，得其書。更生幼而讀誦，以為奇，獻之，言黃金可成。上令典尚方鑄作事，費甚多，方不驗。上乃下更生吏，吏劾更生鑄偽黃金，繫當死。更生兄陽城侯安民上書，入國戶半，贖更生罪。上亦奇其材，得踰冬減死論。會初立《穀梁春秋》，徵更生受《穀梁》，講論五經於石渠。復拜為郎中給事黃門，遷散騎諫大夫給事中。元帝時，以弘恭、石顯等用事，向遂廢十餘年。成帝即位，顯等伏辜，更生乃復進用，更名向。向以故九卿，召拜為中郎，使領護三輔都水。數奏封事，遷光祿大夫。是時，王鳳為大將軍秉政，兄弟七人皆為封侯。時數有大異，向以為外戚用事之咎，而上方精於詩書，觀古文，詔向領校中五經祕書。向見《尚書·洪範》，箕子為武王陳五行陰陽休咎之應，向乃集合上古以來歷春秋六國至秦漢符瑞災異之記，推迹行事，連傳禍福，著其占驗，比類相從，各有條目，凡十一篇，號曰《洪範五行傳論》，奏之。天子心知向精忠，故為鳳兄弟起此論也，然終不能奪王氏權。久之，營起昌陵，數年不成，還歸延陵，制度泰奢，向上疏諫。書奏，上甚感向言，而不能從其計。向睹俗彌奢淫，而趙衛之屬，起微賤，踰禮制。向以為王教由內而外，自近者始，故採取詩書所載，賢妃貞婦，興國顯家可法則，及孽嬖亂亡者，序次為《列女傳》，凡八篇，以戒天子。及采傳記行事，著《新序》、《說苑》，凡五十篇奏之，數上疏言得失，陳法戒，書數十上，以助觀覽，補遺闕，上雖不能盡用，然內嘉其言，常嗟歎之。時上無繼嗣，政由王氏出，災異浸甚。向雅奇陳湯智謀，與相親友，獨謂湯曰：「災異如此，而外家日盛，其漸必危劉氏。吾幸得同姓末屬，累世蒙漢厚恩，身為宗室遺老，歷事三王，上以我先帝舊臣，每進見常加優禮，吾而不言，孰當言者？」遂上封事極諫。書奏，天子召見，歎息悲傷其意，謂曰：「君且休矣，吾將思之。」以向為中壘校尉。向為人簡易，無威儀，廉靖樂道，

不交結世俗，專積思於經術，晝誦書傳，夜觀星宿，或不寐達旦。元廷中，星孛東井，蜀郡岷山崩雍江，向惡此異，懷不能已，復上奏。上輒入之，然終不能用也。向每召見，數言公族者國之枝葉，枝葉落，則本根無所庇廕。方今同姓疏遠，母黨專政，祿去公室，權在外家，非所以彊漢宗，卑私門，保守社稷，安固後嗣也。向自見得信於上，故常顯訟宗室，譏刺王氏，及在位大臣，其言多痛切，發於至誠。上數欲用向為九卿，輒不為王氏居位者及丞相御史所持，故終不遷。居列大夫官前後三十餘年，年七十二卒。卒後十三歲，而王氏代漢。〔註15〕

　　西漢儒者思想之主題，多集中於政治問題，劉向身為漢家宗室，其思想之始於政治，終於政治，更是必然。而其身歷事宣、元、成三主，生平遭遇，不僅為西漢末年儒生參政之典型，亦可視為劉姓宗室陵夷之表徵。劉向之政治思想，多表現於奏疏及《新序》、《說苑》二書中，其論政主要言尊君與任賢。

　　《說苑・複恩篇》，舉趙襄子以上賞與無功之高赫，曰：「吾在拘厄之中，不失臣主之禮，唯赫也。子（張孟談等五人）雖有功，皆驕寡人。」賞一人而天下之人臣，莫敢失君臣之禮也。明上下之分，臣主之禮之重要。唯〈君道篇〉中謂：「尊君卑臣者，以勢使之也。」則其意以為君臣尊卑之來原，乃在便於以勢相使，以適應政治上之要求，蓋君道尊，則天下為人臣者，不敢有異志，而天下自定矣。其〈建本篇〉言：「夫君臣之與百姓，轉相為本，如循環無端。」人臣與人民，不必皆隨人君之志而轉動。尊君之意既在「以勢使之」，則實質上，君臣關係，應屬平等。故曰：「帝者之臣，其名臣也，其實師也。王者之臣，其名臣也，其實友也。霸者之臣，其名臣也，其實賓也。危國之臣，其名臣也，其實虜也。」即人君不能專政於一己，必需公諸才德之人，故以任賢為治政之急務。

　　任賢亦有道焉，在知人而善用之。《說苑・君道篇》曰：「是故知人者，王道也。知事者，臣道也。王道知人，臣道知事。」而〈臣術篇〉「子產相鄭」條，論人有所長，亦有所短，用之得當則顯其長，不當則敗其能。故為政貴知其材而任之，能集眾賢之長，鮮有敗事也。即《論語・憲問篇》，子曰：「為命，裨諶草創之，世叔討論之，行人子羽修飾之，東里子產潤色之。」也。

　　尊君與任賢，俱為儒家所倡導者，劉向以之論治政之要，可見其思想之偏向。唯漢代學風不醇，劉向又當元成之世，先扼於弘恭、石顯，復憂外戚

〔註15〕見《漢書・楚元王傳》。

王氏之傾危漢室，故又思藉刑威賞罰，以振紀綱，又慕道家無爲之治，是雜有法道思想者，此黃錦鋐《先秦思想研究》，有關劉向之部分，論之詳矣。而《說苑·政理篇》言：「政有三品，王者之政化之，霸者之政威之，彊者之政脅之。夫此三者，各有所施，而化之爲貴矣。」顯示其在各家思想交錯中，仍以儒家思想爲主流。

唯儒思想不純，漢初已然，故不足以爲西漢末年儒生思想之特色，蓋其特色主要表現在兩方面：第一，災異說；第二，天下爲公說。而劉向於此學風下，亦不能例外。

（一）災異說

漢自董仲舒將陰陽學說正式納在儒家體系後，以災異論政之風，即源源不息。唯其大盛，則在元帝以後。儒生以災異論政，本意在進諫人君行德政，其確實產生若干作用，如人君因災異而咎己，下詔減租稅，罷苑囿，赦天下等事，已如本節第一段落所述。然當災異被利用爲政權鬥爭之工具時，儒生便顯得無力。《漢書·楚元王傳》云：「元帝初即位，……冬，地復震，時恭、顯、許、史子弟侍中諸曹，皆側目於望之等，更生懼焉，乃使其外親上變事言：……臣聞春秋地震，爲在位執政太盛也，不爲三獨夫（蕭望之、周堪及向）動，亦已明矣。……前弘恭奏望之等獄決，三月，地大震，恭移病出，後復視事，天陰雨雲，由是言之，地動殆爲恭等。臣愚以爲宜退恭、顯，以章蔽善之罰，進望之等以通賢者之路。如此，太平之門開，災異之原塞矣。」此是劉向以地震爲恭、顯而起。然「是歲夏寒，日青無光，恭、顯及許、史皆言堪、猛用事之咎。」是恭、顯以日青無光指堪、猛之咎。如此，劉向等人與恭、顯之爭，其終爲蕭望之自殺，周堪疾瘖，不能言而卒，張猛自殺，劉向廢退十餘年。蓋憑察驗災異，假經設誼，依託象數，而建立之天意，其解釋本就可因人而異，而儒生期望以此斥退佞臣，扭轉政權，顯然是無可奈何與軟弱之舉〔註16〕。劉向幼而誦枕中鴻寶苑祕書，及神仙使鬼物爲金之術，其習陰陽之學已明矣，在與外戚、權臣對抗中，輒不能不依藉此道，亦可悲矣。

（二）天下爲公說

天下爲公，傳賢不傳子，乃儒家政治之基本理想。秦統一天下，首議帝

〔註16〕 同註14。

號，自稱始皇帝，欲傳子傳孫，傳至於無窮，君主集權自此起。漢代秦而有天下，政治體制襲自秦廷，然先秦公天下之思想，依舊深在儒生之心。景帝時，轅固生言「湯武受命」，〔註17〕即孟子「聞誅一夫紂矣，未聞弒君也。」〔註18〕之意，亦即賢人政治之理想。漢代公羊學派盛行，立於學官，公羊學倡言革命，於天下為公之思想更有傳揚之效。特以漢初諸帝傳承至昭宣，各主皆稱英明，且即在武帝獨尊儒術後，亦未嘗純任儒生。降至元帝，性既仁柔，優游不斷，政權逐漸轉移至外戚，本有可責咎者，而當時儒生在政治、社會之地位，亦較前期為重，天下為公說乃得公開談論。劉向雖為漢之宗室，既在風氣之中，復以其儒者之基本理想，亦頗言天下為公。《說苑‧節士篇》言：「堯治天下，伯成子高為諸侯焉。堯授舜，舜授禹，伯成子高辭為諸侯而耕。禹往見之，則耕在野。禹趨就下位而問焉曰，……及吾在位，子辭諸侯而耕，何故？伯成子高曰，昔堯之治天下，舉天下而傳之他人，至無欲也。擇賢而與之其地，至公也。以至無欲至公之心示天下，故不賞而民勸，不罰而民畏。舜亦猶然。今君賞罰而民欲且多私，是君之所懷者私也。」又〈至公篇〉云：「書曰，不偏不黨，王道蕩蕩，言至公也。古有行大公者，帝堯是也。貴為天子，富有天下，得舜而傳之，不私於其子孫也，去天下若遺躧。於天下猶然，況其細於天下乎。非帝堯孰能行之。孔子曰，巍巍乎惟天為大，惟堯則之。易曰，無首吉，此蓋人君之公也。夫以公與天下，其德大矣。推之於此，刑之於彼，萬姓之所載，後世之所則也。」而其奏疏所謂：「王者必通三統，明天命之所授者博，非獨一姓也。」皆以人主當「以德為效」，不然，富貴無常，先王之聖德不能庇末孫之不肖，國未有不亡者，戒勉成帝，亦因賢人將取而代之之意也。

三、揚雄之《太玄》與《法言》

揚雄，字子雲，蜀郡成都人。少而好學，不為章句，訓詁通而已。博覽無所見。為人簡易佚蕩，口吃不能劇談，默而好深湛之思，清靜無為，少耆欲，不汲汲於富貴，不戚戚於貧賤，不修廉隅以徼名當世。家產不過十金，乏無儋石之儲，晏如也。自有大度，非聖哲之書不好也。非其意，雖富貴不事也。孝成帝時，客有薦雄文似相如者，上召雄待詔。因奏甘泉、羽獵、長

〔註17〕見《漢書‧儒林傳》。
〔註18〕見《孟子‧梁惠王下篇》。

揚諸賦。除爲郎，給事黃門，與王莽、劉歆並。哀帝之初，又與董賢同官。當成、哀、平間，莽、賢皆爲三公，權傾人主，而雄三世不徙官。及莽篡位，談說之士用符命稱功德，獲封爵者甚眾，雄復不侯，以耆老久次轉爲大夫，恬於勢利乃如是。實好古而樂道，其意欲求文章成名於後世，以爲經莫大於《易》，故作《太玄》；傳莫大於《論語》，作《法言》；史篇莫善於倉頡，作訓纂；箴莫善於虞箴，作州箴；賦莫深於離騷，反而廣之；辭莫麗於相如，作四賦，皆斟酌其本，相與放依而馳騁云。王莽時，劉歆、甄豐皆爲上公，莽既以符命自立，即位之後欲絕其原以神前事，而豐子尋，歆子棻復獻之。莽誅豐父子，投棻四裔，辭所連及，便收不請。時雄校書天祿閣上，畏罪自投閣下。以病免，莽復召爲大夫，天鳳五年卒，年七十一。〔註19〕

　　《太玄》與《法言》二書，爲揚雄最重要之著作，亦最足代表揚雄之中心思想。《太玄》自漢志以下，皆收入儒家類，鄭樵《通志》收入易經類，《四庫全書》總目提要及書目問答收入術數類。因其內容難讀，揚雄爲此作《太玄》賦、解嘲、解難以譬之，劉歆觀其書，謂其「空自苦」，張衡以之與五經相擬，桓譚信其必傳於後世，宋代曾鞏則斷其爲「刺莽而作之」。而《法言》則爲模擬《論語》之作，《漢書·藝文志》詳列其目曰：學行第一，吾子第二，修身第三，問道第四，問神第五，問明第六，寡見第七，五百第八，先知第九，重黎第十，淵騫第十一，君子第十二，孝至第十三。《四庫全書》總目提要稱曰：「凡所列漢人著述，未有若是詳者，蓋當時甚重雄書也。」《太玄》、《法言》二書，自劉歆、桓譚以來，互有毀譽，議論紛紛，莫衷一是。蓋揚雄處亂世而求不累其身，事篡君而能不奪其志，著書必隱諱其辭，有以致之也。

　　《太玄》之中心思想，據自《周易》與《老子》，爲儒道二家之混合。《周易·繫辭上》云：「一陰一陽之謂道。」又云：「易有兩極，是生兩儀，兩儀生四象，四象生八卦。」《老子·第二十五章》云：「有物混成，先天地生，寂兮寥兮，獨立不改，周行而不殆，可以爲天下母，吾不知其名，字之曰道。」〈第四十二章〉云：「道生一，一生二，二生三，三生萬物，萬物負陰而抱陽，沖氣以爲和。」則知《周易》之「太極」與《老子》之「道」，皆指天地宇宙變化之道，陰陽晦明推移之理，天地之道，宇宙之主宰，萬物之根據，爲一本體之抽象觀念也，揚雄之「玄」亦如是也。《太玄·玄攡》曰：「玄者，幽

_____

〔註19〕見《漢書·揚雄傳》。

攡萬類而不見形者也。資陶虛無而生乎，規關神明而定墓，通同古今以開類，攡措陰陽而發氣，一判一合，而天地備矣。天日同行，而剛柔接矣。還復其所，終始定矣。一生一死，性命瑩矣。」又〈太玄圖〉云：「夫玄也者，天道也，地道也，人道也。」則揚雄之所謂「玄」，亦如《易經》之「太極」，《老子》之「道」，同為宇宙形成之始因，宇宙之由虛無至實有，由單一至複雜，由抽象至具體，皆循此一原理原則而生化。故此本體之特性，可言者至少有二：一指道體之存在，即《老子》所謂「獨立不改」，亦即揚雄所云「欲違則不能」。一指道用之運行，即《老子》所謂「周行而不殆」，亦即揚雄所云「運行旡窮」。

　　然則，揚雄《太玄》之構造，與《老子》「道生於」之說不同，亦與《易經》之象數有異，為其自樹體系者。《易》之基本符號為▅▅，▅以象陽，▅▅以象陰，通六十四卦，而其義不變也。玄之基本符號為▅▅，非固定以象某物，僅欲含宏萬有，便於錯綜變化而已。《老子》曰：「道生一，一生二，二生三，三生萬物。」「一」為數之至少，亦為數之最多。一本可化萬殊，萬殊仍歸於一本。故〈二十九章〉曰：「天得一以清，地得一以寧，神得一以靈，谷得一以盈，萬物得一以生，侯王得一以為天下貞。」揚雄以為道之本體即含有「三」，玄是道，故玄之本體亦含有三。上述三基本符號，由上而下（《易》係由下而上），為玄所含之天、地、人也。《易》重三畫為六畫而成一卦，玄則四畫而成一首。其由三基本符號，復加一畫為四畫以成一首，猶《易》之以二符號，復加一畫，以變化成八卦者然，皆欲增其錯綜變化也。揚雄又以為，此由上而下之四畫，乃表徵方、州、部、家，如此，則將政治社會之劃分，亦屬入其中矣。因玄之本體含有三，而方由玄出，故有三方，每方含有三州，為九州，每州含有三部，為二十七部，每部含有三家，為八十一家，此就空間之組織言。在時間上，方、州、部、家四者為首，共為八十一首，每首附九贊（三之生數），共為七首二十九贊，一贊為畫，一贊為夜，二贊合為一日，共合三百六十四日半，另合「踦」「嬴」二贊，補足一年三百六十五日半之數。

　　揚雄之意，以為玄起於三，所謂「三生」，即由三數之推演，說明玄之生化作用，以與曆合。並由此以定行為之準則，以測休咎。其以為數生乎律，〈玄攡〉云：「日月往來，一寒一暑，律則成物，曆則編時，律曆交通，聖人以謀。畫以好之，夜以醜之，一畫一夜，陰陽分索，夜道極陰，畫道極陽，牝牡群

貞，以攡吉凶，則君臣父子夫婦之道辯矣。」殆謂此也。唯此實與仁義無干涉，而揚雄必謂其草玄乃在伸張仁義，〈太玄賦〉云：「聖作典以濟時兮，驅蒸民而入甲，張仁義以爲網兮，懷忠貞以矯俗。指尊選以誘世兮，疾身沒而名滅。」蓋天、地、人皆出於玄，人道爲玄所固有，亦即仁義爲玄所固有，此乃揚雄以儒合老，並補《老子》之所不足者。〈玄圖〉又云：「幽潛道卑，元極道高，晝夜相承，夫婦繫也。終始相生，父子繼也。日月合離，君臣義也。孟季有序，長幼際也。兩兩相闒，朋友會也。」此言天道運行之象，而人道亦見諸其中，可見天人合一之理。故〈玄告〉曰：「故善言天地者以人事，善言人事者以天地。」蓋天地有施生，人道有仁義，推人事以知天道，法天道以爲仁義也。且《漢書・律曆志》云：「數者一十百千萬也。所以算數事物，順性命之理也。」爲以數之合理性，可順性命之理之觀念，揚雄亦作如是觀，故其《太玄》，乃欲以天、地、人，藉三生之數，使不能把握之玄，化而爲能。〈玄攡〉有云：「天日迴行，剛柔接矣，還復其所，終始定矣。一生一死，性命瑩矣。仰以觀乎象，俯以視乎情，察性知命，原始見終，三儀同科，厚薄相劑。」天之象，人之情，皆以數而見諸《太玄》之中矣。觀象觀情，乃能知性知命，而性命之理，仁義是也。則揚雄之草玄，非特以伸張正義而已矣。亦爲其知性之需求，惟其如此，《太玄》一書，乃多見知性窮理之言也。此不無影響魏晉玄學，與宋代理學者。

揚雄之著《太玄》，頗據自老氏，而其所撰之《法言》，則歸本於儒家，雖其書擬諸《論語》，猶《太玄》擬於《易》，然亦足以表現其中心思想與學術特色。《漢書》本傳採其自序曰：「雄見諸子各以其知舛馳，大氐詆訾聖人，即爲怪迂，析辯詭辭，以撓世事，雖小辯，終破大道而或眾，使溺於所聞而不自知其非也。及太史公記六國，歷楚漢，訖麟止，不與聖人同，是非頗謬於經。故人時有問雄者，常用法應之，譔以爲十三卷，象《論語》，號曰《法言》。」蓋欲以孔子五經爲綱維，立一爲人及立言之準則。此當是順董仲舒推明孔氏，罷黜百家，立五經博士之大方向而來，唯其所得固卓然不類於五經博士。茲自兩方面言之：

揚雄於孔門弟子，特推重顏淵，強調孔顏之關係，並標舉顏淵樂處。〈學行篇〉曰：「或問世言鑄金，金可鑄與？曰，吾聞覿君子者問鑄人，不問鑄金。或曰，人可鑄與？曰，孔子鑄顏淵矣。」又曰：「或曰，使我紆朱懷金，其樂不可量已。曰，紆朱懷金者之樂，不如顏氏子之樂。顏氏子之樂也內，紆朱

懷金者之樂也外。」在西漢學術中，實爲僅見。〔註 20〕蓋漢自武帝用董仲舒言，罷黜百家，尊崇六藝，於是經學大盛，然所謂經學，亦游夏之業，顏閔之行殆已衰矣。《漢書‧儒林傳》贊論此段史實曰：「自武帝立五經博士，開弟子員，設科射策，勸以官祿，迄於元始，百有餘年，傳業者寖盛，支葉繁滋，一經說至百餘萬言，大師眾至千餘人，蓋祿利之路然也。」揚雄雖未能自顏淵之所以爲顏淵處把握，然其所標的，則已超脫利祿之外，且影響宋代理學家。《近思錄》卷二引明道先生之言「昔受學於周茂叔，每令尋顏子仲尼樂處，所樂何事。」當由《法言》所啓示。而象山先生語錄曰：「顏子問仁之後，夫子許多事業，皆分付顏子了。故曰：用之則行，舍之則藏，惟我與爾有是。顏子沒，夫子哭之曰：天喪予。蓋夫子事業，自是無傳矣。曾子雖能傳其脈，然參也魯，豈能望顏子之素蓄，幸曾子傳之子思，子思傳之孟子，夫子之道，至孟子而一光。然夫子所分付顏子事業，亦竟不復傳也。」言顏子直傳孔門聖賢之學，如揚雄之言「孔子鑄顏淵矣。」其次，就西漢思想之大勢言，荀子之影響實大於孟子，此與漢代直接戰國、秦帝國法家學說盛行之後有關，揚雄人性論亦不由孟子性善之說，然則乃拔孟子於諸子之上，以爲不異於孔子，〈吾子篇〉云：「古者楊墨塞路，孟子辭而闢之，廓如也。竊自比於孟子。」〈淵塞篇〉云：「或問勇，曰，軻也。曰，何軻也？曰，軻也者，孟軻也。若荊軻，君子盜諸。請問孟軻之勇，曰，勇於義而果於德。不以貧富貴賤死生動其心，於勇也其庶乎。」〈君子篇〉云：「或問孟子知言之要，知德之奧。曰，非苟知之，亦允蹈之。或曰，子小諸子，孟子非諸子乎？曰，諸子者，以其知異於孔子也。孟子異乎不異。」孟子之備受推崇，乃在宋代理學興起後，揚雄於西漢諸儒中，可謂特出者，故韓昌黎讀荀謂「因揚書而孟氏益尊。」此皆由其潛心彰明聖學之誠。雖然，揚雄之把握孔子，亦如上所言，其把握顏淵未能自顏淵之爲顏淵處用力一般。其由形上觀點以了解孔子，不能從庸言庸行中體會孔子之偉大，致空廓而乏生命之眞實。故其〈問神篇〉曰：「或問聖人之經，不可使易知與。曰，不可。天俄而可度，則其覆物也淺矣。地俄而可測，則其載物也薄矣。……」〈五百篇〉曰：「聖人有擬天地而參諸身乎？」又：「聖人之言遠如天，賢人之言近於地。」然則，夫子之言行，由來自人我同在之偉大人格，於人類生活生命之中，有活潑眞

〔註 20〕 參見徐復觀著《兩漢思想史》，揚雄論究，六、揚雄的《法言》，(2)《法言》思想的骨幹及對五經博士系統的嚴屬批評。

實之意義。因此，子貢雖云：「夫子之文章可得而聞也，夫子之言性與天道，不可得而聞。」〔註21〕特以文章爲見於外之威儀言辭，人人可得而聞，性與天道，則非聞見之所可及，唯潛泳積習之久，而有以自得之，亦孔子自謂「下學而上達」也。故張敬夫曰：「性與天道，豈外乎文章。」性、道即在文章中，下學即在上達中，非二事也。如此蘊於中，而輝光發於外之眞實生命，決非揚雄《法言》所謂「聖人之言遠如天」〔註22〕，或「不可使易知」〔註23〕般，此乃揚雄不能通透，亦西漢思想家每談天道，終不能落實而有所提攜人性者，必待宋儒乃能點出。此其一。

西漢自董仲舒倡言公羊學之後，陰陽之說，鄒衍之談，因而大盛，且正式屬入儒家學說中，方士之徒更以此蠱惑人心。降至哀、平，漢儒說經，往往亂以讖緯。揚雄承述儒家仁義禮智信之通義，唯「智」乃其眞正立足點，而以此批評當世迷信與讖緯之荒誕，於《法言》一書表露無遺。〈君子篇〉曰：「或問人言仙者，有諸乎？吁！吾聞伏羲神農沒，黃帝堯舜殂落而死，文王畢，孔子魯城之北，獨子愛其死乎？非人之所及也。仙亦無益子之彙也。……或曰，世無仙，則焉得斯語。曰，語乎者非囂囂也與？惟囂囂爲能以無爲有。……」〈先知篇〉云：「象龍之致雨也難矣哉。曰，龍乎，龍乎？」當時儒者喜引用孟子所謂「五百年必有王者興，其間必有名世者」〔註24〕，以爲論說及闡述事理之依據。司馬遷《史記》自序即曰：「先人有言，自周公卒，五百歲有孔子。孔子卒後，至於今五百歲有能紹明世，正易傳，繼春秋，本詩書禮樂之際，意在斯乎？意在斯乎？小子何敢讓焉。」揚雄欽服孟子，自比孟子，其於司馬遷，亦多褒辭，然對此無稽臆測之辭，亦予以反駁，〈五百篇曰〉：「或問五百歲而聖人出，有諸？曰，堯舜禹，君臣也，而竝。文武周公，父子也，而處。湯孔子，數百歲而生。因往以推來，雖千一，不可知也。」識見卓越，獨具摧陷廓清之功，不僅斥責王莽假造符瑞，以遂其篡奪之陰謀，且爲漢代經學撥開雲霧，開啓新徑。受此精神影響尤大者爲桓譚、張衡。此其二。

〔註21〕見《論語・公冶長篇》。
〔註22〕見揚雄《法言・五百篇》。
〔註23〕見揚雄《法言・問神篇》。
〔註24〕見《孟子・公孫丑下篇》。

第二節　王莽篡漢所託藉之理論基礎

王莽，字巨君。孝元皇后之弟子，元后父及兄弟皆於元成世封侯，居位輔政，家凡九侯五大司馬。莽父曼早死，不侯，孤貧，因折節爲恭儉，受禮經，師事沛郡陳參，勤身博學，被服如儒生。永始元年，封莽爲新都侯，爵位益尊，節操益謙，散輿馬衣裘，振施賓客，家無所餘。收贍名士，交結將相卿大夫甚眾，故在位更推薦之，游者爲之談說，聲譽隆洽，傾其諸父矣。綏和元年，繼四父而輔政，欲令名譽過前人，遂克己不倦，聘諸賢良以爲掾吏，賞賜邑錢悉以享士，愈爲儉約。哀帝即位，避帝外家，以侯就第，在國三歲，吏上書冤訟莽者以百數。元壽元年，日食，賢良周護、宋崇等對策，深頌莽功德，哀帝於是徵莽還京師。歲餘，哀帝崩，太后詔公卿舉可爲大司馬者，大司徒孔光，大司空彭宣舉莽，太后拜莽爲大司馬。平帝立，太后臨朝稱制，委政於莽，莽以王舜、王邑爲腹心，甄豐、甄邯主擊斷，平晏領機事，劉歆典文章，孫建爲爪牙，豐子尋，歆子棻，涿郡崔發，南陽陳崇，皆以材能幸於莽。莽色厲而言方，欲有所爲，微見風采，黨與承其指意而顯奏之。元始元年，封莽爲安漢公。莽欲專斷，知太后厭政，乃風公卿奏言，太后不宜親省小事，太后乃下詔，自今以來，惟封爵乃以聞，他事皆安漢公四輔平決。四年，加安漢公號爲宰衡，五年，加九錫。平帝崩，太后詔徵宣帝玄孫最幼者，詔莽居攝，明年，改元曰居攝，立宣帝玄孫嬰爲皇太子，號曰孺子。初始元年，梓潼人哀章獻金匱，莽即眞天子位，號曰新。地皇四年，莽見殺。〔註25〕

王莽之篡漢，雖緣元后之故，以外戚而得政權；而能實現其篡位之理想，則緣西漢末年儒生之思想所致。然則，西漢末季，儒生思潮果爲何？船山先生有極深刻之論，《讀通鑑論》卷五曰：「元壽二年六月，哀帝崩，明年正月，益州貢白雉，群臣陳莽功德，號安漢公，天下即移於莽。以全盛無缺之天下，未浹歲而遷，何其速也！上有闇主而未即亡，故桓、靈相踵而絕；下有權姦而未即亡，故曹操終於魏王；司馬懿殺曹爽，奪魏權，歷師、昭迄炎，而始篡天下者，待一人以安危，而一人又待天下以興廢者也。唯至於天下之風俗波流簧鼓而不可遏，國家之勢，乃如大隄之決，不終且潰以無餘。故莽之篡如是其速者，合天下奉之以篡，莽且不自意其能然，而早已然也。莽之初起，人即仰之矣；折於丁、傅，而訟之者滿公車矣；元后拔之廢置之中，而天下

翕然戴之矣。固不知莽之何以得此於天下，而天下糜爛而無餘，如疫癘之中人，無能免也。環四海以狂奔，氾濫滔天，而孰從挽之哉？夫失天下之人心者，成、哀之淫悖爲之，而蠹天下之風俗者不在此。宣、元之季，士大夫以鄙夫之心，挾儒術之飾其貪頑。故莽自以爲周公，則周公矣；自以爲舜，則舜矣；周公矣，舜矣，無惑乎其相驚如狂而戴之也。當僑之初起也，匡衡、貢禹不度德，不相時，舍本逐末，興明堂辟雍，倣周官飾學校於衰淫之世；孔光繼起爲僑之魁，而劉歆諸人鼓吹以播其淫響。而且經術之變，溢爲五行災祥之說，陽九百六之數，易姓受命之符，甘忠可雖死而言傳，天下翕然信天命而廢人事，乃至走傳王母之壽而禁不能止。故王莽可以白雉、黃龍、哀章銅匱惑天下，而愚民畏天以媚莽。則劉向實爲之俑，而京房、李尋益導之以浸灌人心，使疾化於妖也。子曰：無爲小人儒。儒而小人，則天下無君子，故龔勝、邴漢、梅福之貞，而無能以死衛社稷，非畏禍也，畏公議之以悖道違天加己也。小人而儒，則有所緣飾以無忌憚；故孔光諸姦，施施於明堂辟雍之上而不慚。莽之將授首於漢兵，且以孔子自擬，愚昧以爲萬世笑而不疑。傳曰：國有道，聽於人；國無道，聽於神。古之聖人，絕地天通以立經世之大法，而後儒稱天稱鬼以疑天下，雖警世主以矯之使正，而人氣迷於恍惚有無之中以自亂。即令上無闇主，下無姦邪，人免於飢寒死亡，而大亂必起。風俗淫，則禍眚生於不測，亦孰察其所自始哉？」船山所責於漢儒者，言雖稍苛，然直指西漢末年學術之象，實觸目驚心，意義深遠。條理其意，其所謂由學術而來之風俗，乃由二線索形成，其一爲天下爲公之思想，其二爲五行災祥之說。以天下爲公之學說，組入陰陽消息之流行中，將理想化爲由天道運行而來之無可抗拒之定命論，更以災異符瑞爲證驗。王莽此時以當代儒家之典型人物出現，乃成「合天下奉之以簒」之局。本章第一節，論劉向之文，已略及此學風，此節乃更詳析之。

　　孔子天下爲公之思想，經戰國而益趨明朗，在《呂氏春秋》中大加提倡，西漢儒者，殆無不秉承此義。轅固生申張湯武之革命，司馬遷以家天下爲下德，至董仲舒以公羊通三統學說與鄒衍五德終始論結合，其後儒者言天下爲公，必與天道流行，災祥之變連言。劉向之「和氣致祥，乖氣致異，祥多者其國安，異眾者其國危，天地之常經，古今之通義。」及「王者必通三統，明天命所授者博，非獨一姓也。」〔註26〕是，谷永災異對云：「垂三統，列三

〔註26〕 見《漢書‧楚元王傳》。

正，去無道，開有德，不私一姓，明天下乃天下之天下，非一人之天下也。」
〔註27〕亦是，其他如京房、翼奉、李尋等皆然，此船山所謂「經術之變，溢
為五行災祥之說」也。唯其先公羊家言三統受命，本以解釋漢家之起平民為
天子，其後，漢德漸衰，乃漸有禪讓說出現。昭帝元鳳三年，泰山大石自立，
上林僵柳復起，眭孟推《春秋》之義，以為當有匹夫為天子，即說曰：「先師
董仲舒有言，雖有繼體守文之君，不害聖人之受命。漢家堯後，有傳國之運，
漢帝宜誰差天下，求索賢人，禪以帝位，而退自封百里，如殷周二王後，以
承順天命。」使友人上此書，時昭帝幼，大將軍霍光秉政，惡之，下其書廷
尉，奏孟妄設妖言惑眾，大逆不道，伏誅。〔註28〕宣帝神爵二年，蓋寬饒上
封事，引韓氏易傳言：「五帝官天下，三王家天下，家以傳子，官以傳賢。若
四時之運，功成者去。不得其人，則不居其位。」亦以大逆不道，下吏，自
勁北闕下。〔註29〕眭孟、蓋寬饒雖以言禪讓被誅，然此學風，至西漢末，則
已瀰漫朝廷上下。《漢書·佞幸傳》載，哀帝以董賢為大司馬，冊曰：「朕承
天序，惟稽古建爾於公，以為漢輔。往悉爾心，統辟元戎，折衝綏遠，匡正
庶事，允執厥中。」蕭咸私謂王閎曰：「冊文言允執厥中，此乃堯禪舜之文，
非三公故事。」後上置酒麒麟殿從容視賢，笑曰：「吾欲法堯禪舜，何如？」
除禪讓說外，其時，並有言漢祚當終與漢再受命之說者，〈李尋傳〉載，成帝
時，齊人甘忠可詐造天官曆、包元太平經十二卷，以言漢家逢天地之大終，
當更受命於天，天帝使真人赤精子，下教其此道。忠可以教夏賀良、丁廣世、
郭昌等，中壘校尉劉向奏忠可假鬼神罔上惑眾，下獄治服，未斷病死。賀良
等坐挾學忠可書以不敬論，後賀良等復私以相教。哀帝初立，司隸校尉解光
亦以明經通災異得幸，白賀良等所挾忠可書。事下奉車都尉劉歆，歆以為不
合五經，不可施行。而李尋亦好之。光曰：「前歆父向奏忠可下獄，歆安肯通
此道。」時郭昌為長安令，勸尋宜助賀良等，尋遂白賀良等，皆待詔黃門，
數召見，陳說漢歷中衰，當再受命，成帝不應天命故絕嗣，今陛下久疾，變
異累數，天所以譴告人也。宜急改元立號，乃得延年益壽，皇子生，災異息
矣。哀帝信之，遂改元為太初，號曰「陳聖劉太平皇帝」。其後無效，賀良等
皆下獄。流風所至，率皆如此。漢運既當終，天下乃天下人之天下，莽有功

〔註27〕　見《漢書·谷永杜鄴傳》。
〔註28〕　見《漢書·眭兩夏侯京翼李傳》。
〔註29〕　見《漢書·蓋諸葛劉鄭孫毋將何傳》。

德，即宜受命，故士大夫皆爭頌莽功德也。而莽之功德爲何？行恭儉，興禮樂，講教化，以復古爲志也，此亦當時儒生之所崇尚。

興禮樂，講教化，爲自叔孫通制朝儀，賈誼言移風易俗，董仲舒復古更化，下至王吉、貢禹之言禮，乃西漢儒者論政之另一重點。唯元成以降，儒者言禮制，一以民生爲意，倡恭儉自守，言必稱古聖王之制。一以教化爲重，議興辟雍，設庠序，陳禮樂，隆雅頌之聲，盛揖讓之容，所議亦必援引古禮以自重。二者所重微有不同，而皆以復古爲事。〔註30〕《漢書・韋賢傳》記諸儒議毀宗廟，紛紛不定之事，雖其中或亦關係當時學者對漢武一世褒貶之評所見不一，然不礙其顯見慕古風尚之一般。王莽所行多恭儉，切民事，《漢書》本傳言其爲大司馬時，克己不倦，聘諸賢良以爲掾吏，賞賜邑錢，悉以享士，愈爲儉約。莽妻衣不曳地，布蔽膝。而當其奏立明堂辟雍，爲學者築舍萬區，作市常滿蒼，立樂經，益博士員，制度之盛，則兼襲武宣遺風。不論其恭儉，抑或盛容，莫非其時學風群議之所嚮。且其執政，初則擬霍光，繼則擬伊尹，居攝則擬周公，受禪則以爲舜後以承堯之後，無一不以古爲飾。難怪爲一時所推戴。以莽如此形容，而當儒者倡言天下爲公，賢人政治之時，再一變災異而託言符命，歷史遂因以易代。

新莽之措施，固已非本文討論之範圍，而亦不必以一姓之興衰，斷莽之是非。唯有一義，其不能不明；前章論董仲舒之文，嘗言中華民族自堯舜以來所傳之文化道統，包含禮樂典章制度，與夫通天人合一之形上義理，具載於五經。此道統之形上義理，經孔孟之消化，並予以活潑之意義，以喚醒人性之自覺，而爲生活之最高典範。後繼之儒者，本當承之而有所轉進與充實，然則，董仲舒竟跨過孔孟，直接五經，集中於形上義理而發揮之，遂令其所言之天道無法落實。董氏以下之儒生，率皆如此，殆不能循孔孟之路，由形上之天道，歸復於人類個性之尊嚴，及人人皆求自立之內在精神，在限制君權之立法上用心，竟轉藉五德終始論，禪讓論，欲託天道限制君權，並期五百年一現之賢人政治。如此言天下爲公，終必蹈空。而王莽乘思想風氣而起，知利用禪讓以得位，亦不能就此問題反省，反抱守其復古之作風，陰邪固蔽。西漢之亡，不由人禍，新朝之覆，卻起於民間動亂，可見其逞私乖謬。王莽不爲儒生，固不必以此時代使命責讓之，王莽果爲儒生，實應順風氣而善導之，其流於鄙陋，則爲時代罪人。

〔註30〕 參見錢穆著《兩漢經學今古文平議》，〈劉向歆父子年譜〉。

第五章　西漢經學述要

第一節　秦始皇焚書與漢初經學之復原

　　秦始皇二十六年，初併天下，春秋戰國四百有餘年之混亂時局，至此歸於一統。然則戰國諸子遺風猶存，學術思想界無大一統之政治思想。思想紛歧，誠足以亂政，加以秦法家政治，所以護衛君權，原無寬容精神，李斯相秦，不能使龐雜之思想，納於正統，乃焚書禁學，非秦紀皆雜燒之，以絕人故國之思；敢有藏詩書、百家語者棄市，以束縛思想，遂令中國圖書慘遭前所未有之浩劫。《史記‧秦始皇本紀》載李斯所上之奏議，云：「異時諸侯竝爭，厚招游學。今天下已定，法令出一。百姓當家則力農工，士則習法令辟禁。今諸生不師今而學古，以非當世，惑亂黔首。丞相臣斯昧死言：古者天下散亂，莫之能一，是以諸侯竝作，語皆道古以害今，飾虛言以亂實，人善其所私學，以非上之所建立。今皇帝并有天下，別黑白而定一尊。私學而相與非法教，人聞令下，則各以其學議之，入則心非，出則巷議，夸主以爲名，異取以爲高，率群下以造謗。如此弗禁，則主勢降乎上，黨與成乎下，禁之便。臣請史官非秦紀皆燒之，非博士官所職，天下敢有藏詩、書、百家語者，悉詣守尉雜燒之，有敢偶語詩書者棄市，以古非今者族，吏見不知舉者與同罪，令下三十日不燒黥爲城旦。所不去者，醫藥、卜筮、種樹之書，若欲有學法令，以吏爲師。」

　　李斯所上焚書奏，詩、書爲被焚之主要對象，《史記‧儒林傳》曰：「及

至秦之季世，焚詩書，坑術士，六藝從此缺焉。」故後世談經學，咸認與秦焚書有關。唯其時所燔者，為民間之藏書，而秦宮室，博士官所職之書，不在此列。然此奏上於始皇三十四年，三十七年始皇即病逝沙邱，天下復亂，項羽入咸陽，《史記・項羽本紀》云：「燒秦宮室，火三月不滅」，當時書籍皆為竹簡木片寫成，大火三月，宮中圖書必難逃厄運。其後五年，楚漢相爭，兵荒馬亂，人民流離失所，民間縱有私藏圖書，幸而未焚者，亦難以保存，造成書籍之大量亡佚。先秦經籍歷此一再之劫難，致使漢代經學之重建，不得不先有一番尋佚訪求。

溯自戰國以還，封建制度破壞，諸侯互相攻伐吞併，各國之君，皆欲富利其國，諸子百家，競鳴其學，九流雜出，儒學寢假衰微，及秦皇焚書坑儒，賢聖大道，幾泯滅而不傳。漢高起自草莽，雄姿英發，代秦而有天下，甚厭其時之腐儒，後雖因陸賈而稍事詩書，因叔孫通而有禮儀，然漢初民生凋敝，財用匱乏，不暇及此，而朝中大臣亦皆打天下之人，固無學術氣息。至惠帝四年，始廢挾書禁律，進而取勵民間獻書。《漢書・藝文志》曰：「漢興，改秦之敗，大收篇籍，廣開獻書之路。」漢廷主動負起搜集經籍之責，蓋自此時起。朝廷除鼓勵民間獻書外，亦派人至各地訪求亡失之經籍，如文帝令晁錯至齊從伏生受尚書。而諸侯王亦有好書者，《漢書・景十三王傳》云：「河間獻王德……修學好古，實事求是。從民得善書，必為好寫與之，留其眞，加金帛賜以招之。繇是四方道術之人，不遠千里，或有先祖舊書，多奉以奏獻王者，故得書多，與漢朝等。」經朝野之合作，於是天下舊書復出，為漢代學術重建及經學發達之先聲。

第二節　經學博士之設立

博士遠始戰國，公儀休為魯博士，賈山祖父袪為魏王時博士弟子，要之，戰國魯魏皆有博士，而齊之稷下先生亦博士之類。至秦代，博士成為定制，秦有博士七十人，掌通古今，備問對，為太常屬官，而太常掌宗廟禮儀，故秦時博士無政治實務，僅代表古代貴族政治下之隨從知識份子。因此，性質極雜，伏生治《尚書》，固可為博士，占夢、卜筮亦皆得為之，則秦博士不專掌六藝，亦非不掌六藝也。

漢初博士承秦制，劉歆〈移讓太常博士〉云：「漢興，……至孝文皇帝，……

天下眾書往往頗出，皆諸子傳說，猶廣立於學官，爲置博士。」〔註1〕趙岐《孟子・題辭》云：「漢興，除秦虐禁，開延道德，孝文皇帝欲廣遊學之路，論語、孝經、孟子、爾雅，皆置博士。」同劉歆說。申公、韓嬰、轅固生、胡母生、董仲舒於文景時，以經生而爲博士，然則，魯人公孫臣以言五德終始而召拜博士，賈誼以頗通諸子百家之書召爲博士，文景時期，博士不限於五經，殆可知矣。

　　武帝之後，博士性質與前迥異，其可言者殆有二焉：一、建元五年，採董仲舒對策「今師異道，人異論，百家殊方，指意不同，是以上無以持一統；法制數變，下不知所守。臣愚以爲諸不在六藝之科，孔子之術者，皆絕其道，勿使並進。」之論，唯五經設博士，〔註2〕其他不以五經爲博士者，皆見罷黜，孟子博士同時被罷，故謂漢武尊儒，不如謂其尊六經，否則，孟子爲儒家，何以亦見罷黜？而仲舒尊孔子，亦爲其傳六藝，不爲其爲儒家宗。其後，劉向父子編纂《七略》，六藝與儒家分流，儒爲諸子之一，不得上僑於六藝。六藝與儒家在當時，判然有秩，特六藝多傳於儒生，而後人有所不辨耳。〔註3〕二、元朔五年，採公孫弘之議，爲博士置弟子員。其先，博士自有弟子，如叔孫通拜博士，與其弟子百餘人，爲縣蔓野外習之是也。然此乃弟子自從其師，與朝制無關。公孫弘之議，爲博士官置弟子五十人，復其身。由太常擇補，郡國有好文學者，亦得舉詣太常，受業如弟子。能通一藝以上，補文學掌故缺，高弟可以爲郎中。蓋自是而博士弟子始獲國家之優復，又列爲仕途正式之出身，於是，天下學士靡然從風。故史稱自是而學者益眾。〔註4〕

　　武帝置五經博士後，宣帝復立大、小夏侯尚書，大、小戴禮，施、孟、梁丘易，穀梁春秋於學官。元帝時再置京氏易博士。平常時又立左氏春秋、毛詩、逸禮、古文尚書。因博士專經，後世乃名前不以五經爲博士者，曰「諸子傳記博士」。

〔註1〕　見《漢書・楚元王傳》。
〔註2〕　董仲舒對策，據通鑑所載在建元元年，參見第三章註4，至建元五年，始置五　　　　　經博士。
〔註3〕　《漢書・藝文志》據《七略》，亦以儒家爲諸子之一，可見六藝與儒家不相混　　　　　也。參見錢穆著《兩漢經學今古文平議》，〈兩漢博士家法考〉，八、武帝時代　　　　　經學轉盛之原因。
〔註4〕　參見《漢書・儒林傳》。

第三節　石渠閣之議

　　自武帝罷黜百家，獨尊六藝後，儒術日盛，朝廷博士遂多增設。《漢書·儒林傳》云：「昭帝時舉賢良文學，增博士弟子員滿百人。宣帝末增倍之。元帝好儒，能通一經者皆復。數年，以用度不足，更爲設員千人，郡國置五經百石卒史。成帝末，或言孔子布衣養徒三千人，今天子太學弟子少，於是增弟子員三千人。歲餘，復如故。平帝時王莽秉政，增元士之子得受業如弟子，勿以爲員，歲課甲科四十人爲郎中，乙科二十人爲太子舍人，丙科四十人補文學當故云。」因朝廷之設科射策，勸以官祿，傳業者寖盛，支葉蕃滋，經說之內容益繁密，而經義之異說亦益分歧。由經義異說分歧，朝廷乃不得不謀整齊以歸一是，遂有宣帝會諸儒於石渠閣論五經異同之舉。其不能歸於一是者，乃於一經分數家，各立博士。其意欲永爲定制，俾後之說經者限於此數家，勿再生歧也。故曰：「詔諸儒講五經同異，太子太傅蕭望之等平奏其議，上親稱制臨決焉。乃立梁丘易，大、小夏侯尚書，穀梁春秋博士。」〔註5〕使大臣奏其異同，而漢帝稱制臨決，此即整齊歸於一是，永不欲再有異說之意也。會後立梁丘易，大、小夏侯尚書，穀梁春秋，凡此諸說，雖與當時朝廷博士說經不同，而亦自可存，故許其與博士說並存，亦立爲博士。當穀梁未興前，漢人言《春秋》即指公羊，因公羊外《春秋》無別家。例此，未有大小夏侯，歐陽尚書只稱《尚書》，無須別號歐陽。施易只稱《易》，不必別目施。然則漢博士經說分家，起於石渠奏議之後，其事至顯矣。

　　然諸經說雖有歧異，爲差不甚懸也。唯公羊、穀梁兩家說《春秋》，則差別較大。石渠之議，本自平公穀是非而起。《漢書·儒林傳》載其事甚詳，曰：「瑕丘江公受《穀梁春秋》及《詩》於魯申公，傳子至孫爲博士。武帝時，江公與董仲舒並。仲舒通五經，能持論，善屬文。江公呐於口，上使與仲舒議，不如仲舒。而丞相公孫弘本爲公羊學，比輯其議，卒用董生。於是上因尊公羊家，詔太子受《公羊春秋》，由是公羊大興。太子既通，復私問穀梁而善之。其後浸微，唯魯榮廣王孫、皓星公受焉。廣盡能傳其詩、春秋，高材捷敏，與公羊大師眭孟等論，數困之，故好學者頗復受穀梁。沛蔡千秋少君、梁周慶幼君、丁姓子孫皆從廣受。千秋又事皓星公，爲學最篤。宣帝即位，聞衛太子好《穀梁春秋》，以問丞相韋賢、長信少府夏侯勝及侍中樂陵侯史高，

〔註 5〕 見《漢書·宣帝紀》。

皆魯人也，言穀梁子本魯學，公羊氏乃齊學也，宜興穀梁。時千秋爲郎，召見，與公羊家並說，上善穀梁說，擢千秋爲諫大夫給事中，後有過，左遷平陵令。復求能爲穀梁者，莫及千秋。上愍其學且絕，乃以千秋爲郎中戶將，選郎十人從受。汝南尹更始翁君本自事千秋，能說矣，會千秋病死，徵江公孫爲博士。劉向以故諫大夫通達待詔，受穀梁，欲令助之。江博士復死，乃徵周慶、丁姓待詔保宮，使卒授十人。自元康中始講，至甘露元年，積十餘歲，皆明習。乃召五經名儒太子太傅蕭望之等大議殿中，平公羊、穀梁同異，各以經處是非。時公羊博士嚴彭祖、待郎申輓、伊推、宋顯，穀梁議郎尹更始、待詔劉向、周慶、丁姓並論。公羊家多不見從，願請內侍郎許廣，使者亦並內穀梁家中郎王亥，各五人，議三十餘事。望之等十一人各以經誼對，多從穀梁。由是穀梁之學大盛。慶、姓皆爲博士。」據此觀之，石渠議奏之動機，全在平處公穀之同異，而當時廷臣論公穀異同，又頗涉齊學、魯學。蓋齊、魯學風不同，在齊學恢奇駁雜，魯學純謹保守；前者承戰國燕齊餘風，說經多屬陰陽五行，後者因魯地治學之傳統，篤守師說，不能馳騁見奇。漢代經學中，《魯詩》、穀梁《春秋》、高堂生《禮》是魯學，伏生《尚書》、《齊詩》、《韓詩》、《公羊春秋》及施、孟、梁丘《易》皆爲齊學。齊學與魯學之爭，於漢代經學，表現最明顯者爲公羊、穀梁之爭立博士。

第四節　劉歆爭立古文經

　　宣帝石渠閣之議，增立諸經博士，亦導致家法與章句之興，唯其皆屬今文學。至哀帝元年，復有劉歆請建《左氏春秋》、《毛詩》、《逸禮》、《古文尚書》一案，是後人所謂爭立古文經者。

　　今古文之別，據皮錫瑞《經學歷史》之言：「兩漢經學有今古文之分。今古文所以分，其先由於文字之異，今文者，今所謂隸書，⋯⋯古文者，今所謂籀書，⋯⋯隸書漢世通行，故當時謂之今文，⋯⋯人人盡識者也，籀書漢世已不通行，故當時謂之古文，⋯⋯不能人人盡識者也。⋯⋯漢立博士十四，皆今文家。而當古文未興之前，未嘗別立今文之名。⋯⋯至劉歆增置《古文尚書》、《毛詩》、《周官》、《左氏春秋》，既立學官，必創說解。後漢衛宏、賈逵、馬融又遞爲增補，以行於世，遂與今文分道揚鑣。⋯⋯非唯文字不同，而說解亦異矣。」則劉歆於今古文之別，誠屬關鍵人物。

　　劉歆為劉向少子，河平中，受詔與其父同領校祕書，講六藝傳記、諸子、詩賦、數術、方技，無所不究。向死後，歆復為中壘校尉。哀帝初即位，王莽舉歆為侍中太中大夫，遷騎都尉，復領五經，卒父前業，乃集六藝群書，種別為《七略》，是為我國經籍目錄學之祖。向、歆始皆治《易》，宣帝時，詔向受《穀梁春秋》，及歆校祕書，見古文《春秋左氏傳》，大子之，時丞相史尹咸以能治《左氏》，與歆共校經傳，歆略從咸及丞相翟方進受，質問大義。初《左氏傳》多古文古言，學者傳訓詁而已，及歆治《左氏》，引傳文以解經，轉相發明，由是章句義理備焉。歆欲建《左氏春秋》、及《毛詩》、《逸禮》、《古文尚書》，皆列於學官。哀帝令歆與五經博士講論其義，諸博士或不肯置對，歆因移書責讓太常博士，其言曰：「往者綴學之士不思廢絕之國，苟因陋就寡，分文析字，煩言碎辭，學者罷老且不能究其一藝。信口說而背傳記，是末師而非往古，至於國家將有大事，若立辟雍封禪巡狩之儀，則幽冥而莫知其原。猶欲保殘守缺挾恐見破之私意，而無從善服義之公心，或懷妬嫉，不考情實，雷同相從，隨聲是非，抑此三學，以《尚書》為備，謂左氏為不傳《春秋》，豈不哀哉。」又曰：「往者博士《書》有歐陽，《春秋公羊》，《易》則施、孟，然孝宣皇帝猶復廣立《穀梁春秋》，梁丘《易》，大小夏侯《尚書》；義雖相反，猶並置之。何則？與其過而廢之也，寧過而立之。傳曰：文武之道未墜於地，在人；賢者志其大者，不賢者志其小者。今此數家之言所以兼包大小之義，豈可偏絕哉。若必專己守殘，黨同門，妬道真，違明詔，失聖意，以陷於文吏之議，甚為二三君子不取也。」劉歆一面痛責當時博士保殘守缺，挾恐見破之私意，而無從善服義之公心，一面欲比宣帝之法，置博士立學官。言甚激切，諸儒皆怨恨。儒者大司空師丹亦大怒，奏歆故亂舊章，非毀先帝所立。上曰：「歆欲廣道術，亦何以為非毀哉？」歆由是忤執政大臣，為眾儒所訕，求出補吏，為河內太守。〔註6〕

　　平帝時，《古文尚書》、《毛詩》、《逸禮》、《左氏春秋》皆置博士，又《周官》於王莽時亦置博士。至光武中興，則此諸經復廢，其時立官者凡十四博士，《易》有施、孟、梁丘、京氏，《尚書》歐陽、大、小夏侯，《詩》齊、魯、韓，《禮》大、小戴，《春秋》嚴、顏，仍以今文經為主。其他如慶氏《禮》，《左氏》、《穀梁春秋》，皆立而旋罷，而《左氏》與《公羊》之爭獨盛。唯東漢大儒多精古文諸經，此不詳述。

〔註6〕　見《漢書·楚元王傳》。

附一：西漢列爲經學博士者，略述如下〔註7〕：

（一）易

田王孫爲漢初傳易者，武帝時被立爲易學博士，有弟子施讎、孟喜、梁丘賀，皆宣帝時人，施讎於宣帝時亦爲博士。

1. 易施氏博士：施讎、張禹、彭宣。
2. 易孟氏博士：白光、翟牧、朱雲。
3. 易梁丘氏博士：士孫張。
4. 易京氏博士：段嘉、姚平、乘弘。

（二）書

《史記‧儒林傳》云：「伏生教濟南張生及歐陽生，張生爲博士。」文帝時晁錯、景帝時孔延年、武帝時孔安國皆爲書博士。《漢志》云：「訖於孝宣也，有歐陽、大小夏侯氏，立於學官。」

1. 書歐陽氏博士：歐陽高、歐陽地餘、林尊、平當、殷崇、朱普。
2. 書大夏侯博士：夏侯勝、孔霸、牟卿、許商、孔光、吳章、炔欽。
3. 書小夏侯博士：夏侯建、張山拊、鄭寬中、馮賓。

（三）詩

文帝時申公（魯詩）、韓嬰（韓詩）被立爲博士，景帝時轅固生（齊詩）亦立於學官，故詩有齊、魯、韓三家。

1. 魯詩博士：申培公、周霸、夏寬、魯賜、繆生、徐偃、闕門慶忌、瑕丘江公、韋賢、江公、王式、張長安、唐長賓、褚少孫、薛廣德、江生、龔舍、許晏。
2. 齊詩博士：轅固生、后倉、白奇、冀奉、匡衡、師丹。
3. 韓詩博士：韓嬰、韓商、蔡誼、食子公、王吉、長孫順。

（四）禮

《漢書‧藝文志》云：「漢興，高堂生博士禮十七篇。訖孝宣世，后倉最明。戴德、戴聖、慶普皆其弟子，三家立於學官。」今據《漢書‧儒林傳》，后倉、戴聖、徐良三人被立爲博士。

〔註7〕　參見王國維著《漢魏博士題名考》，及李威熊著《兩漢經術獨尊與經學諸問題的探討》。

（五）春秋

傳春秋有左氏、公羊、穀梁、鄒、夾五家，公羊、穀梁二家立於學官。

1. 公羊博士：胡母生、董仲舒、公孫弘、褚大、疏廣、貢禹、嚴彭祖、左咸。

2. 穀梁博士：江公（瑕丘江公之孫）、周慶、丁姓、申章昌、胡常、翟方進。

（六）其他：五經外之博士：

叔孫通、孔襄、賈誼、公孫臣、平、將臣、中、狄山、雋舍、德、虞舍、射、駟勝、義倩、申咸、夏侯常、薛順、蘇竟、賢、張佚、殷亮。

附二：西漢經學博士官設立情形，列表如下 [註8]：

經類	家　別	文別	師法	立博士時間	東漢立否	資　料　依　據
易	田氏易	今文	田王孫	武帝	否	《漢書・儒林傳》
	梁丘易	今文	梁丘賀	宣帝	立	《漢書・宣帝紀》
	施氏易	今文	施讎	宣帝	立	《漢書・儒林傳》
	孟氏易	今文	孟喜	宣帝	立	《漢書・儒林傳》
	京氏易	今文	京房	元帝	立	《漢書・儒林傳》
	高氏易	今文	高相	未立	否	《漢書・藝文志》、〈儒林傳〉
	費氏易	古文	費直	未立	否	《漢書・藝文志》、〈儒林傳〉
書	伏生尚書	今文	伏生	未立	否	《漢書・儒林傳》
	歐陽尚書	今文	歐陽高	武帝	立	《漢書・儒林傳》
	大夏侯尚書	今文	夏侯勝	宣帝	立	《漢書・宣帝紀》
	小夏侯尚書	今文	夏侯建	宣帝	立	《漢書・宣帝紀》
	孔氏古文尚書	古文	孔安國	平帝	否	《漢書・儒林傳》
詩	魯詩	今文	申培	文帝	立	《漢書・楚元王傳》
	齊詩	今文	轅固	景帝	立	《漢書・儒林傳》
	韓詩	今文	韓嬰	文帝	立	《漢書・儒林傳》
	毛詩	古文	毛萇	平帝	否	《漢書・儒林傳》
禮	高堂生禮	今文	高堂生	武帝	否	《漢書・儒林傳》
	慶氏禮	今文	慶普	宣帝	否	《漢書・藝文志》
	大戴禮	今文	戴德	宣帝	立	《漢書・藝文志》
	小戴禮	今文	戴聖	宣帝	立	《漢書・藝文志》
	周官	古文		新莽	否	《漢書・藝文志》（班固自註）

〔註 8〕 參見傅樂成著《秦漢史》，經學史學與諸子之學，及李威熊著《兩漢經術獨尊與經學諸問題的探討》。

春秋	公羊春秋	今文	胡母生	景帝	否	《漢書‧儒林傳》
	公羊嚴氏	今文	嚴彭祖	景帝	立	《漢書‧儒林傳》、《後漢書‧章帝紀》
	公羊顏氏	今文	顏安樂	宣帝	立	《漢書‧疏廣傳》、《後漢書‧章帝紀》
	穀梁春秋	今文		宣帝	否	《漢書‧宣帝紀》、〈儒林傳〉
	左氏春秋	古文		不帝	否	《漢書‧儒林傳》贊
論語 孝經 孟子 爾雅				文帝 文帝 文帝 文帝		趙岐孟子題辭云:「孝文皇帝欲廣遊學之路，論語、孝經、孟子、爾雅，皆置博士，後罷傳記博士，獨立五經而已。」

第六章　結　論

　　綜觀西漢之儒生，始則陸賈論詩書之治，叔孫通創禮樂之說；重詩書之教，行仁義之政，定一朝之儀，起禮教之機，爲西漢儒學之先趨。繼則賈誼通達治體，創立制度，英氣蓬勃之慨，爲人所難能，可謂爲西漢儒學之發展，至董仲舒罷黜百家，獨尊儒術，立學校官，州郡舉茂材孝廉，公孫弘以儒相，推仲舒之議，行之於實務，可謂爲西漢儒學之統一。桓寬《鹽鐵論》，關心民生疾苦，因御史大夫及賢良文學之所闡發，見新舊儒家思想之不一，則西漢儒學之分歧也。劉向正紀綱，迪教化，推明古訓，校合纂定散亂古籍，以別錄及其子劉歆之七略，爲後世書籍解題之祖，其爲西漢儒學之匯聚。揚雄雖多事模仿，而能自樹體系，處陰陽迷信盛行之際，勇爲是正，自創哲理，開啓後代經學新徑，可謂爲西漢儒學之殿將。〔註1〕

　　然則西漢儒家思想，頗受陰陽、道、法之影響，其間因個人重「法」崇「道」之偏向互異，及當道政策之關係，道法二家思想，此伏彼起，互有消長，而學風不醇，思想駁雜則一，幾全蒙被陰陽家思想。尤其自董仲舒援陰陽災異以說經，至劉向發展至極點。不僅儒者以之論政，君王詔書中亦往往引用之。陰陽家之祖爲鄒衍，《史記》以鄒子與孟荀同傳，殆亦與儒家合流也。劉申叔著國學發微曰：「孔子學術，古稱儒家，然九流術數諸學，孔子亦兼通之。觀漢書藝文志之敘名家也，引孔子必也正名之語。敘縱橫家也，引孔子誦詩三百，使於四方，不能專對之言。敘農家也，引孔子所重民食之詞。敘小說家也，引孔子雖小道必有可觀之文。敘兵家也，引孔子足食足兵之說。

〔註1〕　參見黃錦鋐著《秦漢思想研究》。

以證諸家之學，不悖於孔門，然即班志所引觀之，可知孔子不廢九流矣。且孔子問禮於老聃，則孔子兼明道家之學。作易以明陰陽，則孔子不廢陰陽家之學。言殊塗同歸，則孔子兼明雜家之學，言審法度則孔子兼明法家之學。韓昌黎言孔墨兼用，則孔子兼明墨家之學。故孔學末流，亦多與九流相合。孔門學術大而能博，豈儒術一家所能盡哉！昔南郭惠子告子貢曰：『夫子之門何其雜也』？嗚呼！此其所以為孔子歟！」西漢儒學承孔學之後，抑亦孔學之流變也。

　　至西漢經學，雖有師法家法之別，今古文之爭，要皆為政爭之工具，非關學術大故。蓋西漢經術與吏事結合，引經以治政，有以致之也。

　　論者每云，西漢儒學不醇，殆非先秦孔學之精神面貌也。然則，處亂世之後，起聖學於沉痼，及至崇儒學，黜百家，孔學定於一尊，二千餘年而不少衰歇，其間搢紳先生，里巷細民，博學深思之士，講述詩禮之徒，或傳其大，或傳其小，公卿大夫士吏，彬彬多文學之士，影響於政治、社會，不可謂不大。觀西漢一朝之政治，理民之勤，惠民之多，與重視三老、五更，獎勵孝悌、力田，有節行之士，中央設太學，地方興學校，導民化俗，其效或顯於當世，或綿延於華族二千年社會，凡此無非儒家思之具體實現，而漢儒之功厥偉。

參考書目

一、古籍

1. 《十三經注疏》，台北：藝文印書館，1979 年。
2. 《四書集注》，朱熹集注，台北：世界書局，1979 年。
3. 《老子》，王弼注，台北：中華書局，1967 年。
4. 《莊子集釋》，郭慶藩輯，台北：華正書局，1979 年。
5. 《荀子集解》，王先謙集解，台北：藝文印書館，1977 年。
6. 《韓非子集釋》，陳奇猷校注，台北：華正書局，1982 年。
7. 《呂氏春秋校釋》，陳奇猷校釋，台北：華正書局，1985 年。
8. 《史記》，司馬遷，台北：宏業書局，1974 年。
9. 《史記會注考證》，司馬遷，瀧川龜太郎注，台北：洪氏出版社，1982年。
10. 《漢書》，班固，台北：宏業書局，1984 年。
11. 《新語校注》，陸賈，王利器校注，台北：明文書局，1987 年。
12. 《新書校注》，賈誼，閻振益、鐘夏校注，北京：中華書局，2000 年。
13. 《春秋繁露義證》，董仲舒，蘇輿注，台北：河洛圖書出版社，1974 年。
14. 《新譯鹽鐵論》，桓寬，盧烈紅注譯，台北：三民書局，2006 年。
15. 《法言》（與《太玄》合刊），揚雄，李軌注（法言），司馬光注（太玄），台北：中華書局，1966 年。
16. 《西漢會要》，徐天麟，台北：九思出版公司，1978 年。
17. 《資治通鑑》，司馬光，台北：明倫出版社，1975 年。
18. 《讀通鑑論》，王夫之，台北：漢京文化公司，1984 年。

19. 《二十二史箚記》，趙翼，台北：世界書局，2001 年。

20. 《玉函山房輯佚書》，馬國翰輯，台北：文海出版社，1974 年。

21. 《經學歷史》，皮錫瑞，台北：台灣商務印書館，1968 年。

22. 《經學通論》，皮錫瑞，北京：中華書局，1954 年。

23. 《文獻通考》，馬端臨，北京：中華書局 ，1986 年。

24. 《今古學考》，廖平，台北：長安出版社，1974 年。

二、近人專著（依作者姓名筆劃排序）

1. 王恢，《漢王國與侯國之演變》，國立編譯館中華叢書編審委員會，1984 年。

2. 王興國，《陸賈晁錯評傳》，南京大學出版社，1992 年。

3. 王興國，《賈誼評傳》，南京大學出版社，1992 年。

4. 司修武，《黃老學說與漢初政治平議》，台北：台灣學生書局，1992 年。

5. 牟宗三，《政道與治道》，台北：廣文書局 1974 年。

6. 牟宗三，《歷史哲學》，台北：學生書局，1976 年。

7. 余英時，《歷史與思想》，台北：聯經出版事業公司，1976 年。

8. 呂思勉，《秦漢史》，台北：開明書局，1969 年。

9. 李威熊，《董仲舒與西漢學術》，台北：文史哲出版社，1978 年。

10. 李源澄，《秦漢史》，台北：台灣商務印書館，1977 年。

11. 李漢三，《先秦兩漢之陰陽五行學說》，台北：維新書局，1968 年。

12. 李劍農，《先秦兩漢經濟史稿》，台北：華世書局，1981 年。

13. 邢義田，《秦漢史論稿》，台北：東大圖書公司，1987 年。

14. 林聰舜，《西漢前期思想與法家的關係》，台北：大安出版社，1991 年。

15. 周紹賢，《漢代哲學》，台北：中華書局，1983 年。

16. 徐復觀，《兩漢思想史》，台北：學生書局，1976 年。

17. 徐復觀，《學術與政治之間》，台北：學生書局，1985 年。

18. 夏長樸，《兩漢儒學研究》，國立臺灣大學文史叢刊，1978 年。

19. 陳麗桂，《戰國時期的黃老思想》，台北：聯經出版社，1991 年。

20. 陳麗桂，《秦漢時期的黃老思想》，台北：文津出版社，1997 年。

21. 黃錦鋐，《秦漢思想研究》，台北：學海書局，1979 年。

22. 馮友蘭，《中國哲學史新編》（三），北京：人民出版社，1985 年。

23. 勞榦，《漢代政治論文集》，台北：藝文印書館，1976。

24. 蔡延吉，《賈誼研究》，台北：文史哲出版社，1984 年。

25. 錢穆，《秦漢史》，台北：東大圖書公司，1987 年。

26. 錢穆，《兩漢經學今古文評議》，台北：東大圖書公司，1989 年。

27. 錢穆，《國史大綱》，台北：東大圖書公司，1990 年。

28. 蕭公權，《中國政治思想史》，台北：聯經出版社，1998 年。

29. 顧頡剛，《秦漢的方士與儒生》，台北：里仁書局，1985 年。

三、近人單篇論著（依作者姓名筆劃排序）

1. 王家儉，〈鼂錯籌邊策形成的時代背景和歷史意義〉，《簡牘學報》第 5 期，1977 年 1 月。

2. 王文發，〈兩漢的社會階層及其交互關係〉，《歷史學報》第 7 期，1979 年 5 月。

3. 王曉波，〈漢代陽儒陰法的形成和確立〉，《大陸雜誌》第 64 卷第 3 期，1982 年 3 月。

4. 林炳文，〈淺談陸賈文武並用的治國之道〉，《蘇州大學學報》2 期，1986 年。

5. 林聰舜，〈賈誼思想中的儒法結合特色〉，《清華學報》新 20 卷第 2 期，1990 年 12 月。

6. 林聰舜，〈禮世界的建立—賈誼對禮法秩序的追求〉，《清華學報》新 23 卷第 2 期，1993 年 6 月。

7. 金發根，〈漢文帝的政治智慧〉，《簡牘學報》第 16 期，1997 年 1 月。

8. 徐麗霞，〈漢初經濟概況〉，《實踐學報》第 21 期，1990 年 6 月。

9. 梁榮茂，〈漢初儒生陸賈的生平與著述〉，《孔孟月刊》6 卷 6 期，1968 年 5 月。

10. 陳麗桂，〈從新書看賈誼融合儒、道、法的思想要論〉，《國文學報》第 25 期，1996 年 6 月。

11. 黃錦鋐，〈賈誼和鼂錯的政治思想〉，《東海學報》第 18 卷，1977 年 6 月。

12. 黃俊傑，〈儒學傳統中道德政治觀念的形成與發展〉，《臺灣大學中山學術論叢》第 3 期 1982 年 12 月。

13. 張建群，〈賈誼思想與西漢文帝政治改革關係研究〉，《孔孟月刊》第 36 卷第 9 期，1998 年 5 月。

14. 傅樂成，〈西漢文景時代政情之分析〉，《臺灣大學歷史系學報》第 5 期，1978 年 6 月。

15. 魏元珪，〈陸賈與賈誼對初漢政治思想與文化之貢獻〉，《中國文化月刊》第 73 期，1985 年 11 月。

魏晉士人的身名觀

陳玉芳 著

作者簡介

陳玉芳，1980 年生，台南新營人，畢業於成功大學中研所，目前於國中任教。

提　要

　　身、名二者，在儒道二家的說法中，有許多分歧，在「名」方面儒家採正名觀，而道家採無名觀，在「身」方面，儒家有捨身取義，而道家貴身，我們可以藉由魏晉時期重身與求名，來看士人融和儒道的努力。

　　然而魏晉時期是分裂統一頻繁的時代，士人在身名間的取捨，充滿了個人道德與個人生存的掙扎。而死亡的逼迫更促使士人思考如何達到「不死」，而長生求仙的失敗，使士人轉向追求精神不朽。於是士人接受了人皆有死的現實，朝向追求立德、立功、立言的三不朽，並以具體有形的事物，如碑銘、文學作品、藝術創作，確保聲名的流傳，這是其「名泰」的追求。

　　另一方面，士人也注重生活的品質，有了足夠的經濟基礎後，士人有了豪奢的物質生活，有些士人則朝向生活的藝術化，表現出士人重視精神生活的一面，士人生活水準與品質皆佳，這是其「身泰」的展現。

　　不過，我們也可以看出魏晉士人追求身名俱泰時，捨棄了儒家賦予知識份子的責任感與道德操守，捨棄了道家寡欲不爭的養生指引，從而遺落國事，尸位素餐。

　　本文探討魏晉士人對於身、名，如何取捨，如何兼得，以反映當時的社會現象與士人心態。

目

次

第一章　緒　論

第一節　研究動機與研究目的

　　羅宗強《玄學與魏晉士人心態》引《晉書·石崇傳》「士當身名俱泰，何至甕牖哉！」，指出西晉士人心態趨向「身名俱泰」〔註1〕，而東晉則以「追求寧靜的精神天地」為主，筆者思考精神天地與身泰之間的關係，便發覺人的形軀與精神的諧和寧靜，不也是「身泰」的展現，而求名的狀況至東晉仍未衰竭，故以魏晉士人皆追求「身名俱泰」為主軸，來撰寫本文。

　　魏晉朝代遞嬗、八王之亂、蘇峻之亂、北方胡人入侵，使得生活在此時的人們朝不保夕，但魏晉士人在文學、哲學、美學等領域卻展現過人的成就，他們是如何辦到的？又是抱著什麼心情去追求？都值得深究。細思魏晉士人追求身名俱遂的情況，有共同的出發點——追求理想的人生，不過表現的方式卻因人而異，遂引發筆者研究考察魏晉二朝士人如何實踐身名俱泰。

　　藉由探討魏晉士人對於「身」、「名」二者的抉擇，從中分析背後原因，以更了解這時期士人心中的理想人生，是筆者努力的目標。

第二節　研究現況

　　筆者搜尋臺灣碩博士論文網，發現並未有相關的論文，但是對於魏晉士

〔註1〕 羅宗強《玄學與魏晉士人心態》，臺北：文史哲出版社，1992年11月初版，頁228。

人追求身名俱泰的情形，卻又散見在各書籍論文中，筆者從生死觀、玄學、身體觀、忠孝觀、文藝觀等，先著手蒐羅各家論及「不朽」、「身名」者，再予以統整之。

康韻梅《中國古代死亡觀之探究》將古代死亡觀歸類爲四種類型：一、以中國古代變形神化與莊子有變化而無生死的說法，說明中國古代死生相繼的思維。二、以山海經、崑崙山等描述之不死境域與老莊入道者在生死的超越性，來看長生久視的迷思。三、從墓葬形制（陪葬品、葬式、殺殉制度）以及古代葬俗中展現的靈魂觀念，說明死而不亡的信仰。四、以儒家對喪祭之禮的看法，來顯示理性面對死亡的一面，說明儒家重視生命延續，以及樹立生命價值。其中重視生命延續的生物學不死，是引自馮友蘭先生的說法。此書中整理儒道二家生死觀，輔以古代神話、葬禮，來探究中國古代生死觀。

而張倩儀《魏晉南北朝升天圖研究》則承接康韻梅《中國古代死亡觀之探究》〔註2〕，回顧傳統生死觀的研究，而魏晉南北朝的升天圖中西王母、璧較漢代遜色，退居次要地位，可見陶淵明：「帝鄉不可期」，西王母獨尊的地位消失，魏晉士人已不再視死後升天爲最後歸宿，可反應出魏晉士人重視現世人生的態度〔註3〕。

陳君璧《魏晉死亡觀》〔註4〕追溯初民神話到先秦諸子的死亡觀，再次序探討建安文人的死亡觀到陶淵明的死亡觀，說明魏晉時期士人深受莊子生死如晝夜之說，也接納了儒家三不朽及捨生取義之說，故有陶淵明「縱浪大化，不喜不懼」，也有嵇康臨義讓生的舉動，而《列子‧楊朱》中縱欲待死的享樂主義，也同樣影響了一批名士，如元康放達派。此論文也涉及道教不死長生與佛教形盡神不滅的死亡觀，反映出魏晉士人追求長生久視，以及對於神滅與否的激辯。

而王岫林《魏晉士人的身體觀》〔註5〕：從魏晉士人留戀現世身體，導出魏晉士人「重身」思想，再以形神兼養，來看魏晉士人對身體的整全一體。較特別的是王岫林以身體的入世與反抗來看身體的工具性，指出魏晉時代士

〔註2〕 張倩儀《魏晉南北朝升天圖研究》，北京：商務印書館，2010 年 2 月第一版。
〔註3〕 張倩儀《魏晉南北朝升天圖研究》，頁 124～127。
〔註4〕 陳君璧《魏晉死亡觀》，國立清華大學中國文學研究所碩士論文，2007 年 1 月。
〔註5〕 王岫林《魏晉士人的身體觀》，國立中山大學中國文學研究所博士論文，2006 年 6 月。

人除了依循禮教之外，又以優雅風度的呈現，能影響士人的聲名，來看出魏晉士人運用身體致高名的情形。而反對禮教束縛者，通過身體的違禮犯教，表達反抗，是身體的工具性展現。隱士在魏晉時代也出現了不同以往的形象，除了嚮往心靈上的自由外，這時期的隱士也出現了物質上的享受，王岫林稱之「以身體的去社會化達到社會化」〔註6〕，十分貼切。最後再以士人追求的理想身體——任眞貴我、順性適變、仙化想望、體自爲美——作結，看出魏晉士人重身又貴我，故重視享樂，強調自然。而孫世民《魏晉身體修養論》〔註7〕，將魏晉身體觀有七大部分，包括：自然身體、宇宙身體、政治身體、氣化身體、精神話身體、隱喻身體、社會身體，同一個身體行爲可能歸屬於不同的身體義涵。例如政治身體，指人受到外在身分地位的驅使，於是遵循君尊臣卑行爲要求，但若爲求得仕途亨通、提高社會地位，便修飾儀表，注重人格美、氣韻美，則跨入了精神化身體，提供了魏晉士人行爲的解讀方法。

秦耀宇《六朝士大夫玄儒兼治研究》〔註8〕，此書以時代先後劃分：曹魏時期、正始時期、竹林名士、西晉士人、東晉士人，及南朝時期，描述玄儒思想的流變。仍採用名教出於自然、越名教而任自然、名教即自然的說法，來整理這些時代的士人玄儒雙修的情形。

王岫林《由「適性安命」到「達生肆情」——西、東晉士人應世思想之轉折》〔註9〕，以西、東晉風尙、政治事件，分析西、東晉士人儒玄雙修，提出「魏晉士人思想的重大課題也就在調和儒道二家的思想，欲在其中找到一個平衡點，既能使社會在禮教的規範下不致脫序，也能得到精神上的自由」〔註10〕，並以郭象「適性安命」來總結西晉士人一方面追求放達高逸，一方面又追求體制中的身分地位。而張湛的思想「達生肆情」來反映東晉士人不以外在規範爲限，尋求精神層面的超脫。

忠孝觀的轉變，也影響到魏晉士人追求身名俱泰的人生，陳瓊玉《魏晉

〔註6〕 王岫林《魏晉士人的身體觀》，頁218。

〔註7〕 孫世民《魏晉身體修養論》，新北市：花木蘭文化出版社，2012年3月初版。

〔註8〕 秦耀宇《六朝士大夫玄儒兼治研究》，揚州：廣陵書社，2008年4月第1版第1刷。

〔註9〕 王岫林《由「適性安命」到「達生肆情」——西、東晉士人應世思想之轉折》國立成功大學中國文學研究所碩士論文，1999年6月。

〔註10〕 王岫林《由「適性安命」到「達生肆情」——西、東晉士人應世思想之轉折，頁95。

忠孝觀》〔註11〕，從忠孝的原始義，儒家及諸子百家的忠孝觀，到漢代對忠孝的提倡，整理出魏晉之前忠孝觀的流變，再以曹魏與西晉建立政權時的政治事件，來分析魏晉忠孝的意涵，而歸納出曹魏時代，君臣關係不再限指君王與臣民，更擴大爲長官與僚屬的層次，又當時也受「移孝做忠」的影響，故君主與家臣有如父子一般的意涵。至於西、東晉，陳瓊玉則歸納出西晉初年以孝治天下，孝先於忠，東晉朝廷則清楚區分忠孝的範疇。最後結論則以魏晉士人雖仍有忠孝名教觀念，但在時代背景的侷限下，「忠」德無法落實於君臣關係中〔註12〕。

胡寶國《漢唐間史學的發展》〔註13〕中對於魏晉時期的文學與人物品鑒頗有見地。從文史分離來看文學與史學的獨立，魏文帝曹丕所談的文章仍包括「史」，直至南朝才漸漸文史分離，並指出魏晉文重於史的情形，士人的興趣在文而不在史，故修史時特別注重文字，並提及士人撰史、子書爲求不朽的情形。書中並交待以東漢到東晉撰寫雜傳的盛行，來看人物品評的興衰。在整理漢唐間的史書、子書、雜傳上，頗爲用心。

洪然升《六朝「文士」╲「文藝」品鑒論》〔註14〕，提出藉由品鑒活動以及價值引導，社會出現一「名的場域」，文士們在參與品鑒活動時，所得到的價值意義就是「名的創造」，簡而言之，六朝文士追求具有獨立意義的名。在六朝中文人與文藝的地位皆提高，文士藉由文藝：文學、書法、繪畫來實踐二個終極目的：一、名的標誌化，二、名垂不朽。文中提出文士齊名、爭名、掩名與「偏藝流聲」，「偏藝流聲」即是社會大眾以某文士的突出才能爲主要身分標記，其餘才能卻遭忽略，即「以能自蔽」。品鑒活動爲一造名活動，投身在政治場上，有政治場上的成規——德，以此要求自己，而投身文藝社

〔註11〕 陳瓊玉《魏晉忠孝觀》，國立成功大學中國文學研究所碩士論文，2004 年 6月。

〔註12〕 陳瓊玉：「竹林名士們雖稱舉『越名任心』，將外在禮教與內心世界割裂爲二，反對一切有名之教，言行上悖違禮教，任誕不拘，但卻是受司馬氏簒曹魏、誅名士的殘忍手段激揚而發。故雖因政治混濁而未能體『忠』，但觀其作品中蘊含的思想和個人行爲的表現，他們仍有『忠』、『孝』等名教觀念，只是以另類方式表達對親長恩情之孺慕；在時代背景的侷限下，『忠』德無法落實於君臣關係中」，《魏晉忠孝觀》，頁 179。

〔註13〕 胡寶國《漢唐間史學的發展》，北京：商務印書館，2005 年 11 月第 2 刷。

〔註14〕 洪然升《六朝「文士」╲「文藝」品鑒論》，國立成功大學中國文學研究所博士論文，2009 年 4 月。

會，則以任「情」恣「性」爲本色〔註15〕。此書對於分析立功立德與立言者，應世的傾向各自不同，以及六朝文藝社會的說法，對於筆者撰文有很大的幫助。

針對魏晉身名觀，前人研究多針對其養生論、儒道互補，或是人物品鑒著手，以及魏晉的逐名現象加以探究，但卻較少從身、名二者交互作用的角度研究，以致讓魏晉身名觀多散落在各篇章中，故筆者認爲這正是可著墨之處，故撰本篇試圖推敲魏晉士人身名觀的底蘊，無奈魏晉身名觀所牽涉的範圍深廣，非筆者淺薄之力所能周全，故仍缺漏甚多，期待他日或後人增補之。

第三節 研究方法

本文先回溯「身」、「名」二者的原始義，再考察儒、道二家對於身名二者的看法與取捨。

歸納法：筆者以《三國志》、《晉書》、《世說新語》、《全三國文》、《全晉文》等，收集關於身名或討論到身名關係、生死議題爲中心的資料，再擴及到忠孝、家族、藝術、豪奢、名教等議題，以更豐富魏晉士人身泰與名泰的具體實踐。

分析法：將收集來的資料，分析行爲背後士人追求身泰名泰的原因，由於魏晉時代有政權遞嬗、偏安江南等政治局勢，故在分析時，必須依據時代背景，來對照士人的行爲。又以傳統立德、立功、立言，三不朽爲脈絡，加上才藝四者，探討士人於求名保身中的掙扎與努力。

最後，考察魏晉士人於追求身、名二者中，產生的衝突與解決之道，來看此時期社會文化中求名不朽與明哲保身的現象。

第四節 論文架構與學術價值

本文先從「身」「名」的原始涵義著手，再論儒家與道家二者的身名觀，以釐清魏晉士人對於二家的理解吸收與轉折。接著以魏晉士人討論的議題中，透視其對身、名二者的持取，並考察魏晉時代政治局勢對於魏晉士人身名觀的影響。

〔註15〕洪然升《六朝「文士」╲「文藝」品鑒論》，頁353。

　　然後將史料所載資料，以立功、立德、立言及技藝四方向，來探討士人對於「身」「名」二者的抉擇，並推展出魏晉士人追求當世名與身後名者的不同，從而了解士人追求身泰的情形，並看出士人在衡量現實狀況與個人能力時，會在身泰名泰的追求上，產生差別。

　　分析各種追求身泰名泰者行為舉止後，歸納出社會的文藝風氣，與忠孝觀念的改變，以及隱逸行為在追求身泰名泰動機下的變化，了解士人責任感與道德感淡泊的情形。最後則以士人勇於追求個人的身名，看出魏晉時代理想人生的多元化。

　　由於學者從玄學思想、個人自覺或是時代背景等方向，而敘述到魏晉士人的身名觀，卻未能有一統整的架構，筆著不才，以整理此時期的文獻資料，來統整魏晉士人對身名俱遂的渴求，盼能使欲了解此時期士人者，有所幫助。

第二章　儒家、道家與魏晉士人身名觀

　　在了解儒、道、魏晉士人的身名觀之前，我們應先了解「身」與「名」的意涵，才能更清楚了解儒、道對身名的界定及魏晉士人對身名觀的擇取，以及身名觀所展現的魏晉士人心態或價值觀。

第一節　釋「身」與「名」

壹、釋「身」

　　《說文解字》：「身，躬也」〔註1〕，「身」本指人的軀體，季旭昇《說文新證》：「甲骨文從人，而以半圓形的指事符號指示部位，表示人體除了頭、四肢之外的部位」〔註2〕，而由人的外在形軀，進而成為表達自我的代稱，如《穀梁傳‧昭公十九年》：「就師學問無方，心志不通，身之罪也」〔註3〕，此處的「身」便是指自身，故《爾雅‧釋詁下》：「身，我也。」〔註4〕、《爾雅‧釋詁下》：「朕、余、躬，身也。」〔註5〕郭璞注：「今人亦自呼為身。」於是稱呼自己也可用「身」來表示了。

〔註1〕　漢許慎撰清段玉裁注《說文解字注》，臺北：藝文印書館，1979 年 6 月五版，頁 392。

〔註2〕　季旭昇《說文新證》下冊，臺北：藝文印書館，2008 年 3 月修訂版，頁 27。

〔註3〕　〔晉〕范寧注〔唐〕楊世勛疏〔清〕阮元校勘，《十三經注疏附校勘記》，臺北：大化書局，1989 年 10 月四版，頁 5295。

〔註4〕　〔晉〕郭璞注〔宋〕邢昺疏〔清〕阮元校勘《十三經注疏附校勘記》，頁 5592。

〔註5〕　〔晉〕郭璞注〔宋〕邢昺疏〔清〕阮元校勘《十三經注疏附校勘記》，頁 5592。

　　戰國以後，身開始有「親自」、「身體力行」之意，如《管子‧入國》：「疾甚者以告，上身問之」〔註6〕，《孟子‧盡心上》：「堯舜，性之也；湯武，身之也；五霸，假之也。」〔註7〕，趙岐注「身之，體之行仁。」《淮南子‧繆稱訓》：「身君子之言，信也；中君子之意，忠也」〔註8〕，高誘注：「身君子之言，體行君子之言也」，人藉由意志發出命令，驅使身體，身體力行自己的原則、想法，身體成為人完成目的的工具，人生有許多價值理想等待實現，於此時講「身」，更重視「力行」之意。

　　身體除了是人的外在形軀之外，人的生命實仰賴它得以存活，故「身」也有「生命」義，肉體的消亡代表生命的喪失，故《楚辭‧離騷》中：「鯀婞直以亡身兮，終然殀乎羽之野」〔註9〕將鯀的死亡稱為「亡身」，卻不是寫「亡生」，便是因為「身」含有「生命」義，再如漢班昭《東征賦》：「唯令德為不朽兮，身既沒而名存」〔註10〕，令德使人有令名，即便死亡也能名流後世，用「身既沒」來代表死亡，而《論語‧衛靈公》：「志士仁人，無求生以害仁，有殺身以成仁」〔註11〕，更是將「身」與「生」對舉，也可看出身體與生命的關係密切。

　　身與生命的關係密切，也因此人存活在世上的時間，也有以「身」來表示的，例如「終身」指一輩子、畢生，而「身」也包含內在的品德才能、外在的身分地位，如《晏子春秋‧問上二十》：「稱身就位，計能定祿」〔註12〕，就是指人的才能，而《後漢書‧逸民傳‧周黨》：「自此敕身脩志，州里稱其高」〔註13〕，則是指人的品德。而《論語‧微子》：「子曰：『不降其志，不辱其身，伯夷、叔齊與！』」〔註14〕，此處的身當指人的身分。

〔註6〕 黎翔鳳《管子校注》，北京：中華書局，2004年6月第1版，頁1034。

〔註7〕 〔漢〕趙岐注〔宋〕孫奭疏〔清〕阮元《十三經注疏附校勘記》，頁6019。

〔註8〕 何寧注《淮南子集釋》，北京：中華書局，1998年10月第1版，頁718～719。

〔註9〕 黃靈庚《楚辭集校》，上海：上海古籍出版社，2009年11月第1版，頁101～102。

〔註10〕 〔清〕嚴可均輯《全後漢文》，西安：陝西人民出版社，2007年，頁849。

〔註11〕 〔宋〕朱熹《四書集注》，臺北：漢京文化事業有限公司，1983年11月初版，頁373。

〔註12〕 楊家駱主編《晏子春秋集釋》，臺北：鼎文書局，1977年3月再版，頁226。

〔註13〕 〔南朝宋〕范曄撰〔清〕王先謙集解《後漢書》，臺北：藝文印書館，1958年，頁985。

〔註14〕 〔宋〕朱熹《四書集注》，頁423。

從人的形軀到指稱自我，講求力行，再至「生命」，以至人的品德才能、身分地位，「身」由可見的肉體上升到精神層面的「自我」，再擴大包括了人的內在特質，甚至是外在身分，可見「身」包含了物質層面的身軀及精神層面的心智，加上社會倫理所賦予的意義〔註 15〕，如何讓「身」得以長久，在人際關係中，知道該如何行動，才能獲致最大的滿足與安心感，則成了中國古人們討論的課題。

貳、釋「名」

《說文解字》：「名，自命也，从口夕。夕者，冥也，冥不相見，故以口自名」〔註 16〕，於昏暗中，不可辨人的情形下，人便自名，使他人知曉，名帶有「自稱」的涵意。之後對於具體的事物或是抽象的概念，人們在溝通之時，為求彼此能了解，於是以一名稱來表述其事物，即給予人事物一個「稱呼」。在《釋名・釋言語》中便有「名，明也，名實事使分明也」〔註 17〕，辨明各別的「實」，便須有不同的「名」來表述，所以名便有人的名字或事物的名稱之義，如《禮記・曲禮下》「天子不言出，諸侯不生名，君子不親惡」〔註 18〕，孔穎達疏曰「諸侯，南面之尊，名者，質賤之稱，諸侯稱爵不稱名」指的便是人的名字。而《論語・陽貨》「邇之事父，遠之事君，多識於鳥獸草木之名」〔註 19〕則是指事物的名稱。

「名」表述「實」，所以有「形容、稱說」之義。在《論語・泰伯》篇中「大哉，堯之為君也！巍巍乎，唯天為大，唯堯則之！蕩蕩乎，民無能名焉！」〔註 20〕朱熹《四書集注》解釋「言物之高大，莫有過於天者，而獨堯之德能與之準。故其德之廣遠，亦如天之不可以言語形容也。」由於堯的功業十分偉大，於是欲加以形容稱說之，則無能焉，「名」用以表述形容「實」又一例證，不過此處也顯示出「名」也有窮時，是否「名」能形容世上所有事物，

〔註 15〕 參考楊儒賓《儒家身體觀》指出「傳統儒家的身體觀應該具備：意識的身體、形軀的身體、自然氣化的身體與社會的身體四義」，而中國古人將「身」字不獨指四體形軀，仍可指意識主體、生命、壽命等。台北：中央研究院中國文哲研究所籌備處發行，1996 年 11 月初版，頁 9。

〔註 16〕 〔漢〕許慎撰〔清〕段玉裁注《說文解字》，頁 57。

〔註 17〕 劉熙《釋名》，北京：中華書局，1985 年北京新一版，頁 54。

〔註 18〕 〔清〕孫希旦《禮記集解》，臺北：文史哲出版社，1988 年 10 月 3 版，頁 131。

〔註 19〕 〔宋〕朱熹《四書集注》，頁 406。

〔註 20〕 〔宋〕朱熹《四書集注》，頁 250。

事實證明是有困難的，這也衍生出後來「名實相符」的問題，以至魏晉的言意之辨，都與討論名實問題相關。

由名衍生的問題尚有價值高低、地位貴賤的區別，常人眼裡不值得重視的事物是「不有名」的，如「無名之輩」，而「有名」則代表著有價值，值得重視，且隨著名越被人知，其價值越高，從「名牌」物品價格高於其他相類物品，或是我們說的「聲價」、「聲譽」，一個人的名聲越大，則越有價值，我們不難發現當事物有價值時，才會被命名，且越有價值，名聲越大〔註21〕。此處我們可以舉《逸周書・諡法》中，對人死後所給予的諡號，來看出這人在世時對社會的幫助有多大：「是以大行受大名，細行受細名」，有越大的功業，諡號應取「大名」，較小的功業，則取「細名」，可想見若生前未有值得流傳後世的行為言論，則死後默默無名，也不會有所謂的諡號了。

「名」也指人的「名號」，《國語・周語上》「有不貢則修名，有不王則修德」〔註22〕，韋昭注：「名，謂尊卑職貢之名號也」，「名」標示著人的尊卑貴賤，於是社會的資源便以「名」為準則作資源的分配，名愈大者，所享有的資源便愈多，在《史記・商君列傳》中，便將命名田宅的方式，依尊卑爵位為規範，「明尊卑爵秩等級，各以差次名田宅」〔註23〕，爵位必稱其名（田宅），以此論尊卑。

名也有「功名」義，《國語・周語下》：「用巧變以崇天災，勤百姓以為己名。」韋昭注：「名，功也」，這也是有功者名愈大的例子，無功者淪為無名之輩，或是因此在史冊上留下汙名，得不到正面評價，甚或損名。「名」能將價值高低、地位貴賤標示出來，且人們因其名而得其位者，也因此能號令他人，「名」成了政治與社會秩序倫理的依據，名與政治便難以分割，故孔子論政，便以「必也正名乎」為起點，正是因為名正了才能言順，名正言順，政令才得以施行。

由此我們可以知道「名」因所表述的價值，標示的地位等級，成為可追

〔註21〕 丁亮《「無名」與「正名」——論中國上中古名實問題的文化作用與發展》：「事實上，從命名的必要性來看，沒有價值或意義的事物是不會有名稱的」，臺北：花木蘭出版社，2008 年 9 月初版，頁 28。

〔註22〕 〔周〕左丘明撰〔吳〕韋昭注《國語》，臺北：漢京文化事業，1983 年 12 月初版，頁 4。

〔註23〕 〔西漢〕司馬遷撰〔南朝宋〕裴駰集解〔唐〕司馬貞索隱〔唐〕張守節正義《史記・商君列傳》，臺北：藝文印書館，1958 年，頁 891。

求的事物，人們了解了「有名」所帶來的利益，所代表的身分，而紛紛進入「求名」的世界，《易‧乾》：「不成乎名，遯世無悶」〔註24〕，孔穎達疏：「不成乎名者，言自隱黜，不成就令名，使人知也」，因此得「令名」成了一些人追求的人生目標，「名利雙收」便說明了名與利益常相輔相成，故為人們所追求，而弊病便很快隨著人心的貪婪而產生〔註25〕，最明顯的弊端便是人們為求名而不擇手段，隱匿實情，甚或沽名釣譽，以此求得利益，這也是儒家為何提倡「名實相符」、「不患無位，患所以立」、「君子去仁，惡乎成名？」的原因。

第二節　儒家身名觀

　　漢朝獨尊儒術，至東漢末年發生劇烈的名教危機，戰亂四起中，士人對名教產生懷疑，開始找尋其他的思想哲學，來解答人生的疑惑，於是此時各家思想蠭起，尤以道家思想最為士人所接受。此時儒家名教雖遭質疑，看似凋敝，但仍有許多儒學經生，堅守禮教，於是兩大思想交互激盪，甚而有玄儒合流的跡象。要了解魏晉士人的思想轉變，首先必須從儒道二家著手。

　　孔子有言「殺身成仁」，孟子在面對道義與生命時，也說「舍生取義」，乍看之下，儒家似乎有「貴名賤生」的情形，但若細察儒家思想底蘊，便會發現，比起「成名」，儒家更注重「成德」，並務求名實相符，且盼望藉由「己立立人」、「己達達人」的內聖外王之道，來提升個人的生命價值。以下將分別探討儒家的「身」、「名」觀。

壹、儒家對「身」的看法

　　楊儒賓《儒家的身體觀》中，提到孟子對於成德與身體間的關係，有

〔註24〕〔魏〕王弼〔晉〕韓康伯注〔唐〕孔穎達疏〔唐〕陸德明音義《周易注疏》，上海：上海古籍出版社，1989 年 11 月第 1 版，頁 37。

〔註25〕在丁亮《「無名」與「正名」──論中國上中古名實問題的文化作用與發展》一書中，便對這樣的情形加以說明：「可是，非常微妙的，『名』這樣一件近乎完美的統治工具在本質上卻有著腐化人心的弱點。因為名之制度作用乃因其分別，而其分別乃因其可以感官感知，於是名是『有』，以可以感知的有形有聲的『有』來象徵尊卑、親疏、遠近等政治層級。自然愈尊貴者宮室愈大、車馬愈多、飲食愈豐、名聲愈甚而禮愈備。然而這些事物因其『有』的特質卻可搖身一變而成為一種勾引欲望淫蕩感官之物」，頁 122。

深刻的認知，人身存活在世上，就必須滿足基本的物質需求，這些物質需求很容易便成為人進德修業的阻礙，也就是人皆有欲望，他認為「道德與身體的衝突，用孟子的話講，也可視為人性與欲望的衝突」〔註26〕，但孟子也認為人的形體與意識主體是重合的，是「身心一體」的，故修養論是由內而外擴充，也就是說身心都必須經過鍛鍊〔註27〕。我們從這可以看出儒家修養論不拋開形體，注重「克己」〔註28〕以求得自我身心復禮及自我與他人間的和諧。

一、成德的憑藉

儒家認為個體的「身」是社會的一部分，是治國的基礎，需要經過修養的功夫，故孟子曾言「修其身而天下平」，修身是本，治國平天下是末，修身是內在修養，即內聖，治國平天下則是外在事功，即外王，故《大學》中有言：「自天子以至於庶人，壹是皆以脩身為本。其本亂而末治者否矣」〔註29〕，若人能做到內聖外王，則必為聖人，聖人雖難以達成，但儒家鼓勵人「學做聖人」，故不論是天子或是庶人，都須修身。而修身的方法在《大學》、《論語》中有提及，如：

> 所謂修身在正其心者，身有所忿懥，則不得其正；有所恐懼，則不得其正；有所好樂，則不得其正；有所憂患，則不得其正。〔註30〕（《大學》）

> 富潤屋，德潤身，心廣體胖，故君子必誠其意。〔註31〕（《大學》）

> 儒有澡身而浴德。〔註32〕（《禮記‧儒行》）

> 思脩身，不可以不事親。〔註33〕（《中庸》）

> 故為政在人，取人以身，脩身以道，脩道以仁〔註34〕。（《中庸》）

〔註26〕楊儒賓《儒家的身體觀》，頁43。
〔註27〕楊儒賓《儒家的身體觀》，頁43～53。
〔註28〕此處「克己」引用孔子「克己復禮」之說。
〔註29〕〔宋〕朱熹《四書集注》，頁10。
〔註30〕〔宋〕朱熹《四書集注》，頁21。
〔註31〕〔宋〕朱熹《四書集注》，頁20。
〔註32〕〔清〕孫希旦《禮記集解》，頁1285。
〔註33〕〔宋〕朱熹《四書集注》，頁74。
〔註34〕〔宋〕朱熹《四書集注》，頁73。

從這修身方法可以看出，內在功夫須從正心誠意開始，人必須擺脫忿懥、恐懼、好樂、憂患，否則不能正身，即無法修身〔註35〕，且修身需以「德」，而「德」則可以先從「事親」開始。這也可以看出儒家將「身」視爲需修養、須控制之物，因爲有身即有欲，在通往內聖外王的路上，人須依賴身體以成德，但同樣的身體也是人們修養品德的阻礙，故孔子曾說「君子有三戒：少之時，血氣未定，戒之在色；及其壯也，血氣方剛，戒之在鬥；及其老也，血氣既衰，戒之在得」〔註36〕（《論語・季氏》），可以看出孔子認爲人需藉由戒色、戒鬥、戒得來修養身心，而孟子也曾說「養心莫善於寡欲」，同樣強調「克己」的重要，故孔孟一致認爲人的形體足以累心〔註37〕，若要達成內聖外王的理想人格，必須通過修身才能達成。

二、身體乃父母留予子女

　　在《孝經》中：「身、體、髮、膚，受之父母，不敢毀傷，孝之始也；立身、行道、揚名於後世，以顯父母，孝之終也。夫孝，始於事親，中於事君，終於立身」〔註38〕（《孝經・開宗明義》），修身以正心誠意爲方法，對象則是從自己的父母開始，儒家講求孝道，認爲修身必須由孝敬父母爲起點，所以珍愛自己的身軀是因爲身體髮膚，從父母而來，若人從事活動時，能想到父母的擔憂，則自然會遠離危險的場所與行爲，能愛身惜身，「曾子曰：身也者，父母之遺體也。行父母之遺體，敢不敬乎？」〔註39〕（《禮記・祭義》）。而事親除了保愛自己的身軀之外，尚還有保愛自己的名譽，若行惡事，不僅危害生命，更直接傷害自己的名譽，也使父母蒙羞，這便是不孝，故「君子生則敬養，死則敬享，思終身弗辱也」〔註40〕（《禮記・祭義》）、「大孝尊親，其

〔註35〕　見張舜清《儒家「生」之倫理思想研究》中，指出正心誠意，能達到養生的功效「從人的心理基礎尋找影響健康的因素，這也是現代養生學的觀點。『心正則意誠』，『意誠』人則『不自欺』，便能以中正平和的心態待人接物，這樣人的精神適意安詳，從而有益於身體健康」，也可參看。北京：中國社會科學出版社，2010年5月第1版，頁216。

〔註36〕　〔宋〕朱熹《四書集注》，頁393。

〔註37〕　李源澄〈儒道兩家之論身心情欲〉言及「形體之足以累心，孔子已明之」，而胡木貴〈儒、道生死觀異同論〉亦談及「對於人的感性存在規定性（肌體、聲色），道家和儒家一樣，抱著否定態度。認爲形體是生命自我的最大負累」。詳見《儒道比較研究》，北京市：中華書局，2003年，頁20、272。

〔註38〕　陳鐵凡《孝經鄭注校證》，台北：國立編譯館，1987年12月初版，頁5～7。

〔註39〕　〔清〕孫希旦《禮記集解》，頁1123。

〔註40〕　〔清〕孫希旦《禮記集解》，頁1108。

次弗辱，其下能養」〔註41〕（《禮記·祭義》）、「君子無不敬也，敬身爲大。身也者，親之枝也，敢不敬與？不能敬其身，是傷其親；傷其親，是傷其本；傷其本，枝從而亡」〔註42〕（《禮記·哀公問》），能珍愛己身，不使自己的父母蒙羞，便是孝道。儒家重視個人在群體中的生命價值，也因此修身敬身，除了個人的道德修養之外，更是與他人能和諧相處之道，故修身要「己立立人，己達達人」。儒家的修身方式，如《論語·學而》「弟子入則孝，出則弟，謹而信，泛愛眾而親仁」〔註43〕，便是落實在人際脈絡中。而孝順父母除了不辱父母之名外，更積極的則是「顯親揚名」，若能達成偉大的功業，除了自己揚名立萬，更能榮耀父母甚至整個家族，乃孝親的表現，於是「事親」與「成名」便有其正面而積極的關聯，雖未直言，但已隱約可以察覺「修身」是「成名」的基礎，故《孝經》與《禮記》便提到：

> 子曰：「君子之事親孝，故忠可移於君。事兄悌，故順可移於長。居家理，故治可移於官。是以行成於內，而名立於後世矣。」〔註44〕（《孝經·廣揚名章》）

> 能敬其身，則能成其親矣。公曰：敢問何謂成親？孔子對曰：君子也者，人之成名也。百姓歸之名，謂之君子之子。是使其親爲君子也，是爲成親之名也已！〔註45〕（《禮記·哀公問》）

能經由內在修養而致有外在名聲，或是經由「敬身」而終能「成親之名」，都說明人能經由修身養性，顯揚親名，甚至名垂後世，這都是積極鼓勵人們修身，雖非經由建功立業，人也能留有孝名或是君子之名於後世，這即是三不朽的「立德」。

況且人若欲成德，須賴外在形體來完成，若沒有形體，不僅成德爲空談，其餘人生價值也無從實現，故儒家並不賤生，雖然儒家重視仁義，並認爲仁義的價值重於個人生命，而有「殺身成仁」的說法，但出於對孝道的重視，所以並不能輕言犧牲，而是「愛其死以有待也，養其身以有爲也」〔註46〕（《禮記·儒行》），正因爲人生尚有應背負的責任與期待實現的個人理想，是「有

〔註41〕〔清〕孫希旦《禮記集解》，頁1122。
〔註42〕〔清〕孫希旦《禮記集解》，頁1156。
〔註43〕〔宋〕朱熹《四書集注》，頁124。
〔註44〕陳鐵凡《孝經鄭注校證》，頁187～189。
〔註45〕〔清〕孫希旦《禮記集解》，頁1156～1157。
〔註46〕〔清〕孫希旦《禮記集解》，頁1279。

待」「有為」者，故不輕言死亡，故孔子言「未知生，焉知死？」，若人不能好好活著，完成自己在社會群體中的使命，而只擔憂著不可掌握的死後世界，這是不正確的。而惟有在高出個人性命價值的仁義、操守、尊嚴〔註47〕受到威脅時，人們才可以考慮以身殉道。

要如何求得身心安頓，讓身心處於和諧狀態，儒家是藉由禮樂〔註48〕引導人們言行舉止都能達到整體的和諧，雖然這些需要人為的努力，但儒家同時也強調誠意正心，讓所有行為的出發點都是出於真誠的情感，經由日積月累的修養，而成為自然而然的狀態，最終希望能「從心所欲而不踰矩」，達到身心的協調。

三、以德潤身，心寬體胖

儒家雖然愛身惜身，但對物質生活並不要求，前文提到孔孟皆認為物欲足已累心，孔子更亟稱顏回簞食瓢飲的生活，而有「君子謀道不謀食」之言，而孟子則有「寡欲」的說法，儒家並不認為追求外在物質享受，讓人能得到快樂，故儒家的「養生」之法，莫過於以「德潤身」，在張舜清《儒家「生」之倫理思想研究》中，則藉由孟子「踐形」觀來說明儒家以德潤身之法：

> 孟子曰：「形色，天性也。惟聖人然後可以踐形。」……朱熹認為「形色」是自然之理，人的自然本性。人人皆有此本性，但不知踐履，即人不知將此「性」擴充之、完善之，因而形體是個殘缺之形體，只有聖人知道做「盡性」的功夫，從而使天賦之性能夠充分發育而瀰漫全身，並通過形體表現出來。〔註49〕

可見人如果能讓自己的天賦善性擴充、完善，便能讓德性籠蓋全身，這樣的

〔註47〕論語「殺身以成仁」、孟子「舍生取義」與禮記「可殺不可辱」、「見死不更其守」都可以說明儒家只有在仁義、尊嚴、操守遭受威脅時，才會以身殉。

〔註48〕在彭國翔〈儒家傳統的身心修煉及其治療意義——以古希臘羅馬哲學傳統為參照〉一文中提到：「在先秦古典儒家的教育中，學習成為君子的修身過程不僅包括心智和倫理的成熟，還包括身體的發展。每一個希望成為儒家君子的人都要修習『禮』、『樂』、『射』、『御』、『書』、『數』這『六藝』。而構成古典儒家教育核心的『六藝』中，每一種都涉及到身體的全面參與。例如在『禮』、『樂』的活動中，需要舉手投足等每一個身體動作的整體和諧。」，楊儒賓、祝平次編《儒學的氣論與工夫論》，台北：國立台灣大學出版中心，2005年9月初版，頁17。

〔註49〕張舜清《儒家「生」之倫理思想研究》，頁229。

精神狀態可以使人的一言一行合於仁德，不會有不協調感，即「從心所欲不逾矩」。儒家並不特意追求外在富貴榮華，是因爲如果過分的追求便可能危害仁德，如此一來，不僅個人修養品德困難，甚至也可能因爭奪而危害國家秩序，故孔子視不義之富貴，如天上之浮雲，便是這個道理。

貳、儒家對「名」的看法

由於儒家積極入世，以治國平天下爲己任，不僅竭力於個人內在修養，也渴望通過外在事功，來提升個人在社會的生命價值，故儒家重名，但這「名」仍須細究，以免落入好虛名，向聲背實之誤解。

一、建功立業的動機是行仁道

前文提到內聖外王，個人的道德修養爲內聖，而外在功業與行爲爲外王，儒家有相當鮮明的入世精神，把人的道德修養拓展至治國平天下，即是由內聖而通往外王之道，建功立業，成爲人道德修養的外現。故儒家的聖人不是脫離現實人生的理想人格，他仍須應世處事，故儒家的「聖王」是像堯舜一般，有功於民者，如：

> 子貢曰：「如有薄施於民而能濟眾，何如？可謂仁乎？」子曰：「何事於人！必也聖乎！堯舜其猶病諸。夫仁者，己欲立而立人，己欲達而達人。能近取譬，可謂仁之方也已。」〔註50〕（《論語‧雍也》）
>
> 子路問君子。子曰：「修己以敬。」曰：「如斯而已乎？」曰：「修己以安人。」曰：「如斯而已乎？」曰：「修己以安百姓。——修己以安百姓，堯舜其猶病諸」〔註51〕（《論語‧憲問》）

「博施濟眾」即是外王的表現，是「仁者」道德修養的外現，再如「修己以敬」，「修己以安人」到「修己以安百姓」，可謂修身治國平天下的進程，且無一不從修己開始，即儒家是由內聖而外王，以至止於至善，從這也可看出儒家希望士人能出仕行道，行道的目的是能讓人們安頓、百姓安居樂業，而非求個人的外在名聲，與後人建功立業是爲求取功名利祿是不相同的，儒家的外王乃是自我價值的實現，若因此有「聖人」之名，是外在自然加之，絕非內在動機，故《中庸》第三十一：「唯天下至聖，唯能聰明睿

〔註50〕〔宋〕朱熹《四書集注》，頁215～216。
〔註51〕〔宋〕朱熹《四書集注》，頁366。

智，足以有臨也；……，見而民莫不敬，言而民莫不信，民莫不說，是以聲名洋溢乎中國，施及蠻貊。」〔註52〕，即說明此道理。故孟子也曾言「不求聞達於諸侯」，博施濟眾不在於聞名於世，而在於行道。從這也可以看出儒家的政治爲倫理政治，視政治行爲爲個人道德修養的擴張，故有仁心即有仁政，如孔子讚美舜「無爲而治者，其舜也與！夫何爲哉？恭己、正南面而已矣！」聖王無爲而治，最重要的便是能「恭己」、「正南面」，可見外王實爲一己道德修養的擴充〔註53〕。

二、正名以定尊卑，名符其實

孔子曾與學生子路強調爲政「必也正名」：

> 子路曰：「衛君待子而爲政，子將奚先？」子曰：「必也正名乎！」
> 子路曰：「有是哉，子之迂也！奚其正？」子曰：「野哉，由也！君子於其所不知，蓋闕如也。名不正，則言不順；言不順，則事不成；事不成，則禮樂不興；禮樂不興，則刑罰不中；刑罰不中，則民無所措手足。故君子名之必可言也，言之必可行也。君子於其言，無所苟而已矣。」〔註54〕

孔子認爲爲政必須名正才能言順，如此才能「成事」，朱熹《四書集注》注：「名不當其實，則言不順。言不順，則無以考實而事不成。」，因爲政事需依「名」考「實」，故「正名」爲先，孔子與子路談論爲政需先「正名」，如此名實相符，政令才得以施行。且由「名」的訂立，人們得以依照自己的職分，盡一己之職責，故名不正，則事不成，名正才能事成。「名」一旦確立，所有的典章制度組織規範，才能建立，社會才能運作，而人們則藉由「循名責實」，而能分辨親疏遠近，才能「男有分，女有歸」、「親親尊尊長長」，故「正名」，是政事得以施行的第一步，故儒家重視「名」，並要求名實合一，才能正常推動整個社會的運作。儒家「名教」便是講求「以名立教」，從「名」界定職分、

〔註52〕〔宋〕朱熹《四書集注》，頁99～100。

〔註53〕高晨陽〈精神超越與價值理想〉中提及：「孔子認爲『聖』高於『仁』，因爲『仁』僅是一個道德修養的問題，其最高形式是一種精神境界，而『聖』不只是一種『聖』的精神境界，同時還是一種『博施於民而能濟眾』的功業與行爲。照孔子所見，理想人格的結構應該是『內聖』與『外王』的統一」及「『外王』是理想人格的外現，它既是道德的，又是政治的」，《儒道比較研究》，北京：中華書局，2003年，頁359。

〔註54〕〔宋〕朱熹《四書集注》，頁327。

等級、上下、尊卑、是非、貴賤、輕重、親疏、遠近等，建立出一個井然有序、和諧不爭的社會。

我們知道儒家「重名」後，當再留意「重名」與「求名」的差別，孔子與學生子張曾有過一段對話，是有關「聞」、「達」的區分：

> 子張問：「士何如斯可謂之達矣？」子曰：「何哉，爾所謂達者？」子張對曰：「在邦必聞，在家必聞。」子曰：「是聞也，非達也。夫達也者，質直而好義，察言而觀色，慮以下人。在邦必達，在家必達。夫聞也者，色取仁而行違，居之不疑。在邦必聞，在家必聞。」
> 〔註55〕（《論語·顏淵》）

孔子認爲名譽著聞於世，只能稱之爲「聞」，不能稱之爲「達」，眞正的達是能察言觀色，質直好義，慮以下人的，也就是說對於孔子而言，「達」著重的是個人的修養，而「聞」卻是「色取仁而行違」的要名行爲，簡言之，「聞」、「達」二者的出發點不同，前者求名，因此違仁；後者修德，不在要名。對於「名聲」，孔子講求「名實相符」，但重點在必須充實自我，而非追逐外在名聲：

> 人不知而不慍，不亦君子乎？〔註56〕（《論語·學而》）

> 不患無位，患所以立；不患莫己知，求爲可知也〔註57〕
> （《論語·里仁》）

> 不患人之不己知，患其不能也〔註58〕（《論語·憲問》）

> 君子病無能也，不病人之不己知也〔註59〕（《論語·衛靈公》）

以上都強調人應務實，不求外在虛名，孟子「故聲聞過情，君子恥之」（《孟子·離婁下》）與這是一樣的意思。人生在世，應專注於活著的時候如何活得充實，活得有價值，這與孔子不言怪、力、亂、神，與「未知生，焉知死」是同樣的說法，儒家的「務實」，便是希望人們能對於現實生活更有期許，更努力在生時進德修業，當人們經由努力，實現自己的生命價值時，同時也能經此而達成生命的不朽，孔子曾說「君子疾沒世而名不稱焉」，這與叔孫穆子

〔註55〕〔宋〕朱熹《四書集注》，頁319～320。

〔註56〕〔宋〕朱熹《四書集注》，頁120。

〔註57〕〔宋〕朱熹《四書集注》，頁173。

〔註58〕〔宋〕朱熹《四書集注》，頁359。

〔註59〕〔宋〕朱熹《四書集注》，頁378。

「立德、立功、立言」是相關的。康韻梅《中國古代死亡觀之探究》中說：

> 錢穆先生認為叔孫穆子所啓示的是「人應該活在其他人的心裡」。立
> 德立功立言，便使其人在後代人心裡永遠保存出現，這即是其人之
> 復活，即是其人之不朽。其後孔子所說的：『君子疾沒世而名不稱
> 焉！』(《論語》〈衛靈公〉)，殆由此立論，《史記》〈孔子世家〉以此
> 為孔子作《春秋》時語。則將此「名」定為「立言之名」，然從孔子
> 思想思索，充實此名者似更偏重在「立德」上。而這句話所顯示的
> 最大意義，則在於將《左傳》中叔孫穆子的認知分判，轉為個體的
> 反省自覺，在此才能發展出更積極的實踐力行的力量。〔註60〕

所以孔子對弟子有「不患人之不己知，患其不能也」等的告誡，希望弟子更
能敦品勵學，實踐自我，如此即便肉體消亡，也仍是「死而不死」的境界。
朱熹引范祖禹注：「君子學以為己，不求人知。然沒世而名不稱焉，則無為善
之實可知矣。」〔註61〕若死亡後肉體腐朽，名字卻未能見載史冊，無人稱揚，
這正是君子所「疾」，而人一生的功過，在活著的時候，可能未能得到當時人
的公平評論，但當「蓋棺論定」之後，若人未能得到稱揚，那麼便可能如同
范祖禹所說因為在世時「無為善之實」，也難怪子貢有「紂之不善，不如是之
甚也。是以君子惡居下流，天下之惡皆歸焉。」〔註62〕(《論語‧子張》)，一
旦有了汙名，後世惡名皆歸聚其身，人在世之時怎能不注重修身行善？從積
極面講求立德立功立言，從消極面要求不為惡，不留後世污名，雖然同是「不
朽」——立功立德立言與遺臭萬年，但其中的道德修養，自我期許，不可以
萬里計。

三、富貴須合道義

　　孔子認為人不應追求外在名聲，對於人因為自身修養，而獲致聲譽，是
採取自然而然的心情面對，若將「富貴」解釋為物質生活的優渥與在社會上
擁有較高的身分地位，這樣的「物質」「名位」，儒家並不反對，但也不特意
追求，儒家在意的是追求富貴的過程合不合道義：

> 子曰：「富與貴是人之所欲也，不以其道得之，不處也；貧與賤是人
> 之所惡也，不以其道得之，不去也。君子去仁，惡乎成名？君子無

〔註60〕康韻梅《中國古代死亡觀之探究》，頁218～219。
〔註61〕〔宋〕朱熹《四書集注》，頁378。
〔註62〕〔宋〕朱熹《四書集注》，頁437。

終食之間違仁，造次必於是，顛沛必於是。」〔註63〕（《論語・里仁》）

子曰：「富而可以求，雖執鞭之士，吾亦爲之。如不可求，從吾所好。」
〔註64〕（《論語・述而》）

不義而富且貴，於我如浮雲。〔註65〕（《論語・述而》）

富貴雖是人之所欲，但若不能求之以道，則寧可甘於貧賤，與此相同的便是孟子形容求仕不以道的人爲「鑽穴隙之類」。對於「位」，儒家認爲有德者必得其位，採「德位一體」之說，《中庸》中孔子稱讚舜的大孝，說：「故大德必得其位，必得其祿，必得其名，必得其壽」〔註66〕（《四書集注・中庸》），認爲有德者必得位、必得名，但在現實世界中，並非有德者「必得位」、「必得名」，且沽名釣譽之人以虛僞禮法處世者有之，顯然有德並不一定能得位，得名者也不一定有德，儒家的德位一體，在世襲的情況之下是不可能實行的，畢竟有德者不得其位，將如何行道天下？在王光松《在『德』、『位』之間》，便提出孔子以勸告有位者「正身」〔註67〕爲職志，以及培育孔門弟子「君子」的理想人格，來傳播、保存理想的「德位一體」〔註68〕，所以在儒家並不討論「名位」，在意的是「德位」的名實相符，故言「君子去仁，惡乎成名？」所成之名，便是理想的道德人格「君子」之名。

對於出仕，儒家抱持著積極入世的態度，所謂「學而優則仕」，求仕當官的目的是爲了安百姓，儒家認爲「有德必有位」，但這是針對在位者而言，但若要求得官位，則必須有德才行，一個人有高尚品德，表現在自己身上的便是「居處恭，執事敬，與人忠」〔註69〕（《論語・子路》）等，至於表現在他人身上，則是「鄉人之善者好之」〔註70〕、「宗族稱孝焉，鄉黨稱弟焉」〔註

〔註63〕〔宋〕朱熹《四書集注》，頁168～169。

〔註64〕〔宋〕朱熹《四書集注》，頁225。

〔註65〕〔宋〕朱熹《四書集注》，頁227。

〔註66〕〔宋〕朱熹《四書集注》，頁67。

〔註67〕如《論語・顏淵》：「季康子問政於孔子。孔子對曰『政者，正也。子帥以正，孰敢不正？』」、《論語・子路》：「其身正，不令而行；其身不正，雖令不從。」、「苟正其身矣，於從政乎何有？不能正其身，如正人何？」

〔註68〕見王光松《在『德』、『位』之間》第一章〈孔子『有德無位』問題的生成〉，上海：華東師範大學出版社，2010年3月第1版，頁9～19。

〔註69〕〔宋〕朱熹《四書集注》，頁336。

〔註70〕〔宋〕朱熹《四書集注》，頁340。

〔註71〕〔宋〕朱熹《四書集注》，頁337。

71〕(《論語‧子路》),可見一個人的道德高低與外在名聲是有正向關係的。而出仕之後,要面臨的卻是如何與他人交際,如何與在上位者應對進退,為首要克服的難題,若不慎喪命,則不能治國平天下,所以如何保身安家便相當重要。出仕前的修身致名,到出仕後能保身,並且治國安百姓,從而聲名遠播,成了想要積極出仕,兼善天下之儒家「身」與「名」的複雜關係。

三、儒家「身」與「名」之間的關係

漢武帝時,獨尊儒術,罷黜百家,利用儒家禮教制定三綱五常作為社會規範,在社會上以不同名分,規範不同等級所應表現的作為,即以名立教。董仲舒「擘名考質,以參其實,賞不空施,罰不虛出,是以羣臣分職而治,各敬而事,爭進其功,顯廣其名」〔註72〕(《春秋繁露‧保位權》)、「欲審是非,莫如引名」〔註73〕(《春秋繁露‧深察名號》)、「擘名責實,不得虛言」〔註74〕(《春秋繁露‧考功名》)都說明了不論在政治或社會上,皆依名而行,以名核實。而選官標準則看重鄉閭清議,以賢良方正取士,其實也就是以儒家道德標準取士,如此一來,在鄉閭中獲取名聲便是入仕之階,一旦違反名教,成為名教的罪人,則難登仕途,從此儒家不求外在虛名的道德修養便與求仕之途夾纏不清,最理想的情形當然是「修己以安百姓」,但「修己以干祿」之徒也所在多有,於是名不符實,沽名釣譽的情形在東漢變成社會亂象之一,許多人為求名而虛偽做作,到東漢末年名教便難以維繫人心,而曹魏、司馬主政時以名教治國,卻殘忍的剷除異己,讓有識之士唾棄這樣的虛偽名教,如嵇康便提出「越名任心」,但只要選官制度沒有與鄉閭清議切割,人們便難以擺脫求名的心態。於是原始儒家「不義而富且貴,於我如浮雲」便成理想,與現實有了落差。

儒家「身」與「名」的複雜關係,除了上述出仕為官之外,這當中還牽涉到免於刑戮的問題,即君子出處進退的抉擇。若身不逢時,身處無道之世,出仕與否,儒家是可以視情況而彈性變化的,如孔子稱讚史魚、蘧伯玉「直哉史魚!邦有道,如矢;邦無道,如矢。君子哉蘧伯玉!邦有道,則仕;邦無道,則可卷而懷之。」〔註75〕(《論語‧衛靈公》),也就是說若所處之世難

〔註72〕〔漢〕董仲舒《春秋繁露》,上海:上海古籍出版社,1989年9月第1版,頁39。
〔註73〕〔漢〕董仲舒《春秋繁露》,頁60。
〔註74〕〔漢〕董仲舒《春秋繁露》,頁40。
〔註75〕〔宋〕朱熹《四書集注》,頁372~373。

以行道,連保全自身性命都有困難之時,仍能保持自己「如矢」的原則當然是很好,但其實孔子也不排斥「卷而懷之」,簡言之,孔子注重的是「道」能否施行,若出仕卻不能行道於天下,則可明哲保身,不需枉送性命,故:

> 子曰:「篤信好學,守死善道。危邦不入,亂邦不居。天下有道則見,無道則隱。邦有道,貧且賤焉,恥也;邦無道,富且貴焉,恥也。」
> 〔註76〕(《論語·泰伯》)

> 「君子素其位而行,不願乎其外。素富貴,行乎富貴;素貧賤,行乎貧賤;素夷狄,行乎夷狄;素患難,行乎患難。君子無入而不自得焉」〔註77〕(《四書集注·中庸》)

守死的是善道,非昏君,無道則隱,君子是「無入而不自得」的,所以孟子便稱孔子為「聖之時」者,從這可以看出儒家雖然積極入世,但若面對政治紊亂、小人當道的局面,儒家也不排斥避世護志,甚且還注意到許多在無道之世的求生方法,如:

> 子謂南容,「邦有道,不廢;邦無道,免於刑戮」。〔註78〕
> (《論語·公治長》)

> 子曰:「邦有道,危言危行;邦無道,危行言孫。」〔註79〕
> (《論語·憲問》)

> 子曰:「甯武子邦有道則知,邦無道則愚。其知可及也,其愚不可及也。」〔註80〕(《論語·公治長》)

這些「免於刑戮」、「危行言孫」、「愚」正是讓人們在出與處當中,尚有一可容身之處,求生之法,而非讓人們只能在出仕與退隱中做抉擇,或是要求堅持「以身殉道」的決心,在此可藉孔子稱讚微子、箕子看出:

> 微子去之,箕子為之奴,比干諫而死。孔子曰:「殷有三仁焉。」
> 〔註81〕(《論語·微子》)

微子、箕子、比干各自代表不同的侍君之道,對於暴虐無道的商紂王,微子選擇離開,而箕子則佯狂為奴,得以保命,至於比干則勸諫其君,因此得到殺身

〔註76〕 〔宋〕朱熹《四書集注》,頁247~248。
〔註77〕 〔宋〕朱熹《四書集注》,頁63。
〔註78〕 〔宋〕朱熹《四書集注》,頁179。
〔註79〕 〔宋〕朱熹《四書集注》,頁343。
〔註80〕 〔宋〕朱熹《四書集注》,頁192~193。
〔註81〕 〔宋〕朱熹《四書集注》,頁429。

之禍。這三人的選擇不同，但在孔子口中，都得到「仁」的讚美，可見面對殘暴之君，孔子理解、認同微子離開，箕子爲奴，以求生存的行爲，對於比干忠於紂王，直諫而死的選擇，也同樣認同。從這裡可以看出，孔子雖然欣賞因忠君而死之臣子，但並不要求每個人都必須走向極端之途，以求達成仁德，故孔子言：「志士仁人，無求生以害仁，有殺身以成仁。」〔註82〕（《論語·衛靈公》），是指有殺身成仁之事，若求生無害仁，則大可選擇求生。人若太過在意「殺身成仁」的壯烈之舉，便忽略了「無害仁」之求生，其實若爲求仁而輕易犧牲性命之人，恐有「烈士殉名」之譏，孔子於此留下了空間讓人們不需爲求仁而輕易犧牲生命，儒家雖然推崇「殺身成仁」，如曾子也曾以君子讚美之：「可以託六尺之孤，可以寄百里之命，臨大節而不可奪也。君子人與？君子人也。」〔註83〕（《論語·泰伯》），或是子張所言「士見危致命」〔註84〕（《論語·子張》），但這也是在「臨大節」、「危」之時，只有在這類的關鍵時刻，人才有犧牲性命的必要。所以孔子讚美微子離開紂王，箕子佯狂爲奴，是因爲能在不傷仁德之下，安然保身，雖然儒家能爲仁義犧牲性命，但並非輕易爲之，與其稱之爲「貴生」，不如說儒家「不賤生」——在「身」與「名」上，以「害仁」爲取捨的標準。其實孔子自己也曾因季桓子接受齊人所贈之女樂，三日不朝，而選擇離開，孔子雖然積極出仕，卻並不戀棧權位，況且三日不朝，國將有難，若不能見機而行，恐遭災殃。可見儒家的「忠」，並非「愚忠」。

　　除了上述出與處的保身方法之外，關於避禍保身，儒家還強調不自用自專，認爲人若能謙恭順從，則能避害遠禍，如：

　　好人之所惡，惡人之所好，是謂拂人之性，菑必逮夫身。〔註85〕
　　（《大學》）

　　子曰：「愚而好自用，賤而好自專，生乎今之世，反古之道。如此者，
　　烖及其身者也」〔註86〕（《中庸》）

　　是故居上不驕，爲下不倍，國有道其言足以興，國無道其默足以容。
　　詩曰：「既明且哲，以保其身」，其此之謂與！〔註87〕（《中庸》）

〔註82〕〔宋〕朱熹《四書集注》，頁373。
〔註83〕〔宋〕朱熹《四書集注》，頁243～244。
〔註84〕〔宋〕朱熹《四書集注》，頁429。
〔註85〕〔宋〕朱熹《四書集注》，頁32。
〔註86〕〔宋〕朱熹《四書集注》，頁94～95。
〔註87〕〔宋〕朱熹《四書集注》，頁94。

以上三段論述中，從一、二則可以看出儒家重群體的觀念，與別人不同，違反大眾的言論與行為，將會為自己帶來不可知的災禍。至於第三則，則是引用《詩經・大雅・蒸民篇》，教人不驕不倍，明哲保身的道理。「倍」即「違背」之意，在下位者若違逆不從，自然引來殺身之禍，而驕傲之人，更會因自身的傲慢帶來災禍，這與儒家所追求的「溫、良、恭、儉、讓」，其實是相通的，若再細思，則「溫、良、恭、儉、讓」除了是人的品德，也可以是人的「保身」之道〔註88〕，一個人若能恭謹退讓，在人際關係中便能免除爭端，在群體生活中，以和為貴，若總處在衝突、針鋒相對的情況，不僅公事難以實行，甚且惹來無妄之災。

除此之外，儒家尚注重「知幾」避禍，如前文所引「危邦不入，亂邦不居」，便須敏銳觀察事物發生前的徵兆，才能有先見，從而全身而退，趨吉避凶。又〈中庸章句〉第二十四：「禍福將至：善，必先知之；不善，必先知之。」〔註89〕（《中庸》），同樣強調禍福來臨之前，必先知幾。若不幸處於亂世，面對出與處的抉擇，若不能見微知著，知幾遠禍，則有枉送性命之虞。

儒家的身名觀，若不牽涉到外王，只講內聖的話，其實是相當單純的個人修養問題，一旦牽扯到外王的事功上，則會發現許多理想落入現實的窘境，儒家的名教，讓許多士人注重自身名節，砥志礪行，固然有其維護社會秩序的必要，但也有許多鑽穴隙之輩，隱匿其中，而儒家雖然也注重身體，愛護自己的身體是孝順父母的表現，但在自身生命之上，還有更高貴的仁義，若違反仁義而苟且偷生，是儒家所不贊同的，故我們可以視儒家的身名觀是「貴名而不賤生」。

第三節　道家的身名觀

道家與儒家所說的「道」並不相同，儒家的「道」是道德性，是高出人們生命價值的，故能「以身殉道」，但道家的「道」卻與此不同，它是宇宙生

〔註88〕劉錦賢於《儒家保身觀與成德之教》一書中提到：「一味露才揚己、貶損他人者，恐將自取其辱，甚至有喪命之患也。孔子之『溫、良、恭、儉、讓』（《論語・學而》），孟子之『反求諸己』（《孟子・離婁上》），雖是理之應然，實亦所以保命之方也」，露才揚己、貶損他人即有「驕」意，台北：樂學書局，2003年1月初版，頁5。

〔註89〕〔宋〕朱熹《四書集注》，頁87。

成的根源，它自有某種規律，而這規律可以作爲人類行爲的準則〔註90〕，與儒家大相逕庭，故道家認爲人若能了解「道」，順其自然、返樸歸眞，則能保全生命的長存。所以道家在討論關於生命與聲名的重要時，道家顯然是貴身賤名的。

壹、道家對「身」的看法

一、知足寡欲，貴身如大患

《老子》提到：「名與身孰親？身與貨孰多？得與亡孰病？是故甚愛必大費，多藏必厚亡，知足不辱，知止不殆，可以長久」〔註91〕，外在聲名與自身形軀，何者較重要？人若過分的愛名、求名，則必須付出重大的耗費，而過分的聚斂也可能招來禍殃，懂得知足、適可而止，如此才能保存長久的生命。老子此言將追逐名利視爲傷身害性之事，其實這與儒家不願追求外在名聲與物質生活是相同的，但道家與儒家的差別在於，儒家願意爲了成仁之名，成君子之名，而犧牲性命，也就是爲仁義殉身，如老子有言：「大道廢，有仁義；慧智出，有大僞；六親不和，有孝慈；國家昏亂，有忠臣」〔註92〕，是不會爲仁義殉命的。老子「貴身」思想，尚可從《老子》十三章看出：

> 寵辱若驚，貴大患若身。何謂寵辱若驚？寵爲下，得之若驚，失之
> 若驚，是謂寵辱若驚。何謂貴大患若身？吾所以有大患者，爲吾有
> 身，及吾無身，吾有何患？故貴以身爲天下，若可寄天下；愛以身
> 爲天下，若可託天下。〔註93〕

貴身就是對身外的寵辱不過分看重，貴身就是重視身體就像重視大患一般，若人能懂得貴身、愛身，才可以把天下託付給他。得寵並不值得喜悅，人得

〔註90〕 此定義引自陳鼓應：《老子今註今譯》（台北：台灣商務印書館），頁 2～12。
　　　　而胡楚生：《老莊研究》中，也說明在老子思想中：「『道』字有宇宙根源的意
　　　　義，也有產生萬物能力的意義，也有推動天地萬物生長過程的意義，也有主
　　　　導宇宙萬物發展規律的意義，也有指引人們生活準則的意義」（台北：台灣
　　　　學生書局，1992 年 10 月初版），頁 1。嚴靈峰，《老子達解》指老子的道爲「宇
　　　　宙本體」、「宇宙的起源」，大體老子的「道」爲宇宙根源之義，與儒家倡導的
　　　　仁義道德之道並不相同。
〔註91〕 高明《帛書老子校注·德經四十四》，今本第四十四章，北京：中華書局，1998
　　　　年 12 月二刷，頁 39～41。
〔註92〕 高明《帛書老子校注·道經十八》，頁 310。
〔註93〕 高明《帛書老子校注·道經十三》，頁 276～280。

寵後反而患得患失於這份恩惠，失去了自己的人格自主性，故說「寵辱若驚」，老子能注意到不僅是毀辱會讓人傷身，寵譽也同樣讓人心「驚」，害怕失去的心情，也同樣不能達到貴身的目的。

老子貴身，卻認為人應忽略個人的欲望，而非盡情滿足個人私欲，老子認為能「外其身」者才能夠獲得長久的生存，「天長地久。天地所以能長且久者，以其不自生，故能長生。是以聖人後其身而身先；外其身而身存。非以其無私邪？故能成其私。」（《老子》第七章）〔註 94〕，天地能長久，便是因為它不是為自己而生，而聖人能身存，也是因為他能將自己的私欲置之度外，故老子認為真正能達到長生久視的方法就是知足寡欲，不過分追求物質生活，對外在寵辱毀譽無動於心，因為「追求」本身，就會讓人心失去自由，一旦失去自由，只為滿足個人私利，不僅會帶來外在的災禍，內心的不平靜也同樣傷身。在《老子》第五十章中，便說明人厚自奉養，所帶來的傷害。「出生入死。生之徒十有三，死之徒十有三。人之生動之死地，亦十有三。夫何故？以其生生之厚。蓋聞善攝生者，陸行不遇兕虎，入軍不被甲兵；兕無所投其角，虎無所措其爪，兵無所容其刃。夫何故？以其無死地。」〔註 95〕，他認為世人有十分之三是長壽的，十分之三是短夭的，十分之三是厚自奉養以求生，卻反而傷生者，即所謂的「生生之厚」，因為人心「動之於死地」，追求的過程會讓心靈躁動，就如第十三章所言「若驚」，王弼注曰「故物，苟不以求離其本，不以欲渝其真，雖入軍而不害，陸行而不（犯，可）也」〔註 96〕，不會進入死亡的領域，即是指不會離本、不以欲渝真，若人的欲望過多，過分的奉養自己，以求長生，反而適得其反。老子認為若過「動」妄為，不能守靜寡欲，則難以養生。而莊子也認為人不應「益生」，應順其自然，在《莊子·德充符》中：「惠子曰：『既謂之人，惡得無情？』，莊子曰：『是非吾所謂情也。吾所謂無情者，言人之不以好惡內傷其身，常因自然而不益生也。』，惠子曰：『不益生，何以有其身？』莊子曰：『道與之貌，天與之形，無以好惡內傷其身』」〔註 97〕。莊子認為人應無情，是不要對外物有好惡之情，這與老子不重視外在毀譽、寵辱一般，人如果有了好惡，便會對所好之物追求，

〔註94〕 高明《帛書老子校注·道經七》，頁 250～252。
〔註95〕 高明《帛書老子校注·德經五十章》，頁 64～68。
〔註96〕 樓宇烈校釋《王弼集校釋》，台北：華正書局，2004 年 8 月二版一刷，頁 135。
〔註97〕 〔清〕郭慶藩《莊子集釋》，台北：河洛圖書出版社，1974 年 4 月臺景印一版，頁 221～222。

厭棄所惡之物，而無論是追求或厭棄都不能使心靈寧靜，這些都會累害身心，使身心受損，所以泯去個人私欲，便是貴身的第一步。

老子相當注重「寡欲」，在《老子》一書中，時常出現：

> 塞其兌，閉其門，終身不勤。開其兌，濟其事，終身不救。〔註98〕

> 見素抱樸，少私寡欲〔註99〕

> 禍莫大於不知足，咎莫大於欲得。故知足之足，常足矣。〔註100〕

懂得知足寡欲，便能遠禍離咎，在這部分道家與儒家看法是一致的，孔子對外在物欲原本就不積極追求，而孟子更認為「養心莫善於寡欲」，可見過多的欲望，有礙身體健康在先秦儒家與道家早已提出了。

二、養生以靜，不以事物利害相攖

不同於儒家以德修身，道家認為知足寡欲，不以好惡、喜怒、榮寵等傷身，才是長生久視之道，而不以好惡、喜怒、榮寵傷身，便是要達到內心境界的恬淡無波，《老子》:「載營魄抱一，能無離乎？專氣致柔，能嬰兒乎？滌除玄覽，能無疵乎？」〔註101〕，養生必須人的形體與精神合一，但從「專氣致柔」、「滌除玄覽」可以看出，老子認為人的內心必須心平氣和、洗清雜念，這才能達到修身的目的，人內心的保持寧「靜」，不因喜怒、好惡等引起情緒的波動，才能使人的生命常久。故老子言養生雖形神兼養，但以養神為重，而養神主「靜」:

> 歸根曰靜，是謂復命。復命曰常，知常曰明；不知常，妄作，凶。
>
> 〔註102〕

> 重為輕根，靜為躁君。是以聖人終日行，不離輜重。雖有榮觀，燕處超然。奈何萬乘之主，而以身輕天下？輕則失本，躁則失君。
>
> 〔註103〕

> 化而欲作，吾將鎮之以無名之樸。無名之樸，夫亦將無欲。不欲以靜，天下將自定。〔註104〕

〔註98〕高明《帛書老子校注‧德經五十二》，頁75。
〔註99〕高明《帛書老子校注‧道經十九》，頁314。
〔註100〕高明《帛書老子校注‧德經四十六》，頁48～49。
〔註101〕高明《帛書老子校注‧道經十》，頁262～265。
〔註102〕高明《帛書老子校注‧道經十六》，頁301。
〔註103〕高明《帛書老子校注‧道經二十六》，頁354～358。
〔註104〕高明《帛書老子校注‧道經三十七》，頁426～427。

輕率、躁動，胡亂妄作是「凶」，人若得不爲欲望所主導，懂得以道的眞樸來安定貪欲，滌清私欲，虛靜無爲，這才是爲道者修養身心的方法。

《莊子‧庚桑楚》中描寫至人：「相與交食乎地而交樂乎天，不以人物利害相攖，不相與爲怪，不相與爲謀，不相與爲事，翛然而往，侗然而來。是謂衛生之經已」〔註105〕，至人能「不以人物利害相攖」，不謀俗事，進而能無拘無束的來去，這就是養生之道，可見老莊都認爲不受外物誘惑，是養生的重要法門。

三、養生要能愛惜精力，早服積德

對於養生，由前文我們已知老子不重物質享樂，也就是對於我們人的形軀所衍生出來的欲望，老子認爲應該減少這些不必要的物質慾望，以寶精愛神，而得獲神全。老子曾言：

> 治人事天莫如嗇。夫唯嗇，是謂早服；早服謂之重積德；重積德則
> 無不克；無不克則莫知其極；莫知其極，可以有國；有國之母，可
> 以長久；是謂深根固柢，長生久視之道。〔註106〕

此則雖言治國之道，但老子治國理念與個人貴身是不相衝突的，從前文言「貴以身爲天下，若可寄天下；愛以身爲天下，若可託天下」就可看出老子認爲一個人若懂得貴身愛身，則可以將天下託付予他，同樣的老子認爲治人事天，最好的方法便是「嗇」，「嗇」是「愛惜、保養」之意，愛惜保養精力。「早服積德」是指早服道，重積德，德乃道之內化而有得，「德」在此與道德仁義之「德」意義並不相同，指的是一物之本性，能不斷積累物之本性，愛惜精力，這樣的人沒有什麼不能勝任的，甚至可以將國家託付給他〔註107〕，而「積德」此處並非要人們聚斂財物，而是累積物所以生者，是充實生命力之意〔註108〕，這才是「嗇」的眞義。

〔註105〕〔清〕郭慶藩《莊子集釋》，頁789。

〔註106〕高明《帛書老子校注‧德經五十九》，頁114～117。

〔註107〕此處註解皆引自陳鼓應《老子今註今譯及評介》，有關「德」的解釋，其書引《莊子‧外篇》：「物得以生謂之德」，並說明「德是一物所得於道者。德是分，道是全。一物所得於道以成其體者爲德。德實即是一物之本性」，台北：商務印書館，2006年3月三修六刷，頁236、265。

〔註108〕李霞《生死智慧——道家生命觀研究》指出：「在形體與精神二者中，老子更重視精神修養。老子提出了一個重要的精神修養原則：嗇，以此說明道家養生是形神兼養而以養神爲主，故「嗇」是「愛惜精神，避免勞經費神」，頁124。

而在莊子來看，莊子認為人為外在事物所勞役，耗費精力，疲憊而不知止，是很悲哀的事，他如此形容人活著的情形：

> 一受其成形，不忘以待盡。與物相刃相靡，其行盡如馳，而莫之能止，不亦悲乎！終身役役而不見其成功，苶然疲役而不知其所歸，可不哀邪！人謂之不死，奚益！其形化，其心與之然，可不謂大哀乎？人之生也，固若是芒乎？其我獨芒，而人亦有不芒者乎？
> 〔註109〕《莊子·齊物》

人生在世，終身勞碌，身體逐日衰竭，精神受到束縛，也隨著形體消滅，這樣的「生」既昏昧又可悲，所以何必為世俗之祿、名位、好惡等耗費精力，而疲勞無功。《莊子·逍遙遊》中借肩吾描述神人「之人也（指神人），之德也，將旁礡萬物以為一世蘄乎亂，孰弊弊焉以天下為事！之人也，物莫之傷，大浸稽天而不溺，大旱金石流土山焦而不熱。是其塵垢粃穅，將猶陶鑄堯舜者也，孰肯以物為事？」〔註110〕，說明世人紛紛擾擾為求功名利祿，但神人卻是「孰弊弊焉以天下為事」、「孰肯以物為事」，老子認為保全精力以養身，莊子認為神人不為物役，不為物傷，能與萬物為一，故不會紛然以物為事。這可以看出老莊哲學反對「以物傷身」，人的「身」重於外在名利、好惡、榮寵。

四、全身遠害，守柔不爭

老子認為柔弱勝剛強，不爭故無傷，堅強者仗血氣之勇，卻因此傷身甚而喪生：

> 人之生也柔弱，其死也堅強。萬物草木之生也柔脆，其死也枯槁。故堅強者死之徒，柔弱者生之徒。是以兵強則不勝，木強則兵。強大處下，柔弱處上。〔註111〕

> 夫唯不爭，故天下莫能與之爭。古之所謂曲則全者，豈虛言哉！誠全而歸之。〔註112〕

> 反者，道之動；弱者，道之用。〔註113〕

〔註109〕〔清〕郭慶藩《莊子集釋》頁56。
〔註110〕〔清〕郭慶藩《莊子集釋》，頁30～31。
〔註111〕高明《帛書老子校注·德經七十八》，頁197～200。
〔註112〕高明《帛書老子校注·道經二十三》頁342。
〔註113〕高明《帛書老子校注·德經四十一》，頁27。

> 江海所以能爲百谷王者，以其善下之，故能爲百谷王。是以欲上民，
> 必以言下之；欲先民，必以身後之。是以聖人處上而民不重，處前
> 而民不害。是以天下樂推而不厭。以其不爭，故天下莫能與之爭。
> 〔註114〕

柔弱才能處上，才是生之徒，不爭者爲曲，曲則能全，用於治國，則聖王以言下之、以身後之，不與人爭，也因如此謙卑退讓反而得以不害民，也許有人認爲此乃政治厚黑學，但從各章來看，老子認爲人退讓不爭，柔弱處世才得以全身，以這樣的想法來治國，若國君懂得謙卑退讓，虛心受教，不與民爭利，則人民不會以有這樣的國君爲苦，於是人民得以休養生息，國家便得安寧富庶，以此來看，則不必將其認爲爲獲得民心所做的表面謙讓了。

老子認爲守柔不爭能全身遠害，故認爲自矜自誇之徒，反而不受人稱揚，甚至帶來禍殃，如「持而盈之，不如其已。揣而梲之，不可長保。金玉滿堂，莫之能守。富貴而驕，自遺其咎」〔註115〕、「自見者不明，自是者不彰，自伐者無功，自矜者不長」〔註116〕，人若浮誇驕傲，自矜自伐，不僅無功，甚至不得久長，若想得長久保身，則必須懂得謙退。

而莊子認爲人能得以保全性命，則從其「無可用之處」談起。對於有用無用，莊子曾舉出幾個有名的例子來說明無用更能保全性命，更能遠離被人利用、被人視爲工具，不得自由的苦境。如櫟社樹，「是不材之木也，無所可用，故能若是之壽」〔註117〕（《莊子・人間世》）；或是南伯子綦所見之大木「此果不材之木也，以至於此其大也。嗟乎神人，以此不材」〔註118〕（《莊子・人間世》），以及白額的牛、鼻孔上翻的豬、生痔瘡的人，不可用於祭河神，皆因爲這些是不吉祥的，但「此乃神人之所以爲大祥也」〔註119〕（《莊子・人間世》）；支離疏「夫支離其形者，猶足以養其身，終其天年，又況支離其德者乎？」〔註120〕（《莊子・人間世》）。這些例子都是藉由人們以爲不材、不祥、殘缺而卻能全其性命者，在莊子看來外在世界的種種有材、吉祥、身全，都

〔註114〕高明《帛書老子校注・德經六十六》，頁145。
〔註115〕高明《帛書老子校注・道經九》，頁258～261。
〔註116〕高明《帛書老子校注・道經二十二》，頁334。
〔註117〕〔清〕郭慶藩《莊子集釋》，頁171。
〔註118〕〔清〕郭慶藩《莊子集釋》，頁177。
〔註119〕〔清〕郭慶藩《莊子集釋》，頁177。
〔註120〕〔清〕郭慶藩《莊子集釋》，頁180。

比不上能保全自身性命來得重要，更何況是虛幻的聲名，若將聲名與性命相較，莊子毫無疑問的選擇了自在活著。

從老子不爭、不恃強、不自誇，到莊子以無用為大用，都可以看出若人強出頭，以世人認為的「有才」而自誇，恐遭來殺身之禍而不自知，這與現代人常言「低調處世」頗有共通之處，從這也可以看出老莊視爭取外在世俗價值為害生之具，為求外在事功，人便可能因為爭利而引發戰亂，或是在戰爭當中為求功名，而強出頭，以致戰死沙場，留予後世卻可能是為暴君或是為虎作倀之名，有為自身所願，與其如此還不如保全生命。再則若人人都能懂得守柔不爭，則爭亂何由而起？故人言老莊乃亂世哲學，其來有自。

五、不悅生惡死

在亂世當中，人何以安身立命，莊子提出「安時而處順」的說法，安心適時順應變化，《莊子‧養生主》：「緣督以為經，可以保身，可以全生，可以養親，可以盡年。」〔註121〕，其中「緣督以為經」，王夫之：「緣督者，以清微纖妙之氣，循虛而行，止於所不可行，而行自順，以適得其中」〔註122〕，「順」虛而行，如此養生則可保身全生，養親盡年。以庖丁解牛為例，「依乎天理，批大卻，導大窾，因其固然，技經肯綮之未嘗，而況大軱乎？……彼節者有閒，而刀刃者无厚，以无厚入有閒，恢恢乎其於遊刃必有餘地矣。」〔註123〕，同樣強調順虛而行，依其天理自然之道，順應牛的經絡筋骨，則解牛能不傷刀刃，而牛「不知其死也」，這便是處「順」之法。若能了解一切依乎自然，則人們在面對生命的困境與殘缺時，更能「平常心」對待，如《莊子‧》公文軒「見右師而驚曰：『是何人也？惡乎介也？天與，其人與？』曰：『天也，非人也。天之生是使獨也，人之貌有與也。以是知其天也，非人也』」〔註124〕，右師天生只有一隻腳，並不是後天人為，藉由這則寓言，我們可以知道莊子認為一個人神全則生全，即便他外形有所殘缺，但無損於他個人的精神完整，更何況這是天生，人若不懂得順天應物，便會局限於形體的殘缺而導致心靈的殘缺，故莊子寓言裡，描寫形體殘缺之人，懂得安時處順，坦然接受，反而活得理直氣壯，不會不甘不願於形體的不全，人若安時處順，哀樂不入，

〔註121〕〔清〕郭慶藩《莊子集釋》，頁115。
〔註122〕〔清〕郭慶藩《莊子集釋》，頁117。
〔註123〕〔清〕郭慶藩《莊子集釋》，頁119。
〔註124〕〔清〕郭慶藩《莊子集釋》，頁124。

不僅能「外形骸」，甚至能「齊生死」。《莊子‧大宗師》裡：「且夫得者，時也，失者，順也；安時而處順，哀樂不能入也。此古之所謂縣解也，而不能自解者，物有結之」〔註125〕，「得者」、「失者」，即生與死，若能順天應物，就能做到古人所稱的「懸解」，人若受外物的束縛，患得患失，悅生惡死，生命籠罩在死亡的陰影中，不能自解，這樣的痛苦便來自他不能了解生死乃是自然之理，是造化運行的必然結果，人無法違逆改變，只能坦然接受。

而莊子特以卑賤之物來形容生死變化，如在《莊子‧大宗師》中子來有病將死，子犁倚靠在門上對子來說：「偉哉造化！又將奚以汝為，將奚以汝適？以汝為鼠肝乎？以汝為蟲臂乎？」〔註126〕；以及孔子回答子貢關於子桑戶死，而他的朋友孟子反、子琴張卻鼓琴而歌的原因「彼以生為附贅縣疣，以死為決疣潰癰」〔註127〕；其實人們若能了解生死是最自然，並無需大張旗鼓的事，便更能以平常心對待，所以認為那些以禮制約束人民，要求人民治喪依禮的人，都是不了解禮的真意，不懂得生死的變化是自然法則。所以莊子才會在妻子死去後，鼓盆而歌，因為他認為妻子順時而來，順時而去，她離開了生命中的苦樂，前往另一個未知的世界，這不過就是順應自然變化之理，這即是「安化」〔註128〕——安排而去化，聽任自然的安排，順應變化，《莊子‧大宗師》裡：「又惡知死生先後之所在！假於異物，託於同體，忘其肝膽，遺其耳目，反覆終始，不知端倪，芒然彷徨乎塵垢之外，逍遙乎無為之業。」〔註129〕，形軀只是氣的偶然聚合，視生為偶然，往來生死，不能分辨其中的分際，能外其身軀，如此人才能脫離戀生惡死的執迷裡。

老子曾說：「反者，道之動」〔註130〕，萬事萬物都依循著道迴環反覆，故生其實是死的開始，而死是生的開端。老子曾言「天地不仁，以萬物為芻狗」〔註131〕，高明曰：「萬物生死勢所必然，無生死之迭續，即無萬物之亘延。老子以『芻狗』為喻，任其自然」，因此對於生死，老子認為不需

〔註125〕〔清〕郭慶藩《莊子集釋》，頁260。
〔註126〕〔清〕郭慶藩《莊子集釋》，頁261。
〔註127〕〔清〕郭慶藩《莊子集釋》，頁268。
〔註128〕陳鼓應先生於《莊子今註今譯》中將〈大宗師〉一文的主題思想歸納為：「『天人合一』的自然觀，『死生一如』的人生觀，『安化』的人生態度，『相忘』的生活境界」，頁184。
〔註129〕〔清〕郭慶藩《莊子集釋》，頁268。
〔註130〕高明《帛書老子校注‧德經四十一》，頁27。
〔註131〕高明《帛書老子校注‧道經五》，頁243。

要執著於生，天地萬物與道爲一，生死都在道的規律之中，但這並非與前文所言道家「貴身」矛盾，因爲人可以經由養生而達到生命的長久，雖然長久的生命都難免一死。《莊子》中的神人眞人至人，「死生无變於己」〔註132〕（《莊子·齊物論》）、「不知說生、不知惡死」〔註133〕（《莊子·大宗師》），可以知道這些神人至人眞人仍有生死，只是不因生死變化而驚懼無依，莊子也曾以「死生如晝夜」來形容生死變化，既然生死乃是自然，所以面臨死亡人們不需徬徨失措。人如能坦然、自在，不悅生不惡死，以至生死如一，便能從形體的束縛中挣脫出來，「離形去知」〔註134〕，從而追求精神生命的恬然寧靜。

貳、道家對於「名」的看法

儒家講求「名實相符」，所以不求虛名，而是希望人能不斷自我精進，而道家對於「名」能否表述「實」卻是懷疑的，道家認爲可以言語表述的道都非「常道」，而可以說出來的名也非「常名」，眞正的道是不能以名表述之的，故有「道，可道，非常道；名，可名，非常名」的說法，對於「名」能規範社會倫理秩序，道家認爲與其說是規範，毋寧說是束縛，人心本於自然，若加以人爲干涉，反而失去本眞，失去原有的純樸本性，而「名」正是人爲的，以此來規範人的行爲舉止，使人遠離自己原有的純樸本性，故道家認爲應以「無名」來消解「名」的束縛規範。

一、道隱無名

與儒家講求「正名」不同的是，道家講求的是「無名」，在老子《道德經》中：

> 道常無名，樸雖小，天下莫能臣也。侯王若能守之，萬物將自賓。天地相合，以降甘露，民莫之令而自均焉。始制有名，名亦既有，夫亦將知止，知止可以不殆。譬道之在天下，猶川谷之於江海。
>
> 〔註135〕

〔註132〕〔清〕郭慶藩《莊子集釋》，頁96。
〔註133〕〔清〕郭慶藩《莊子集釋》，頁229。
〔註134〕〔清〕郭慶藩《莊子集釋》，頁284。
〔註135〕高明《帛書老子校注·道經三十二》，頁397～400。

> 道常無爲而無不爲，侯王若能守之，萬物將自化。化而欲作，吾將
> 鎮之以無名之樸。無名之樸，夫亦將無欲。不欲以靜，天下將自定
> 〔註136〕
>
> 大方無隅，大器晚成，大音希聲，大象無形，道隱無名。〔註137〕
>
> 至人無己，神人無功，聖人無名。〔註138〕（《莊子·逍遙遊》）
>
> 萬物殊理，道不私，故無名。〔註139〕（《莊子·則陽》）

所謂「始制有名，名亦既有，夫亦將知止」，王弼注：「始制官長，不可不立明分以定尊卑，故始制有名也」，從這裡我們可以知道老子並非完全否定「名」，但他提出「名」是要強調「名」非「實」，若人執守於名，欲藉「名」以亂實，甚而有逾越的情形出現，因此造成社會不安，莊子也說：「「德蕩乎名，知出乎爭。名也者，相〔軋〕也；知也者，爭之器也。二者凶器，非所以盡行也」〔註140〕」，爲追求名位、名利等，彼此互相傾軋，則永無寧日。

《莊子·逍遙遊》中借許由之口說：「名者，實之賓也」〔註141〕、《莊子·庚桑楚》：「請常言移是。是以生爲本，以知爲師，因以乘是非；果有名實，因以己爲質，使人以爲己節，因以死償節。若然者，以用爲知，以不用爲愚，以徹爲名，以窮爲辱。移是，今之人也，是蜩與學鳩同於同也」〔註142〕，說明名不定，是非不定，人卻執己見以成名實，彼此相競。甘以殺身成名，以死成節，這樣的人見識卑小，如同蟬與小鳩。

所以老子提出人應當「知止」，來停止這些爭端。且若能守以無名之樸，天下將自定，希望藉由「無名」來瓦解封建政治中的尊卑層級，故侯王若守「無名之樸」，必將能「我無爲而民自化，我好靜而民自正，我無事而民自富，我無欲而民自樸」〔註143〕，無名無爲，讓人們對事物的價值從「名」掙脫出來，而莊子藉由「忘仁義」、「忘禮樂」、「墮肢體，黜聰明，離形去知，同於

〔註136〕高明《帛書老子校注·道經三十七》，頁421～427。
〔註137〕高明《帛書老子校注·德經四十》，頁24。
〔註138〕〔清〕郭慶藩《莊子集釋》，頁17。
〔註139〕〔清〕郭慶藩《莊子集釋》，頁909。
〔註140〕〔清〕郭慶藩《莊子集釋》，頁135。
〔註141〕〔清〕郭慶藩《莊子集釋》，頁24。
〔註142〕〔清〕郭慶藩《莊子集釋》，頁807。
〔註143〕高明《帛書老子校注·德經五十七》，頁107。

大通」的「坐忘」來將現實中的「名」拋去，希望讓人們能回復原有的樸質狀態〔註144〕。

《莊子・讓王》中便多次提到生命貴於利祿名位的論點，「天下大器也，而不以易生」〔註145〕、「能尊生者，雖貴富不以養傷身，雖貧賤不以利累形」〔註146〕、「今世俗之君子，多危身棄生以殉物，豈不悲哉！」〔註147〕，這些寓言皆發揮了「重生而賤名位」的思想，對於儒家以德修身，積極出仕的心態，《莊子》認爲是「好名」：

> 且昔者桀殺關龍逢，紂殺王子比干，是皆修其身以下傴拊人之民，以下拂其上者也，故其君因其修以擠之。是好名者也。昔者堯攻叢枝、胥敖，禹攻有扈，國爲虛厲，身爲刑戮，其用兵不止，其求實无已。是皆求名實者也。而獨不聞之乎？名實者，聖人之所不能勝也，而況若乎！〔註148〕

關龍逢、比干，修身傴拊人民，在儒家來看乃是出仕行道的表現，但在《莊子》眼裡，這是「好名」，而堯禹則爲求「實」，輕啓戰爭，可見面對名利，連聖人都難以克制，普通人們更難以從名利的誘惑中逃出。

再如叔山無趾一事：「无趾語老聃曰：『孔丘之於至人，其未邪？彼何賓賓以學子爲？彼且蘄以諔詭幻怪之名聞，不知至人之以是爲己桎梏邪？』」〔註149〕，由於無趾遭刖刑，所以孔子認爲他現在來請教已經太遲了，無趾是因不知世務以致於有外在的殘缺，如今來請教孔子是因爲他認爲有比雙足更爲尊貴的束西，但孔子未能突破無趾受刑罰，是一個有罪之人的世俗標準，而輕視無趾，無趾離開後，另尋老子請教問題，才有了這番評論，孔子受外在名

〔註144〕 丁亮於《「無名」與「正名」——論中國上中古名實問題的文化作用與發展》提出：「莊子藉由『忘』與『外』，將名實間的距離推擴至無限大。藉著顏回與仲尼的寓言《莊子》描述了『忘』，在顏回『忘禮義』、『忘仁義』、『坐忘矣』一步一步過程中，『回益矣』，最後的坐忘則是『墮肢體，黜聰明，離形去知，同於大通』，於是一切人爲禮樂仁義，一切事物之知與形全然遠去，形名皆去，然後可『無好』、『無常』，最後『丘也請從而後』，因爲此即『忘而復之』的真人境界，所有的名相都一層一層褪去，到此境界自可『得意而忘言』」，頁142。
〔註145〕 〔清〕郭慶藩《莊子集釋》，頁966。
〔註146〕 〔清〕郭慶藩《莊子集釋》，頁967。
〔註147〕 〔清〕郭慶藩《莊子集釋》，頁971。
〔註148〕 〔清〕郭慶藩《莊子集釋》，頁139。
〔註149〕 〔清〕郭慶藩《莊子集釋》，頁204。

聲束縛，也以這樣的眼光來看待他人，而老子的建議則是以「死生爲一、可不可爲一」來解除孔子對外在名聲的執迷。

儒家「正名」是希望讓人們可以依名行事，名正事成，所以以「名」來設定典章制度及社會倫理，使一切事物井然有序，但道家卻以爲「名」脫離了實質，名無法表實，正因爲制名而分割萬物，造成巧僞並起，「人多伎巧，奇物滋起。法令滋彰，盜賊多有」〔註150〕，故曰「名，可名，非常名」，這些非「常名」，離開了眞實，眞正永恆不變的「名」，應該是不可名說的，對於求名以至巧僞並起，王弼精闢之闡釋：

> 夫敦樸之德不著，而名行之美顯尚，則修其所尚而忘其譽，修其所道而冀其利。望譽冀利以勤其行，名彌美而誠愈外，利彌重而心愈競。父子兄弟，懷情失直，孝不任誠，慈不任實，蓋顯名行之所招也。（《王弼集校釋・老子指略》）〔註151〕

因爲「名」規範了人們的行爲、準則，卻讓人們的行爲遠離了眞誠的性情，所以道家認爲外在的「名」，名分、名位、名望、名譽、名義等都是束縛人心，扭曲人性的「人爲」之事，而主張返回自然，這便是道家的「無名觀」。

二、天地一指，萬物一馬

在莊子《齊物》中說道：

> 道行之而成，物謂之而然。惡乎然？然於然。惡乎不然，不然於不然。物固有所然，物固有所可。無物不然，無物不可。故爲是舉莛與楹，厲與西施，恢恑憰怪，道通爲一。其分也，成也；其成也，毀也。凡物無成與毀，復通爲一。〔註152〕

此明事物的名稱是由人說出來而定名的，所以自有它爲何命名爲這個名稱的原因，也必有它爲何不命名爲別的名稱的原因，萬事萬物因其名而有分，因爲有所分別，也就限制了這些事物的「可能」，則萬事萬物因爲這樣的「區分」而割裂限制，那麼事物雖有所成，必有所毀，只有從通體來看天地事物，事物才無成與毀，「復通爲一」了。從這可以看出莊子從事物命名的源頭，找出所有事物原有它可與不可的情形，人們藉由命名來溝通傳達意念，卻也因爲

〔註150〕高明《帛書老子校注・德經五十七》，頁 105。

〔註151〕樓宇烈校釋《王弼集校釋》，台北：華正書局有限公司，2004 年 8 月二版一刷，頁 199。

〔註152〕〔清〕郭慶藩《莊子集釋》，頁 69～70。

人們的主觀認知，將原本自自然然存在於天地間的事物有了分別，於是「名」局限萬物，不僅束縛住這些事物的可能性，而人們也因爲「名」的定立，束縛住自己的認知。所以莊子認爲唯有通達之士「知通爲一，爲是不用而寓諸庸；……。已而不知其然，謂之道」〔註153〕，不固守成見，因任自然。因其自然而不知其所以然，這就是道了。事物以相同處來看，其實是沒有分別的，人不應該以自身的看法來評斷他人的「是非」。莊子的齊物論便是道家「無名」觀的極致。〔註154〕

三、身沒道存，死而不朽

　　道家以無名觀來消除世人對名的追求，但並不代表人一生便是消極度過，如老子對於「功」，便顯現出積極努力的一面，不同的是老子認爲人應「功成身退」：

> 是以聖人處無爲之事，行不言之教；萬物作焉而不辭，生而不有，
> 爲而不恃，功成而弗居。夫唯弗居，是以不去。〔註155〕

> 功遂身退，天之道。〔註156〕

> 生而不有，爲而不恃，長而不宰。〔註157〕

> 聖人爲而不恃，功成而不處，其不欲見賢。〔註158〕

這些「生」、「爲」便可以看出老子思想絕非厭世、消極處世，只是認爲人應功成身退，不爲名而「爲」，也不在功成後「恃」、「爭」，應知所進退，同樣的《莊子》也認爲人不應居功，「孰能去功與名而還與眾人！道流而不明，居得行而不名處；純純常常，乃比於狂；削迹捐勢，不爲功名」〔註159〕（《莊子‧山木》），將功名還與眾人，自身能保持純樸平常，削除行跡權勢，這樣的人乃是至人。

〔註153〕〔清〕郭慶藩《莊子集釋》，頁70。
〔註154〕丁亮《「無名」與「正名」——論中國上中古名實問題的文化作用與發展》：「天地之間只是一『道』，萬物之間只是一『實』，在此萬物一齊的觀點下，『名』完全失去了價值，不要說『名』了，連『形』也不要了；不要說『形』了，連『知』也不要了，因爲無論是『名』是『形』是『知』都只是自道分別出來的殊相，而非宇宙之根本實體」，頁143。
〔註155〕高明《帛書老子校注‧道經二》，頁232～234。
〔註156〕高明《帛書老子校注‧道經九》，頁261。
〔註157〕高明《帛書老子校注‧道經十》，頁269。
〔註158〕高明《帛書老子校注‧德經七十九》，頁206。
〔註159〕〔清〕郭慶藩《莊子集釋》，頁680。

這樣「爲而不恃」的處世態度，其實與道生成萬物而不自以爲功的情形是一樣的，在《老子》三十四章中：「大道氾兮，其可左右。萬物恃之而生而不辭，功成不名有。衣養萬物而不爲主，常無欲，可名於小。萬物歸焉而不爲主，可名於大。以其終不爲大，故能成其大」〔註160〕，所以能做到功成不有的人，便是體道之士，對於功名功勞，不去佔有，也因爲體道之士同樣懂得「不爲大」，故最後他終究能「成其大」。

人在世時，爲而能不爭、不恃、不居、不處，體道知足，則人死後肉體消亡，但精神卻可達至不朽的境界，如《老子》：「不失其所者久，死而不亡者壽」〔註161〕，王弼注「雖死而以爲生之道，不亡乃得全其壽。身沒而道猶存，況身存而道不卒乎？」〔註162〕，而《莊子·大宗師》也說「且彼有駭形而無損心，有旦宅而無情死」，人有形體的變化，沒有心神的損傷；有軀體的轉變沒有精神的死亡，故老莊認爲體道之士面對生死變化視爲自然，且即便人死亡，也無損於他的精神常存。

參、道家「身」與「名」的關係

道家以「無名」來破除「名」對世間萬物的局限，認爲一永恆不變的「常名」，是不能以一固定的名稱去稱說它，也就是道家對於「名」雖表述「實」，但終究是「實」的衍生，人不可執名失實。相較之下，人應將向外追尋的目光應回歸到自我本身，藉由形神合一，寧靜守樸，懂得養蓄精神，一方面又能懂得謙退守柔，則不但能讓身軀充滿生命力，也能讓自己的生命達至長生。

如此看來，道家似乎是貴身賤名的，但對於肉體形軀之「身」，道家卻是看得很淡，認爲肉體的消亡是自然而然的，肉體的殘缺不代表精神的殘缺，故道家所言「長生久視」並非單指人的壽命長久，更言精神不朽。而精神不朽，能留傳後世的就是自己的身後名了，而能留下身後名者，他的人格形象必是體道者，是功成身退，純樸不爭之人。

故道家貴身賤名，在於道家認爲人不應爲求外在名聲、利祿、榮寵等而傷身，但若人能在不求功、不求名的情況，以自然無爲處世或治國，且在功成後不爭名、不居功，則即便這人的形體消滅，卻能因他「不求大」，而能成

〔註160〕高明《帛書老子校注·道經三十四》，頁405～412。
〔註161〕高明《帛書老子校注·道經三十三》，頁404。
〔註162〕樓宇烈校釋《王弼集校釋》，頁85。

其偉大，而「死而不亡」。依此來看，道家重視人的精神生命，反對名的拘制束縛，以及後人為求名而害人傷己，「名」不該是人行動的背後動機，而應該是人行動後自然獲致。

第四節　魏晉士人眼中的身名

漢代前期，以黃老之術治理天下，從《淮南子》論述養生之道可以看出其重身思想，對於外在名利視為傷身禍端，漢武帝獨尊儒術，董仲舒提出天人相感之說，將人的四肢與四季相副，人的哀樂與陰陽相副，認為天同樣具有情感與道德意志，而人與天為同類，同類故能相感，而人應服膺天道，因為天會對人事予以賞罰，人必須符合儒家的倫理規範，故董仲舒的天道其實歸於儒家。這種天人感應說，加上儒家的倫理規範，使君王得以藉此管理人民〔註163〕，故人的身軀依附在天道之下，言行舉止需合乎天道，也就是儒道。

漢儒以禮規範立身處世之道，《禮記》：「故禮儀也者，人之大端也。所以講信修睦，而固人肌膚之會，筋骸之束也」〔註164〕，的言行舉止受到了禮儀的約束，每個人都應依其所處之位而行其事，故父慈子孝，兄友弟恭，若從政治上來看，則人居其位，需行其事，講求名實相符，故對於「名」，董仲舒《春秋繁露・深察名號》中便視名為「大理之首章也」〔註165〕，以名使事物條理化，故能依名任實，王符《潛夫論・考績》：「是故有號者必稱於典，名理者必效於實，則官無廢職，位無非人」〔註166〕，徐幹《中論》：「名者，所以名實也，實立而名從之，非名立而實從之也」〔註167〕，人人依據自身所在之位，具行其事。若依此治理天下，則社會秩序井然，人人據禮從事，風俗淳美。

〔註163〕如劉成紀《形而下的不朽——漢代身體美學考論》所言：「它在統治者的社會權力之上加上了來自自然的威權，從而將統治者原本不可制約的權力置於一個更絕對、更具無限性的權力主體的覆蓋之下。這樣先秦儒家一直沒有處理好的對統治者進行規訓的問題，到了董仲舒這裡被一種近乎於神學的方式解決了」，北京：人民出版社，2007 年 4 月第一版，頁 152。

〔註164〕〔清〕孫希旦《禮記集解》，頁 561。

〔註165〕〔漢〕董仲舒撰主永嘉、王知常注譯《新譯春秋繁露》臺北：三民書局，2007年 2 月初版，頁 776。

〔註166〕〔漢〕王符撰〔清〕汪繼培箋《潛夫論箋》，臺北：大立出版社，1984 年 1月初版，頁 65。

〔註167〕〔漢〕徐幹撰蕭登福校注《中論》，臺北：臺灣古籍出版社，2000 年 10 月初版，頁 365。

但東漢宦官亂政，而選舉不公，沽名釣譽者多，貪吏、酷吏更造成民怨四起，王符《潛夫論・考績》「群僚舉士……以殘酷應寬博」〔註168〕，《潛夫論・浮侈》「天下百郡千縣，市邑萬數，……本末何足相供？則民安得不飢寒？飢寒並至，則安能不為非？為非則姦宄，姦宄繁多，則吏安能無嚴酷？」〔註169〕，都顯示出東漢末「名實不相符」的情況，於是天人感應說與儒家禮教遂難以規範人心。

於此時，道家思想開始勃興，這是因為在兵燹不絕的時代，老莊之學所說的逍遙無為吸引人心之故，而道家學說中「順應自然」、「超然物外」都能使感傷身世飄零者獲得慰藉，而莊園經濟的興起，更促成東漢末道家學說的興盛，《後漢書・仲長統》描述一理想人生：「使居有良田廣宅，背山臨流，溝池環市，竹木周布，場圃築前，果園樹後。舟車足以代步涉之難，使令足以息四體之役。養親有兼珍之膳，妻孥無苦身之勞。良朋萃止，則陳酒肴以娛之；嘉時吉日，則亨羔豚以奉之。躕躇畦苑，遊戲平林。濯清水，追涼風，釣遊鯉，弋高鴻。諷於舞雩之下，詠歸高堂之上。安神閨房，思老氏之玄虛；呼吸精和，求至人之彷彿。」〔註170〕，可以看出這樣的莊園經濟，與道家思想結合後，呈現出一理想的生活。獨立的經濟基礎，使士人開始注重自身生命，而社會責任感則逐日消退〔註171〕。

到了魏晉時代，「迄至正始，務欲守文；何晏之徒，始盛玄論，於是聃周當路，與尼父爭途矣」〔註172〕，道家思想籠罩魏晉時代，綜觀魏晉二朝，在儒道二家的激盪下，對於身名二者，或有採取二家說法，但更有自我發揮的情形，從石崇「士當身名俱泰」，便可一瞥魏晉士人對儒道二家並非全盤接納。

魏晉士人重視身名，士人常於詩文或言語中談及「身名」，如陸機〈豪士

〔註168〕〔漢〕王符撰〔清〕汪繼培箋《潛夫論箋》，頁68。

〔註169〕〔漢〕王符撰〔清〕汪繼培箋《潛夫論箋》，頁120。

〔註170〕〔南朝宋〕范曄撰《後漢書》，臺北：藝文印書館，1958年，頁590。

〔註171〕馬良懷《漢晉之際道家思想的復興》：「兩漢之時，由於統治者推行的天人感應神學強調個體與群體的統一，……兩漢士大夫熱衷於積極入世，醉心於建功立業，自覺地將個體融化在群體之中，很少思考自我的真實存在。到了東漢下半葉，……道家對個體真實存在的審視等開始被人們注重，出現了對精神意境的嚮往，對獨立人格的追求，對個體真實存在的思考」，廈門：廈門大學出版社，2006年3月第一版，頁51。

〔註172〕〔南朝梁〕劉勰撰詹鍈義證《文心雕龍義證》，上海：上海古籍出版社，1994年9月第一版第2刷，頁681。

賦（並序）〉中警惕豪士應了解功高震主，「身逾逸而名逾劭」，要懂得明哲保身，否則「名編凶頑之條，身厭荼毒之痛，豈不謬哉！」〔註173〕，傅咸〈畫像賦〉：「惟年命之迫短，速流光之有經。疾沒世而不稱，貴立身而揚名。既銘勒于鐘鼎，又圖像于丹青，覽光烈之攸畫，睹卞子之容形」〔註174〕，孔坦〈臨終與庾亮書〉中，感嘆「但以身往名沒，朝恩不報，所懷未敘，即命多恨耳！」〔註175〕，對於自己未能來得及與庾亮共同「四海一統」，卻就此死去，感慨憤懣，徒留「身往名沒」的悲痛。而桓玄〈與劉牢之書〉：「今君戰敗則傾宗，戰勝則覆族，以是安歸乎？孰若翻然改圖，唯理是宅，保其富貴，全其勳業，則身與金石等固，名與天壤俱窮，孰與頭足異處，身名俱滅，為天下笑哉？」〔註176〕，桓玄以「身名俱滅」，家族安危來招降劉牢之，家族身名俱是士人無法拋諸腦後之事，在追求建功立業中，更要考慮自身身名與家族安危。

　　由於亂世無常，士人將關注的目光從群禮大我中，復歸到自我小我中，於是保全性命成了第一要務〔註177〕，魏晉的「重身」思想，與個體自覺有關，而漢末重名的風氣，雖導致名實不符，交遊標榜的情況，但此風由原先的選舉制度，隨著人物品評而日漸昂揚。

　　從東漢末年開始，士人開始將關注在國家的目光上，轉移到關注自身，從道家思想在漢晉之際蓬勃發展中，我們可以了解士人開始尋求在亂世中如何安身立命，這種靜退、不競、不冒尖的想法，都與道家「全身遠害」、「守柔不爭」相同，雖然使士風不振，但能從血腥屠殺中，避開禍端，避免無謂的死傷，這些留下性命的魏晉士人，才能再進一步追求名泰。

　　前文指出漢代選舉制度，致使求名與仕進難以切割，而「名」的獨立價

〔註173〕〔唐〕房玄齡等撰〔清〕吳士鑑、劉承幹注《晉書斠注》，北京：中華書局，2008 年 9 月第一版，頁 964。
〔註174〕〔清〕嚴可均輯《全晉文》，西安：陝西人民出版社，2007 年，頁 689。
〔註175〕〔唐〕房玄齡《晉書・孔坦傳》，頁 1311。
〔註176〕〔清〕嚴可均輯《全晉文》，頁 220。
〔註177〕王岫林《魏晉士人的身體觀》：「魏晉以世亂而處於一種學術重整的時代，傳統禮教面對嚴酷的考驗，士人的個人自覺興起。加以世族所擁有的龐大政治、經濟與學術上的利益，與思想上的多元化發展，使得士人將目光由大我轉向小我，開始關注賴以存活的身體。對於自我與現世身體的重視，使得士人於面對亂世時，不採儒家重精神高度而修道德與道家輕欲望、一死生的思想，而以及時行樂與養生延壽並重的方式，運用現世的身體」，頁 17。

值，也隨著士人在士林中的影響力，而終成士人追逐的目標。魏晉士人爭名，求名的情況熱絡，從《世說》一書中，可見其風：

　　于法開始與支公爭名，後精漸歸支，意甚不忿，遂遁跡剡下。〔註178〕

　　張憑舉孝廉出都，負其才氣，謂必參時彥。……長史諸賢來清言。客主有不通處，張乃遙於末坐判之，言約旨遠，足暢彼我之懷，一坐皆驚。……既前，撫軍與之話言，咨嗟稱善曰：「張憑勃窣爲理窟。」即用爲太常博士。〔註179〕

　　王汝南既除所生服，遂停墓所。兄子濟每來拜墓，略不過叔，叔亦不候。……。後聊試問近事，答對甚有音辭，出濟意外，濟極惋愕。仍與語，轉造精微。……乃喟然歎曰：「家有名士，三十年而不知！」……，後武帝又問如前，濟曰：「臣叔不癡。」稱其實美。帝曰：「誰比？」濟曰：「山濤以下，魏舒以上。」於是顯名。年二十八，始宦。〔註180〕

士人於清談顯名當時，若能於言詞中超拔眾人，則名聲鵲起，于法開與支遁雖爲佛門中人，卻也爭名求勝。張憑與王湛都因其善清談而顯名得官，除此外王弼能自爲客主，駁難數番，皆一坐所不及，而《世說新語・賞譽》「裴僕射時人謂爲言談之林藪」〔註181〕、「王平子邁世有儁才，少所推服。每聞衛玠言，輒歎息絕倒」〔註182〕、「桓公語嘉賓：『阿源有德有言，向使作令僕，足以儀刑百揆。朝廷用違其才耳。』」〔註183〕，魏晉重視言談可見一斑，故若能於清談場上駁倒眾人，必致顯名。

　　除從清談可看出士人爭名求名之狀外，標新立異，以求眾人注目，得以傳名於世，也是士人求名的方法，《世說新語・德行》載「王平子、胡母彥國諸人，皆以任放爲達，或有裸體者。」〔註184〕注引王隱《晉書》：「魏末阮籍，嗜酒荒放，露頭散髮，裸袒箕踞。其後貴游子弟阮瞻、王澄、謝鯤、胡母輔之之徒，皆祖述於籍，謂得大道之本。故去巾幘，脫衣服，露醜惡，同禽獸。

〔註178〕余嘉錫《世說新語箋疏》〈文學45〉，臺北：華正書局，2003年11月三刷，頁229。
〔註179〕余嘉錫《世說新語箋疏》〈文學53〉，頁235～236。
〔註180〕余嘉錫《世說新語箋疏》〈賞譽17〉，頁428～430。
〔註181〕余嘉錫《世說新語箋疏》〈賞譽18〉，頁430。
〔註182〕余嘉錫《世說新語箋疏》〈賞譽45〉，頁447。
〔註183〕余嘉錫《世說新語箋疏》〈賞譽117〉，頁483。
〔註184〕余嘉錫《世說新語箋疏》〈德行23〉，頁24。

甚者名之爲通，次者名之爲達也。」這種違禮犯教的行爲，阮籍是出自於對虛僞禮法的反抗，但其他人卻效仿之，以求通名、達名。《世說新語·品藻》引鄧粲《晉紀》曰：「鯤與王澄之徒，慕竹林諸人，散首披髮，裸袒箕踞，謂之八達。故鄰家之女，折其兩齒。世爲謠曰：『任達不已，幼輿折齒。』鯤有勝情遠概，爲朝廷之望，故時以庾亮方焉。」〔註185〕，爲求得名，飲酒狂放、坦裸散髮，以期能獲得人們的注目，並視這些行爲乃通達之行，爲求聲名顯揚，可謂無所不用其極。

　　魏晉士人重視身名，且渴望能身名俱泰。在亂世中求能保全性命，甚至能縱情享樂，追求身體感官的滿足，可謂「身泰」；士人同時也渴求「名泰」，從品評人物、清談、標新立異等方法而聲價百倍，或是追求建功立業以揚名天下，除了安身立命外，希望能發揮個人理想，實現自我。

　　要了解魏晉士人對於身名二者的看法，可以從當時士人密切討論的幾個議題來看，以探求其思想底蘊。

壹、樂生與養生

　　劉大杰〈魏晉思想論〉中，提到「魏晉人雖都有厭世的觀念，並沒有厭生的觀念」〔註186〕，活著追求美好的物質生活，或是讓在生的時間長久，都是戀生者關注的目標，於是有了樂生與養生的思想。

　　相較於肉刑的討論，士人在討論養生時更顯得切身，面對生命的短暫與無常，養生論的提出更顯示士人眷戀生命，祈求長生的願望。魏晉人好養生，如《晉書》載王羲之「羲之雅好服食養性，不樂在京師，初渡浙江，便有終焉之志」，《全晉文》中載：「許邁字叔齊，清虛接眞，棲遲世表，志在往而不返，故自改遠遊，與王右軍父子爲世外之交。王亦辭榮，好養生之事，每造遠遊，未嘗不彌日忘返」〔註187〕，而《世說新語·文學》中提到王導過江左，「止道聲無哀樂、養生、言盡意，三理而已」，都可以看出士人或嘗試或討論，除了期盼能獲得長生，更希望精神生活的樂足。余英時在〈漢晉之際士之新自覺與新思潮〉一文中便分析當時人的養生觀：

〔註185〕余嘉錫《世說新語箋疏》〈品藻 17〉，頁 513～514。
〔註186〕劉大杰〈魏晉思想論〉，《魏晉思想甲編三種》，臺北：里仁書局，1995 年 8 月初版，頁 125～126。
〔註187〕〔清〕嚴可均輯《全晉文》，頁 372。

漢晉之際士大夫避世與養生之思想蓋身有契於漆園之旨。至莊子稱
道引之士爲養形之人，而叔夜養生，神重於形者，則正古今養生觀
念承遞轉變之痕跡所在，亦漢晉之際士大夫內心自覺之所由見也。
〔註188〕

士人養生不僅重視養形，且逐步演化爲養神，王岫林《魏晉士人之身體觀》
中，也認爲魏晉時的養生觀以「修行保神」、「形神兼養」爲主。周翊雯《時
空之下的身體展演──「世說新語」研究》同樣也將魏晉養生之法歸於形神
兼養，除了以嵇康《養生論》爲例，闡釋「清虛靜泰，少私寡欲」的養生原
則外，並指出魏晉人服藥行散以養生延命的情形。〔註189〕

　　顯然，魏晉養生觀承繼老莊思想中的養生理論而來，故多以寧靜寡欲來
養神，嵇康與向秀二人有精彩的答難，嵇康的養生理論雖然也提到長壽，但
最終是獲得內心的自足安樂，葛洪〈養生論〉也是秉持著「恬淡自守，則身
形安靜」〔註190〕的說法，郭象《養生主注》以「夫養生非求過分，全理盡年
而已」〔註191〕，從這些來看，魏晉的養生論重視養神，雖也希望能盡年，但
非求過分的長壽，主要以排除摧殘生命的外在刺激，所能享有的自然壽命來
看。雖然有這些理論，但是魏晉士人追求身名俱泰，對於淡乎寡味的人生，
並非每個人都樂於接受。羅宗強《魏晉南北朝文學思想史》中便言：「從思想
傾向中可以清楚看出，時人並不諱言情欲，止欲之所以必要，蓋在於思之而
不可得，不在於情欲之有礙於倫理」〔註192〕，並舉劉廙《政論‧備政》〔註193〕、
仲長統「祿不足以供養，安能不少營私門乎？從而罪之，是設機置阱，以待
天下之君子也」，來說明儒家重義輕利的正統思想，開始受到質疑。

　　顯然，重義輕利的思想鬆動後，魏晉士人不再對於情欲採取負面的看法，
從石崇的「身名俱泰」及他個人追求的生活，可以知道石崇理想中的「身泰」
絕非知足寡欲，心神平靜者，反而是及時行樂，豐衣足食，向秀《難養生論》

〔註188〕余英時《中國知識階層史論》，臺北：聯經出版事業公司，1993 年 5 月初版
　　　　　二刷，頁 257～258。
〔註189〕周翊雯《時空之下的身體展演──「世說新語」研究》，臺北：花木蘭出版社，
　　　　　2009 年 3 月，頁 70～78。
〔註190〕〔清〕嚴可均輯《全晉文》，頁 205。
〔註191〕楊明照《抱朴子外篇校箋》，北京：中華書局，1997 年 10 月第一版，頁 94。
〔註192〕羅宗強《魏晉南北朝文學思想史》，北京：中華出版，1996 年，頁 11。
〔註193〕〔清〕嚴可均輯《全三國文》，頁 192。

便以「感而思室，飢而後食，自然之理也」〔註194〕來反對欲望的壓抑。事實上當時士人好飲酒，且不加節制，不以節制養生爲念者多有，如《世說新語‧任誕》：「鴻臚卿孔羣好飲酒。王丞相語云：『卿何爲恆飲酒？不見酒家覆瓿布，日月糜爛？』羣曰：『不爾，不見糟肉，乃更堪久。』羣嘗書與親舊：『今年田得七百斛秫米，不了麴糵事。』」〔註195〕，王導認爲喝酒傷身，故以瓿布日月糜爛相勸，但孔羣以糟肉反駁，仍飲酒如故，劉伶病酒一事，其妻也是以「君飲太過，非攝生之道」規勸，但未見劉伶節制。袁耽與人賭博「投馬絕叫，傍若無人」、「袁彥道齒不合，遂屬色擲去五木」。世說新語篇目〈傷逝〉〈忿狷〉〈尤悔〉，都可看出魏晉士人「情之所鍾，正在我輩」的襟懷，若爲求得長生而寡味過活，顯然並非這些人的選擇。

而王肅〈家誡〉：「夫酒，所以行禮養性命歡樂也，過則爲患，不可不慎。是故賓主百拜終日飲酒而不得醉，先王所以備酒禍也」〔註196〕，稱酒爲「行禮養性命歡樂」之具，雖然也戒多喝，但王肅是怕喝酒誤事，卻非喝酒傷身。

除了飲酒無度之外，亦樂於縱情聲色，如山簡嬉遊於高陽池〔註197〕，《晉書》載謝安「安雖放情丘壑，然每游賞，必以妓女從」又說他「性好音樂，自弟萬喪，十年不聽音樂。及登台輔，期喪不廢樂。王坦之書喻之，不從」〔註198〕，而諸葛長民：「長民驕縱貪侈，不恤政事，多聚珍寶美色，營建第宅，不知紀極」〔註199〕，還有殷仲文，《世說新語》引《續晉陽秋》：「以佐命親貴，厚自封崇。輿馬器服，窮極綺麗，後房妓妾數十，絲竹不絕音。性甚貪吝，多納賄賂，家累千金，常若不足」〔註200〕。阮籍《達莊論》批評禮法之士「咸以爲百年之生難致，而日月之磋無常，皆盛僕馬，修衣裳，美珠玉，飾帷牆」〔註201〕便可以看出當時士人感於生命短暫，追求及時行樂的情況。在《列子‧楊朱篇》便提出：

〔註194〕戴明楊校注《嵇康集校注》，臺北：河洛圖書出版社，1978年5月臺景印初版，頁174。

〔註195〕余嘉錫《世說新語箋疏》〈任誕24〉，頁742。

〔註196〕〔清〕嚴可均輯《全三國文》，頁131。

〔註197〕〔唐〕房玄齡《晉書‧山簡傳》，頁812。

〔註198〕〔唐〕房玄齡《晉書‧謝安傳》，頁1318、1321。

〔註199〕〔唐〕房玄齡《晉書‧諸葛長民傳》，頁1408。

〔註200〕余嘉錫《世說新語箋疏》〈言語2〉，頁157。

〔註201〕〔晉〕阮籍《阮嗣宗集》，臺北：華正書局，1979年3月初版，頁35。

> 則人之生也奚爲哉？奚樂哉？爲聲色耳。而美厚復不可常厭足，聲
> 色不可常翫聞。乃復爲刑賞之所禁勸，名法之所進退，遑遑爾競一
> 時之虛譽，規死後之餘榮；偊偊爾順耳目之觀聽。〔註202〕

> 太古之人知生之暫來，知死之暫往；故從心而動，不違自然之好。
> 當身之娛非所去也，故不爲名所勸。從性而游，不逆萬物所好；死
> 後之名非所取也，故不爲刑所及。名譽先後，年命多少，非所量也。
> 〔註203〕

可以看出這種不求身後名，以「從心而動」、「從性而游」處世，以在世歡愉爲重的理論依據。

　　事實上魏晉士人追求長生，但對於生之歡愉，仍有許多人難以免除，故仍縱情飲酒，追求感官的滿足。不過，仍有一批人不追求長生與縱欲，他們注重的是精神上的逍遙。這些追求精神上逍遙的人，有些祖述老莊，有些則歸隱山林。但同樣的，也不是每個人都能接受遠離人群的生活，不甘寂寞者，只能回到紅塵中，面對現實禮教的束縛。

貳、名教束縛與自然逍遙

　　對於漢代以至晉代名教，歷來學者著力甚多，前文論述儒家身名觀時，便已提及東漢名教與仕祿之途難以切割，造成虛僞之徒有機可乘的情況，張造群《禮治之道──漢代名教研究》歸納名教的陵遲：

> 東漢時，名教成了全社會一種共同的價值追求，違背名教者就要受
> 到懲罰與唾棄，模範遵守名教者就會受到表彰和獎勵。對社會成員
> 而言，不折不扣按照名教行事，就要節制情欲，就要經過長期不斷
> 的努力；而另一方面名教帶來的升官發財的誘惑又難以抵擋。這就
> 不可避免地產生用假名教去換取眞名教的結果，由此導致名實分
> 離、道德虛僞的情況。〔註204〕

可以看出東漢以降，名教越趨虛僞，到魏晉時代，以九品官人法取士，求名未必是爲得官，但鄉議產生的輿論力量仍不可輕視，例如阮簡，《竹林七賢論》

〔註202〕楊伯峻《列子集釋》，北京：中華書局，1979 年 10 月第一版，頁 219。
〔註203〕楊伯峻《列子集釋》，頁 220。
〔註204〕張造群《禮治之道──漢代名教研究》，北京：人民出版社，2011 年 7 月第
　　　　一版第一刷，頁 269。

載其：「後咸兄子簡，亦以曠達自居。父喪，行遇大雪，寒凍，遂詣浚儀令。令爲他賓設黍臛，簡食之，以致清議，廢頓幾三十年」〔註205〕，再如阮咸因追胡婢「貽譏清議」〔註206〕。《晉書·陳壽傳》曰：「遭父喪，有疾，使婢丸藥，客往見之，鄉黨以爲貶議。及蜀平，坐是沈滯者累年」〔註207〕，溫嶠因不聽母勸「絕裾而去。迄於崇貴，鄉品猶不過也。每爵皆發詔」〔註208〕，可知當時禮教仍然挾持強大的輿論力量，束縛規範士人，一些虛僞君子更以禮法之士自居，我們可以從阮籍的詩文中一窺其面貌。

> 洪生資制度，被服正有常。尊卑設次序，事物齊紀綱。容飾整顏色，磬折執圭璋。堂上置玄酒，室中盛稻粱。外厲貞素談，戶內滅芬芳。放口從衷出，復說道義方。委曲周旋儀，姿態愁我腸。〈詠懷〉
>
> 〔註209〕
>
> 行不敢離縫際，動不敢出褌襠，自以爲得繩墨也。〈大人先生傳〉
>
> 〔註210〕
>
> 懷分索之情一分，穢羣僞之射眞。〈首陽山賦〉〔註211〕

於是魏晉時期禮法之士與這些不守禮法者便處處針鋒相對，最著名的便是何曾當面指責阮籍的不守禮法，「宜流之海外，以正風教」〔註212〕，除此之外，《世說新語·任誕》中載「阮籍嫂嘗還家，籍見與別。或譏之。籍曰：『禮豈爲我輩設也？』」〔註213〕以及「劉伶恆縱酒放達，或脫衣裸形在屋中，人見譏之。伶曰：『我以天地爲棟宇，屋室爲褌衣，諸君何爲入我褌中！』」〔註214〕這些譏者，皆是護衛禮法者。

名教需要藉助禮法以呈現，卻成了人們規範他人行爲的武器，讓表面上遵守禮法之人，得到社會聲望。雖然說魏武賤名節，稱「負污辱之名，見笑之行，

〔註205〕〔清〕嚴可均輯《全晉文》，頁 326。
〔註206〕余嘉錫案《世說新語箋疏》〈品藻 71〉，頁 537。
〔註207〕〔唐〕房玄齡《晉書·陳壽傳》，頁 1361。
〔註208〕余嘉錫《世說新語箋疏》〈尤悔 9〉，臺北：華正書局，2003 年 11 月三刷，頁 902。
〔註209〕〔晉〕阮籍《阮嗣宗集》，頁 116。
〔註210〕〔晉〕阮籍《阮嗣宗集》，頁 65。
〔註211〕〔晉〕阮籍《阮嗣宗集》，頁 8。
〔註212〕余嘉錫《世說新語箋疏》〈任誕 2〉，頁 728。
〔註213〕余嘉錫《世說新語箋疏》〈任誕 7〉，頁 731。
〔註214〕余嘉錫《世說新語箋疏》〈任誕 6〉，頁 731。

或不仁不孝而有治國用兵之術，其各舉所知，勿有所遺」〔註215〕，但直至西晉初年，雖有不守禮法的如阮籍者，但戴逵《竹林七賢論》：「是時竹林諸賢之風雖高，而禮教尚峻，迄元康中，遂至放蕩越禮」，可知社會上仍是遵從禮教，事實上東晉社會風氣仍不乏崇尚禮教之士〔註216〕，魏晉雖以尚玄虛著稱，但並不代表禮法遭所有世人揚棄，如此某些士人擁護禮法，並據禮法以攻訐他人，獲致高名。而某些士人表面唾棄禮法，只求從虛偽的禮法中掙脫，求身體與精神上的自由的「身泰」，也許招人議論，但卻不屑於現世虛偽之名。張湛便批評這些假仁假義之士：「為善不以為名。名自生者，實名也。為名以招利而世莫知者，偽名也。偽名則得利者也」〔註217〕，明確的表達出虛偽求名者，以利益為優先，而非以道德良知行事。而據禮法攻訐他人，阮籍在〈達莊論〉中猛烈批評：「凡耳目之者，名份之施，處官不易司，舉奉其身，非以絕手足、裂肢體也。然後世之好異者，不顧其本，各言我而已矣，何待於彼？殘生害性，還為讎敵，斷割肢體，不以為痛」〔註218〕，形容這些人以禮法來割裂人的肢體，使人身體失去自由，這樣的壓抑與規範，令人失去身體的自主權。

除了希望從虛偽名教禮法中奪回身體的自主權，魏晉士人也追求精神上的超越，例如嵇康：

> 澤雉窮野草，靈龜樂泥蟠，榮名穢人身。高位多災患，未若捐外累，肆志養浩然。〈與阮德如詩〉〔註219〕

> 夫稱君子者：心不措乎是非。而行不違乎道者也。何以言之？夫氣靜神虛者，心不存於矜尚；體亮心達者，情不繫於所欲。矜尚不存乎心，故能越名教而任自然；情不繫於所欲，故能審貴賤而通物情。〈釋私論〉〔註220〕

表達出不羨外在高位，行措出於道，情不繫於欲的自由心靈；阮籍〈大人先

〔註215〕〔清〕嚴可均輯《全三國文》，頁20。

〔註216〕龔鵬程於〈東晉名教論〉中反思儒學研究者習以為常的歷史模式，並以「崇德、省刑、平法、舉士、遠怪、理政」諸項，「看出當時儒者是如何地援引經義或本著儒學來批判時政」，因而提出東晉「乃是個強調儒學禮教的時代」，頁963～998。

〔註217〕楊伯峻《列子集釋》，頁217～218。

〔註218〕〔晉〕阮籍《阮嗣宗集》，頁33。

〔註219〕戴明揚校注《嵇康集校注》，臺北：河洛圖書出版社，1978年5月臺景印初版，頁66。

〔註220〕戴明揚校注《嵇康集校注》，頁234。

生傳〉描述的一位「細行不足以爲毀，聖賢不足以爲譽」〔註221〕的人物，來表達自己不以人世寵辱記掛於心的襟懷。

這類人追求精神上的閒適，雖未至山林隱居，但其追求恬淡生活的一面，與當時某些士人的奢侈、聚斂不同，這群安於恬淡生活者，多不營產業，且安於不營產業所帶來的貧困，如《晉書‧儒林傳》、《晉書‧文苑傳》中載：

　　杜夷：夷少而恬泊，操尚貞素，居甚貧窘，不營產業。〔註222〕

　　王歡：安貧樂道，專精耽學，不營產業，常乞食誦詩，雖家無斗儲，意怡如也。〔註223〕

　　成公綏：性寡欲，不營資產，家貧，歲飢，常晏如也。〔註224〕

這些人所抱持的想法與好奢聚斂之人不同，好奢聚斂之人追求在世時的物質歡樂，但這些不注重鑽營產業之人，卻抱持著不尙智巧，安貧寡欲的想法，追名逐利，斂聚錢財，擴展產業其實都需要耗費心思，殫精竭慮，並不符合養生的想法，反而在追逐財利當中，可能會遭來殺身或是害生的結果，《老子》「甚愛必大費，多藏必厚亡」、「見素抱樸，少私寡欲」，又言「聖人爲腹不爲目」，王弼《注》：「爲腹者以物養己，爲目者以物役己」，爲自己的欲望束縛，被自身的慾望所驅使，毫無自我，人到此地步是不能追求個人的精神自由的。嵇康在《答難養生論》中也提到類似的觀點：

　　難曰：「感而思室，飢而後食，自然之理也。」誠哉是言。今不使不室不食，但欲令室食得理耳。夫不慮而欲，性之動也；識而後感，智之用也。性動者，遇物而當，足則無餘。智用者，從感而求，倦而不已。故世之所患，禍之所由，常在於智用，不在於性動。〔註225〕

「感而思室，飢而後食，自然之理也」與溫嶠對隱士郭文所提的問題是類似的，王導聽聞郭文隱居，便迎之並置於西園，溫嶠問郭文「飢而思食，壯而思室，自然之性也，先生安得無情乎？」這裡的情指的是人的慾望，而郭文回答是「情由憶生，不憶故無情」，欲望是由人的念頭所引發，不思所以能夠做到無欲，郭文的回答其實跟嵇康的回應是相近的，嵇康認爲不經過思考就

〔註221〕〔晉〕阮籍《阮嗣宗集》，頁72。
〔註222〕〔唐〕房玄齡《晉書‧儒林傳》，頁1490。
〔註223〕〔唐〕房玄齡《晉書‧儒林傳》，頁1498。
〔註224〕〔唐〕房玄齡《晉書‧文苑傳》，頁1500。
〔註225〕戴明楊校注《嵇康集校注》，頁174。

引發的欲念為「性」，但是如果跟從自己的感受而不斷追求，這便是「智用」，這就好比人飢餓了便有了吃的欲望，但為順從自己的渴望，便不斷想著食物，即便得到了仍不斷思索著更多，這樣的「智用」便是禍患的根由，嵇康反對的是毫無節智的放縱，「倦而不已」，不能克制的結果就會帶來爭端禍患，如果人能將欲念止息，「不憶故無情」，便能遠離禍患。嵇康認為如何使用人所擁有的「智」是在於能「益生」：「故智之為美，美其益生，而不羨；生之為貴，貴其樂和而不交，豈可疾智而輕身，勤欲而賤生哉！」〔註226〕，智用是幫助我們生活的更好，如果人處心積慮，四處鑽營，這樣的智用才對人的生命有害，過多的欲望也只會讓生活的品質變得更糟，物質的享樂並不會帶來真正的快樂，嵇康與這些不營產業，安於貧困者追求的都是精神上的寧靜平和，而非一念未平，一念又起。

如果要追求精神上的寧靜平和，便不可能將自己的生活陷在庸庸碌碌的產業營生上，這些生活中的繁瑣，佔住人有限的思索。不過這樣的人仍屬少數，大部分追求精神與心靈寧靜的人，仍是立基於富裕的經濟生活，這類人的精神寧靜不在於寡欲恬淡而在於不用為生活奔波愁苦，事實上他們是不願安於貧困的。

例如《全晉文》中載石崇〈金谷詩序〉「又有水碓魚池土窟，其為娛目歡心之物備矣」〔註227〕，弘農王粹「以貴公子尚主，館宇甚盛，圖莊周于室，廣集朝士」〔註228〕，紀瞻「厚自奉養，立宅於烏衣巷，館宇崇麗，園池竹木，有足賞翫焉」〔註229〕，謝安「土山營墅，樓館林竹甚盛，每攜中外子姪往來游集，肴饌亦屢費百金」〔註230〕，這些人築室名勝，飲食求甘，由於有很好的經濟基礎，於是士人便往生活情趣上發展，自給自足的莊園經濟讓人能夠在莊園中享受美好的園林景致，同樣也能達到怡情養性，忘懷得失的心靈寧靜，更不需在生活上自苦。尤其到了東晉，美好的南方山水，令人留戀忘返，於是更多遊山泛水的士人，在惱人的公事雜務後，貪享片刻的山水美景，然後再戀戀不捨得回到現實中。他們追求身泰的方式，頗似現代閒暇時旅遊散心，收假時回城上班一般。

〔註226〕戴明揚校注《嵇康集校注》，頁170。
〔註227〕〔清〕嚴可均輯《全晉文》，頁587。
〔註228〕〔唐〕房玄齡《晉書‧忠義傳‧嵇含》，頁1462。
〔註229〕〔唐〕房玄齡《晉書‧紀瞻傳》，頁1172。
〔註230〕〔唐〕房玄齡《晉書‧謝安傳》，頁1321。

追求精神上的自由，激烈者如同嵇康，卻不幸殞滅了，阮籍則任誕慎默，僅得保身，雖然有以不營產業，來追求精神、生活上的閒適者，又非人人都能安於貧困，部分士人貪戀現世的榮華富貴，寧願處在爾虞我詐的政治圈中，於是在這樣的情況下，衍生出明哲保身的哲學來。

參、遠識避禍，保全身名

士人對性命愛惜有加，畢竟再高的人生理想，若失去性命，一切便成空談，懂得明哲保身，留下性命，一切才有希望，因為「活著才有機會」，《世說新語》中便載有惋惜人們未能完成事業，卻離開人世的情形。如：

> 何次道嘗送東人，瞻望見賈寧在後輪中，曰：「此人不死，終為諸侯上客」〔註231〕

> 會稽虞騑，元皇時與桓宣武同俠，其人有才理勝望。王丞相嘗謂騑曰：「孔愉有公才而無公望，丁潭有公望而無公才，兼之者其在卿乎？」騑未達而喪。〔註232〕

> 王珣疾，臨困，問王武岡曰：「世論以我家領軍比誰？」武岡曰：「世以比王北中郎。」東亭轉臥向壁，歎曰：「人固不可以無年！」〔註233〕

何次道認為只要賈寧不死，便有機會成為諸侯上客。虞騑兼有二人之長，卻「未達而喪」。王珣認為父親王洽聲名德行皆超過王坦之，卻因早死未得高位，故世人將他和王坦之並論，於是感嘆人「不可以無年」。東晉孔坦在死前也有相同的遺憾，〈臨終與庾亮書〉曰：

> 不謂疾苦，遂至頓弊，自省綿綿，奄忽無日。修短命也，將何所悲！但以身往名沒，朝恩不報，所懷未敘，即命多恨耳！足下以伯舅之尊，居方伯之重，抗威顧盼，名震天下，槐棘之佐，常願下風。使九服式序，四海一統，封京觀于中原，反紫極于華壤，是宿昔之所味詠，慷慨之本誠矣。今中道而斃，豈不惜哉！若死而有靈，潛聽風烈。〔註234〕

〔註231〕余嘉錫《世說新語箋疏》〈賞譽67〉，頁460。
〔註232〕余嘉錫《世說新語箋疏》〈品藻13〉，頁511。
〔註233〕余嘉錫《世說新語箋疏》〈品藻83〉，頁544。
〔註234〕〔清〕嚴可均輯《全晉文》，頁263。

原本希望能輔佐庾亮，四海一統，卻中道而斃，令孔坦在死前不勝感傷，徒留遺憾，這些感嘆與曹丕感嘆應瑒雖然才高足以著述立說，卻由於早逝而「美志不遂」是同樣的心情，可知還未能一展所長，功成名就前就死去，理想與才能俱與黃土湮滅，人們無從得知死者若活著可能達到的境界，也就只能像王珣（王東亭）感嘆「人固不可以無年」，性命是求名的基礎。活著才有成名的希望。

　　而魏晉乃是一個戰爭紛仍，政局多變的時代，《晉書》載阮籍「籍本有濟世志，屬魏、晉之際，天下多故，名士少有全者，籍由是不與世事」〔註235〕，從這我們便可以知道當時士人「避禍」以求保身的情況。在魏晉交替之際，遠離官場是非，才能保全身家，阮籍、山濤在高平陵之變前，或是辭之以疾，或是逃身隱居，都是對於政治局勢敏感，能比其他人早些遠離政變中心，保全身家，故「時人服其遠識」。其實在東漢末年時，鄭袤便因有識鑒，看出魏諷必為禍，勸好友任覽遠離魏諷，魏諷在鄴城叛亂，「及諷敗，論者稱焉」〔註236〕，而鄭袤在西晉時，官至司空，享年85歲，也可見其明哲保身之道。在政權交替之際，有遠見的人會及早離開是非之地，以免無端捲入政爭。我們可以發現當時人對於有遠識，懂得避禍之人，不是譏其獨善其身，反而是十分欽佩的。同樣的管寧隱居遼東時，遼東太守公孫康死後不立嫡子，而立弟公孫恭，管寧認為廢嫡立庶將會造成下有異心，於是便舉家還郡，離開遼東，後來公孫康子公孫淵果然奪位，並且南連吳國僭號稱王，魏明帝派遣司馬懿征討，遼東死者數以萬計〔註237〕。亂邦不居，管寧對於政治局勢判斷正確，遂得保全性命。

　　對於政治局勢敏感者如荀邃，荀邃乃荀勗之孫，初「愍帝欲納邃女，先徵為散騎常侍，邃懼西都危逼，顧不應命而東渡江」後來「太興初，拜侍中，邃與刁協婚親，時協執權，欲以邃為吏部尚書，邃深距之。尋而王敦討協，協黨與並及於難，唯邃以疏協獲免」〔註238〕，兩次的考驗，荀邃都做了正確的選擇，才得以保全性命於亂世。而顧榮在當齊王冏主簿時，看出齊王冏必敗，於是「終日昏酣，不綜府事」〔註239〕。《世說新語·識

〔註235〕〔唐〕房玄齡《晉書·阮籍傳》，頁891〜892。
〔註236〕〔唐〕房玄齡《晉書·鄭袤傳》，頁826。
〔註237〕事見陳壽《三國志·管寧傳》裴松之引《傅子》，頁361。
〔註238〕〔唐〕房玄齡《晉書·荀邃傳》，頁769。
〔註239〕〔唐〕房玄齡《晉書·顧容傳》，頁1164。

鑒》「張季鷹辟齊王東曹掾，在洛見秋風起，因思吳中菰菜羹、鱸魚膾，曰：
『人生貴得適意爾，何能羈宦數千里以要名爵！』遂命駕便歸。俄而齊王
敗，時人皆謂爲見機」〔註240〕，張季鷹處世不羈，便以「適意」爲由，離
開政治風暴。

　　有遠識懂得離開是非之地者，恆能保全性命，袁渙弟之子袁徽便曾對「遠
識避禍」提出一番論點：

> 古人有言，知機其神乎！見機而作，君子所以元吉也。天理盛衰，
> 漢其亡矣！夫有大功必有大事，此又君子之所深識，退藏於密者也。
> 且兵革既興，外患必眾，徽將遠跡山海，以求免身〔註241〕。

能反面思考有大功必有大事，兵革興，則有外患，看到這些徵兆反而能急流
勇退，爲求生存甚至願意遠跡山海，可見亂世造就人們必須對政局保持敏銳，
所以要隨時做好避禍免身的準備。

　　遠離政治圈、是非之地，不僅能保全性命，也能保全聲名，但若仍居其
位，不僅保身安家，尚能身名具泰，這類人的生存能力，可謂卓越，王戎便
是其中之一。在八王之亂時，河間王顒、成都王穎共同聲討齊王冏，齊王冏
與王戎商議，王戎當時的應對之策：

> 同謂戎曰：「孫秀作逆，天子幽逼，孤糾合義兵，掃除元惡，臣子之
> 節，信著神明，二王聽讒，造構大難，當賴忠謀以和不協，卿其善
> 爲我籌之。」戎曰：「公首舉義眾，匡定大業，開闢以來未始有也。
> 然論功報賞不及有勞，朝野失望，人懷貳志，今二王帶甲百萬，其
> 鋒不可當，若以王就第，不失故爵，委權崇讓，此求安之計也。」
> 同謀臣葛旟怒曰：「漢魏以來王公就第，寧有得保妻子乎？議者可斬」
> 於是百官震悚。戎偽藥發墮廁得不及禍。戎以晉世方亂，慕蘧伯玉
> 之爲人，與時舒卷，無蹇諤之節，自經典選，未嘗進寒素退虛名，
> 但與時浮沉，戶調門選而已。〔註242〕

王戎身爲齊王冏之幕僚，卻也不能爲其死難，甚至爲求生，還偽裝藥發，掉
入廁中，以此免難。從王戎的舉動可以知道個人的生存比起外在的聲望更爲

〔註240〕余嘉錫《世說新語箋疏》〈識鑒10〉，臺北：華正書局，2003年11月三刷，
　　　　頁393。
〔註241〕《三國志・魏書・袁渙傳》裴注引《漢紀》，頁347。
〔註242〕〔唐〕房玄齡《晉書・王戎傳》，頁816。

重要，留得忠臣之名，不如苟且求得生存，明哲保身。但王戎此次得以全身而退，與其說是有遠見，不如說是他一開始就思「求全之計」，到後來更是「與世浮沉」，全無替晉室效忠之意〔註243〕。與王戎同樣心態的尚有荀組、荀藩，「于時天下已亂，組兄弟貴盛，懼不容於世，雖居大官，並諷議而已」〔註244〕，同樣居高位，卻「戶調門選而已」，或是「並諷議而已」，這樣的人居官，平步青雲，實是深諳官場之道。這種不為好、不為惡的處世態度，與世浮沉、龍蛇其身者，後世人或許譏其尸位素餐，沒有堅持，遑論節操，但我們從前面的討論中，已經可以看出魏晉士人重視個人生命，於是這種求自全者，在魏晉時期並未遭受嚴厲的責難。

潘尼的《安身論》，正可以反映這時代深謙遜讓，不冒尖的人生哲學，如：

> 崇德莫大乎安身，安身莫尚乎存正，
>
> 存正莫重乎無私，無私莫深乎寡欲。〔註245〕

> 然棄本要末之徒，知進忘退之士，莫不飾才銳智，抽鋒擢穎，傾側乎勢利之交，馳騁乎當塗之務，朝有彈冠之朋，野有結綬之友，黨與熾於前，榮名扇其後，握權則赴者鱗集，失寵則散者瓦解……，大則傾國喪家，次則覆身滅祀。〔註246〕

內容闡述立身處世的道理，雜揉《老子》與《易·繫辭下》的內容，說明無為寡欲，謹行絕辱才能安身立命。對於一些「飾才銳智」、「抽鋒擢穎」者，提出「大則傾國喪家，次則覆身滅祀」的勸告。而《晉書·潘尼傳》中載：「（潘尼）性靜退不競，唯以勤學著述為事，著《安身論》以明所守」〔註247〕，潘尼本身即奉行不冒尖的人生哲學，靜退不競。相較於其叔潘岳，潘尼更懂得如何保身安命。

除了《安身論》之外，郭象《莊子注》也提供了理論依據：「謂仁義為善，則損身以殉之，此於生命還自不仁也。身且不仁，其如人何！故任其性命，

〔註243〕不過晉書王戎傳中載：「其後從帝北伐，王師敗績於蕩陰，戎復詣鄴，隨帝還洛陽。車駕之西遷也，戎出奔于郟。在危難之間，親接鋒刃，談笑自若，未嘗有懼容。時召親賓，歡娛永日」，顯示在八王之亂中王戎的表現出戰亂中不畏生死護駕的一面。

〔註244〕〔唐〕房玄齡《晉書·荀組傳》，頁770。

〔註245〕〔唐〕房玄齡《晉書·潘尼傳》，頁984。

〔註246〕〔唐〕房玄齡《晉書·潘尼傳》，頁985。

〔註247〕〔唐〕房玄齡《晉書·潘尼傳》，頁984。

乃能及人，及人而不累於己，彼我同於自得，斯可謂善也」〔註248〕，視爲仁義殞命爲對己身不仁，所以任其外在非仁非義者繼續，與己無關。晉人視己生命至重，不以身殉義，於是即便是苟且偷生，都是可接受的。

熟諳「靜退不競」哲學者，還有袁渙之子袁侃「侃字公然，論議清當，柔而不犯，善與人交。在廢興之閒，人之所趨務者，常謙退不爲也。時人以是稱之」、袁準「准（準）字孝尼，忠信公正，不恥下問，唯恐人之不勝己。以世事多險，故常恬退而不敢求進」〔註249〕，無論是謙退不爲，恬退而不敢求進，其原因都是因爲廢興之間，而世事多險之故。推及袁氏祖先——漢司徒袁滂，史載「純素寡欲，終不言人之短。當權寵之盛，或以同異致禍，滂獨中立於朝，故愛憎不及焉」〔註250〕，細查袁滂的處世哲學，與潘尼的《安身論》，完全一致。可見袁氏一族，家風即是「靜退不競」，袁氏一門從袁安、袁敞、袁湯、袁逢、袁隗五人，經歷四代均居三公之位，所謂「四世五公」，這與其家風「靜退不競」有很大的關聯〔註251〕。

肆、肉刑論、招魂葬

據林麗眞〈魏晉清談主題之研究〉，整理出魏晉士人爭議不休的主題，其中之一便是肉刑論。恢復肉刑主要是因爲戰亂中人民傷亡慘重，希望能藉由肉刑替代死刑，同時也希望能達到遏止犯罪的目的。林麗眞統計參與此論的重要人物，魏 14 人，晉 13 人，帝王也參與討論，而贊成與反對者彼此往相批駁，甚爲激烈，肉刑以割離肢體爲主，有割鼻、刖腳、斬趾、黥面、去勢，因爲是殘虐身體，故稱爲肉刑，在漢文帝時廢除，之後天下紛擾，又有提議恢復肉刑之說，於是引起士人論戰。

被施加肉刑的犯人，雖非士人，但從士人討論廢除肉刑或是恢復肉刑中，卻可以側面得知當時士人的身體觀。從《世說新語》、《晉書》等書都

〔註248〕郭象《郭象注莊》，臺北：金楓出版社，1987 年 5 月初版，頁 188。
〔註249〕〔晉〕陳壽撰《三國志·袁渙傳》，頁 347。
〔註250〕〔晉〕陳壽撰《三國志·袁渙傳》，頁 345。
〔註251〕從魏晉時代的家訓，亦可看出父祖殷殷訓示兒孫明哲保身之道，王昶〈家誡〉：「欲使汝曹立身行己，遵儒家之教，履道家之言」可見其以體儒用道教示子孫，而道家立身行事便是採行玄默沖虛，明哲保身之道。林素珍《魏晉南北朝家訓之時代精神》亦云：「此代家族長輩殷殷叮嚀後輩子弟採老莊陰柔之方、奉時恭默以保身全家」，臺北：花木蘭出版社，2008 年 9 月初版，頁 85。

可以知道魏晉士人尚美，除了面貌、身型，乃至儀態都是士人著力經營的部分，有關魏晉士人美姿容的討論已相當眾多，但若我們反向思考，崇尚姿容儀態的士人，面對死刑或肉刑的選擇，可以提供我們另一種思考角度。

肉刑在魏晉二朝曾被激烈討論，主要以黥、劓、斬左趾、宮等為討論重點。曹操便曾提出《復肉刑令》，而在魏文帝時鍾繇也贊同恢復肉刑，但商議未決。至太和年間，鍾繇〈請復肉刑代死刑疏〉：「使如孝景之令，其當棄市，欲斬右趾者許之。其黥、劓、左趾、宮刑者，自如孝文，易以髡、笞。能有姦者，率年二十至四五十，雖斬其足，猶任生育。今天下人少于孝文之世，下計所全歲三千人，張蒼除肉刑，所殺歲以萬計，臣欲復肉刑，歲生三千人」〔註252〕，這樣的構想是考慮到戰亂人民死傷眾多，人口大減，故鍾繇提出被判處死刑者，若本人願意，則可以以斬右趾代替，其它會毀傷容貌肢體的肉刑，則以剃髮或笞刑取代。這個方法的提出雖然由來以久，並非新創，卻可以說是戰亂中增加人力的方法。尤其其他毀傷肢體容貌的黥、劓、左趾，換以笞刑與剃髮則顯得寬容許多。陳羣對於肉刑的看法大致與鍾繇相同：

> 臣父紀以為漢除肉刑而增加笞，本興仁惻，而死者更眾。所謂名輕而實重者也。名輕則易犯，實重則傷民。……今以笞死之法易不殺之刑，是重人支體，而輕人軀命也。〔註253〕

陳羣認為廢除肉刑減輕刑罰，反而使人民忽略而犯法，又因沒有肉刑，直接施以笞死之刑，則是「重人支體，而輕人軀命」，故提倡恢復肉刑。而認為不宜復肉刑者，則以王朗的意見為主，王朗認為如果恢復肉刑則以「前世仁者不忍肉刑之慘酷，是已廢而不用，不用已來，歷年數百，今復行之，恐所減之文未彰于萬民之目，而肉刑之問已宣于寇讐之耳，非所以來遠人也」〔註254〕的理由反對恢復肉刑，主張死刑可以以髡、刖代替，其他罪不至死，以髡、刖懲處又太輕的，則增加服勞役的次數。

不過夏侯玄〈肉刑論〉，卻質疑肉刑遏止犯罪的效果：

> 理其平而必以肉刑，施之，是以仁于當殺，而忍于斷割，懼于易犯，而安于為虐，哀泣奚由而息，堂上焉得泰耶？仲尼曰：既富且教，又曰：苟子之不欲，雖賞之不竊，何用斷截乎？下愚不移，以惡自

〔註252〕〔清〕嚴可均輯《全三國文》，頁135。
〔註253〕〔清〕嚴可均輯《全三國文》，頁147。
〔註254〕〔清〕嚴可均輯《全三國文》，頁124。

終，所謂翦妖也。若飢寒流溝壑，雖大辟不能制也，而況肉刑哉！

赭衣滿道，有鼻者醜，終無益矣！〔註255〕

夏侯玄反對恢復肉刑，他認為人若處於飢寒之中，即便有死刑，仍然有人甘冒危險而犯罪，肉刑是沒有辦法約束的。但在這裡指出肉刑的毀容殘肢除了痛苦之外，其出發點更是因為它使人變醜，所以才說若恢復肉刑，反而有鼻者成了異類，也就達不到一開始毀容的目的。而李勝反對這樣的說法，其〈難夏侯太初肉刑論〉中評道：

……今諸虐者，唯以斷截為虐，豈不輕于死亡耶？云妖逆是翦以除大災，此明治世之不能去就矣。夫殺之與刑皆非天地自然之理，不得已而用之也。傷人者不改則刖劓可以改之，何為疾其不改，便當陷之于死地乎？妖逆者懲之而已，豈必除之耶？刑一人而戒千萬人，何取一人之能改哉？盜斷其足，淫而宮之，雖欲不改，復安所施而全其命、懲其心，何傷于大德？……蓋毀支而全身者。〔註256〕

從李勝的反駁中，可以看出生命較諸軀體更為重要，「毀支而全身」此處所指之「身」表示「生命」，李勝贊同施行肉刑的效果，因為人活著才有機會改過遷善，且被施肉刑者，也因其受刑而達到殺雞儆猴的結果，如此一來，絕不致有「有鼻者醜」的情形。「肉刑」的討論，是生命與身體的取捨，當然在這時已無「美名」的討論空間，討論的是君王的仁德與否，若殘忍太過，則有傷德之名，若過於寬鬆，又擔憂不能止民犯罪，成了陷民於罰之中。肉刑的廢除與恢復也影響了帝王的聲名，人們很自然的會將使用殘酷肉刑者視為不仁，於是在治理國家，快速恢復社會秩序與留下殘酷臭名之間，猶疑難決。不過，在保全性命與割裂肢體兩者間，魏晉士人仍是偏向保全性命，如此一來，對罪犯而言可以傳宗接代，對於整個國家而言則是可以增加人力。

漢代獨尊儒術，故對人的身體重視完整性，太史公司馬遷遭受腐刑，曾謂：

人固有一死，有重于泰山，有輕于鴻毛，用之所趨異也。太上不辱先，其次不辱身，其次不辱理色，其次不辱辭令，其次詘體受辱，其次易服受辱，其次關木索被箠楚受辱，其次剔毛髮嬰金鐵受辱，其次毀肌膚斷肢體受辱，最下腐刑，極矣。〔註257〕

〔註255〕〔清〕嚴可均輯《全三國文》，頁118。
〔註256〕〔清〕嚴可均輯《全三國文》，頁246。
〔註257〕陳曉芬選注《司馬遷散文選集》，天津：百花文藝出版社，1997年8月第一版，頁286。

對於士人，遭受肉刑，不僅不孝，且反覆強調之「受辱」，更強烈表達其人格尊嚴的喪失，故漢人無不全身謹慎，魏晉士人雖然對身體執迷，但更重視個人情性的抒發，從王戎死孝，雞骨支床，有危及性命之憂，阮籍喪母，吐血毀頓，俱傷身滅性，但因其至情難禁，故不計毀身。《世說新語·任誕》劉伶「身長六尺，貌甚醜顇，而悠悠忽忽，土木形骸」〔註258〕，對於外在形軀並不過分看重。《世說新語·巧藝》中：「顧長康畫人，或數年不點目精。人問其故，顧曰：『四體妍蚩，本無關於妙處，傳神寫照，正在阿堵中』」〔註259〕，顧愷之對人的四體美醜視為「無關妙處」，可見魏晉士人雖然尚美，但在風神美與形軀美中，風神之美重於形軀之美〔註260〕，而在肉刑起廢的議題上，形軀同樣被放置在後頭，以生命的存留為重。《世說新語·言語》：「庾公造周伯仁。伯仁曰：『君何所欣說而忽肥？』庾曰：『君復何所憂慘而忽瘦？』伯仁曰：『吾無所憂，直是清虛日來，滓穢日去耳』」〔註261〕，對於身體之消瘦，也是因心中無煩憂所致，則身體之胖瘦其實是精神清濁的顯現，顯然魏晉士人是身體為精神的展現，外在形體胖瘦變化無甚重要，重點在於精神的澄淨與否〔註262〕。

而《世說新語·巧藝》中亦載：「顧長康好寫起人形。欲圖殷荊州，殷曰：『我形惡，不煩耳。』顧曰：『明府正為眼爾。但明點童子，飛白拂其上，使

〔註258〕余嘉錫《世說新語箋疏》〈容止13〉，頁613。

〔註259〕余嘉錫《世說新語箋疏》〈巧藝13〉，頁722。

〔註260〕呂昇陽《六朝美學中的形神思想之研究》：「形神問題，就人物品鑒的範圍來說，所謂『形』，指的乃是人的外在的具體形貌。所謂『神』，指的乃是人的內在的精神，其特徵是只可用心感受，不可具體指陳。又湯用彤有言：『漢人相人以筋骨，魏晉識鑒在神明。』也就是說漢人識鑒以『形鑒』為主，魏晉以『神鑒』為主。……《世說新語》中，對人物的稱賞，便往往以『神』這個詞再與另一個不同的詞搭配運用，……用以表徵人因天賦之不同，所發顯出的不同的氣質、個性、智慧、才能、風采等。觀此，雖然用以品鑒的名詞多方，但其用以指稱一個人內在的風神則一。」，可見魏晉士人在形軀美與風神美中，較重風神美，也可參看。臺北：花木蘭出版社，2008年9月初版，頁14。

〔註261〕余嘉錫《世說新語箋疏》〈言語30〉，頁92。

〔註262〕也可參看柯阿清《魏晉文人生活美學》說明莊子中的兀者、支離者是表達「人的外貌奇醜更可以表現出人內在精神的崇高與力量」，認為「形神相當，才是魏晉士人眼中的人物」，以此說明「魏晉時代，人物貌醜而神態超乎常人者，同樣受到欣賞而得到讚譽」，玄奘大學中國語文學系碩士論文，2012年6月，頁71。

如輕雲之蔽日。』」〔註263〕殷仲堪因爲瞎去一眼而稱自己「形惡」，但在顧愷之的眼中，卻是一值得入畫之人，顯然沒有因爲殷仲勘瞎眼而覺其形惡，但他也了解殷仲勘不願入畫的原因，而改以「飛白拂其上」的手法，來掩飾其身體缺陷，故身體缺陷是可以遮掩的，重要的是個人的神采不會因其形惡而稍減。

　　「肉刑」包括著生命、軀體、美醜的議題，以魏晉士人追求美姿容，甚至以此獲得名聲，眾人仰慕，傾道相迎的地步，與罪犯割裂軀體，毀容求生，雖然社會地位不同，但就如極致的兩端，可以從士人的取捨，看出珍視生命的程度。

　　除了肉刑，人們面對死亡的經驗便數葬禮最爲易見，藉由《世說新語‧傷逝》篇中所載，我們可以知道魏晉士人痛悼美好生命的離去，如張季鷹哭顧彥先「又大慟，遂不執孝子手而出」，還有學驢鳴等的奇特弔唁方式，不過這時期出現另一種奇特的葬禮，就是招魂葬。

　　在《周禮》、《禮記》書中便紀錄了招魂的儀式，稱爲「復」，是以衣服爲媒介，讓魂魄依附，期盼能使死者復活，故曰「復禮」〔註264〕。復禮雖有招魂儀式，但是是在有屍體的情況下施行的儀式，主要是希望達到安慰家屬的目的〔註265〕。而中國南方楚地文化中，自屈原時代便有「人死後有魂魄」之說，屈原〈國殤〉：「身既死兮神以靈，子魂魄兮爲鬼雄」，也有〈招魂〉一文。在《屈原與楚文化研究》以老子學說中的「死而不亡」、屈原〈招魂〉、〈國殤〉肯定了楚人「認爲人死亡後，形體會自然轉化，可是精神則可以在形體死亡時得以不死」〔註266〕，來肯定南方楚人有形滅而神不滅的說法。

　　到了東漢時期，《後漢書‧鄧晨傳》中載：「（建武）二十五年卒，詔遣中謁者備公主官屬禮儀，招迎新野主魂，與晨合葬於北芒。乘輿與中宮親臨喪送葬」〔註267〕，從「招迎新野主魂」看出招引無主孤魂，也就是無屍而葬。

〔註263〕余嘉錫《世說新語箋疏》〈巧藝11〉，頁721。

〔註264〕《禮記‧禮運》：「及其死也，升屋而號，告曰：『皋某復！』然後飯腥而苴孰，故天望而地藏也。」孫希旦《禮記集解》，頁587。

〔註265〕朱松林〈試論中古時期的招魂葬俗〉：「盡人力的招魂活動成了傷悼的一種代償形式，於是理性開始介入情感，讓傷悼者理性的接受這一不幸的現實」，《上海師範大學學報》，上海：上海師範大學學報，2002年3月第31卷第2期，頁65。

〔註266〕黃碧璉《屈原與楚文化研究》，國立成功大學中國文學研究所碩士論文，1996年6月，頁132。

〔註267〕范曄《後漢書‧鄧晨傳》，頁220。

東晉時袁瓌〈上表請禁斷招魂葬〉便提到「尚書僕射曹馥沒於寇亂，嫡孫胤不得葬屍，招魂殯葬」、「監軍王崇、太傅司馬劉洽皆招魂葬」〔註268〕，可見當時確實有人實行招魂葬。

　　晉朝招魂葬的興起，主要原因是因為戰亂頻仍，人民流離，以致不明親人或存或亡，甚或得知親人離世，卻無能收屍而葬，於是便有了招魂而葬的想法。以人之情感，如未能替死去親人埋葬其骸，不免哀痛，於是便採用招魂葬的方式，來表達親屬思念之情。晉室南渡，北方士人接觸到南方不同的習俗，更促進了招魂葬的盛行〔註269〕。

　　但此種無屍而葬的喪禮，卻激起士人的批評，反對派如江淵〈招魂葬議〉、陳舒〈武陵王招魂葬議〉、孔衍〈禁招魂葬議〉、〈答李瑋難禁招魂葬議〉、張憑〈新蔡王招魂葬議〉；而贊成派者如周生、李瑋〈宜招魂葬論難孔衍〉；折衷派者如公沙歆〈宜招魂葬論〉。

　　綜合各家意見，可知：

　　（1）反對招魂葬者，其實是秉持著「葬乃藏形」，若無屍骨，則無所藏形，不能稱之為「葬禮」，而魂不可葬，招魂葬成為有名無實的葬禮，如孔衍〈禁招魂葬議〉「聖人制殯葬之意，本以藏形而已，不以安魂為事」〔註270〕。

　　（2）贊成招魂葬者，認為魂能依主，故無論是否為招魂葬，魂魄皆不在墓穴中。如李瑋〈宜招魂葬論難孔衍〉「且宗廟是蒸嘗之常宇，非為仙靈常止此廟也，猶圜丘是郊祀之常處，非為天神常居此丘也」，李瑋並提出「宋玉先賢，光武明王，伏恭、范逡並通義理，公主亦招魂葬，豈皆委巷乎」〔註271〕，認為招魂葬並非出自委巷之禮。又引詩經「祖考來格」、「神保聿歸」來證明人死後確實有「魂」存在。

〔註268〕〔清〕嚴可均輯《全晉文》，頁716。

〔註269〕龔鵬程〈東晉名教論〉：「我覺得爭論之起，一方面是因這種情況出於喪亂，故為古人所未及論，一方便則是南北風俗不同所致。正如張憑所說：『按禮典，無招靈之文』，在儒家經典中確實沒有招魂的講法。可是招魂之說，在屈原宋玉時就已盛行於楚地，李瑋舉『宋玉先賢』以為支持招魂葬之先例，及本於此。逃難到南方的人，既無法將亡者骸骨移過來安葬，又正好南方有此風俗，便舉此發展出一套招魂葬的制度，而激發了此禮是否符合儒家經義的爭論。」，《魏晉南北朝文學與思想學術研討會論文集》，第五輯，國立成功大學中文系編輯，台北：里仁書局，2004年11月初版，頁980～981。

〔註270〕〔清〕嚴可均輯《全晉文》，頁249。

〔註271〕〔清〕嚴可均輯《全晉文》，頁272。

（3）折衷派者，則認為上古禮制為正確，但近代人們採用招魂葬是依人情而施，是可以理解同情的。如公沙歆〈宜招魂葬論〉：「即生以推亡，依情以處禮，則近代之數密，招魂之理通矣。招魂者何必葬乎？蓋孝子竭心盡哀耳」〔註272〕

若魏晉人認為有魂魄存在，則人死後以另一種形式與人世感知，這便是一種死而不亡的形態，而晉朝士人對於怪力亂神之事，確是相當熱衷的，如干寶《搜神記》記「若使采訪近世之事，苟有虛錯，願與先賢前儒分其譏謗。及其著述，亦足以明神道之不誣也」〔註273〕，這類嗜奇愛博的小說，尚還有《列異傳》、《幽明錄》、《西京雜記》。再如《史通・書事》記：「王隱、何法盛之徒，所撰晉史，乃專訪州閭細事，委巷瑣言，聚而編之，以為鬼神傳錄」〔註274〕，都可以看出晉代士人對於人死後是否變為鬼魂之事十分關注，甚而以寫人物的方式來記載這些幽邈不可知的魂怪，可以了解為何招魂葬會盛行。

但是招魂葬在當時仍處於「閭巷之禮」，朝廷是禁止的，《晉書・元帝紀》「戊寅初，禁招魂葬」〔註275〕，當時是因為東海王司馬越死後，其屍為石勒所焚，而「裴妃為人所略，賣於吳氏，太興中，得渡江，欲招魂葬越」。朝廷卻下詔禁招魂葬，可是「裴氏不奉詔，遂葬越於廣陵」〔註276〕，可見朝廷雖然禁止，但似乎難以禁斷。

招魂葬牽涉到形神問題，若人死後得以有靈魂存在，則形滅神不滅，佛教徒因有輪迴轉世的觀念，故主張形滅而神不滅，他們會關注到來生，反之，若人們認為人死後形神俱滅，必定不認同招魂葬。

其實從士人對於形神的看法，我們可以觀察出當時士人仍是偏向人死後形神俱滅，如嵇康〈養生論〉認為神不能獨立於形，而戴逵〈流火賦〉：「火憑薪以傳焰，人資氣以享年。苟薪氣之有歇，何年焰之恆延？」〔註277〕，而陶淵明〈形影神並序〉也認為飲酒行樂，求名不朽都是無用的，不如「縱浪

〔註272〕〔清〕嚴可均輯《全晉文》，頁272。
〔註273〕〔晉〕干寶撰，黃鈞注譯《新譯搜神記》，臺北：三民書局，1996年1月初版，頁721。
〔註274〕〔唐〕劉知幾《史通》，西安：陝西人民出版社，2007年，頁55。
〔註275〕〔唐〕房玄齡《晉書・元帝紀》，頁97。
〔註276〕〔唐〕房玄齡《晉書・東海王司馬越傳》，頁1055。
〔註277〕〔清〕嚴可均輯《全晉文》，頁322。

大化」〔註278〕，不喜不懼，顯見也是一形神俱滅論者。羅含〈更生論〉雖然認為人死後可以重生、復生或再生，但顯然無法說服他人，孫盛便反駁之。

神滅問題影響到人們對於現世的關注。羅因〈魏晉死亡觀中的神滅思想〉：

> 在神滅的文化意識下所衍生的就是現世主義的人生觀。儒家形態的
> 人生觀表現為：對一己道德之重視、維護名教禮制和博學重名的生
> 命情態。……裴頠、傅玄、張華等名士和文學家，都頗有維護名教、
> 尚德、博學、重名之風。……如果不採取儒家肯定文化名教的態度，
> 那麼，便極容易走上道德虛無主義的放達之途，竹林七賢正是放達
> 之風的代表。……在道家和道教的清虛無為的思想影響之下，有部
> 份士人便是呈現清虛寡欲，自得於懷的生命情態。〔註279〕

若死後神滅，一無所存，如何追求理想的人生，死時不留遺憾，甚至達到「不朽」，便成了重要的人生課題。神滅論也影響人們重身，企求長生的思想，人們會更注重養生以盡年。

故從招魂葬中，我們可以看出在神滅的文化底蘊中，人們也開始關注到靈魂的存在與否，而隨著晉室南渡，南方招魂習俗的渲染，士人也開始以招魂葬的形式安葬親人。雖然羅因先生認為「神滅的文化意識確實可以代表了佛教徒以外的魏晉士人的死亡觀」〔註280〕，但其實從招魂葬中已可以看出，這種神滅思想的鬆動。

鄭基良《魏晉南北朝形盡神滅或形盡神不滅的思想論證》：

> 形盡神不滅思想，在混亂悲情的時代中，不僅對人心有安定的作用，
> 更可以說是出自人心最深切的呼喚，也是最渴望的要求，人心要求
> 社會的公理正義，深切盼望善有善報、惡有惡報，更渴望生命的不
> 朽。……主張形盡神滅，不信因果業報，排斥佛教，反對迷信鬼神，
> 其思想要旨，皆以儒學為宗，強調人的道德生命、歷史生命及文化
> 生命勝於生理生命。〔註281〕

〔註278〕龔斌校箋《陶淵明集校箋》，上海：上海古籍出版社，1996年12月第一版，頁65。

〔註279〕羅因〈魏晉死亡觀中的神滅思想〉，《魏晉南北朝文學與思想學術研討會論文集》，第五輯，國立成功大學中文系編輯，台北：里仁書局，2004年11月初版，頁960～961。

〔註280〕羅因〈魏晉死亡觀中的神滅思想〉，頁960。

〔註281〕鄭基良《魏晉南北朝形盡神滅或形盡神不滅的思想論證》，臺北：文史哲出版社，2002年4月初版，頁501～502。

士人對於招魂葬的辯論，其實就是形神之辯，而兩派人士各有說法，而最終都通向不朽之途，只是所持理論，與達成不朽的方式各異耳。

　　從肉刑的起廢我們可以看出當時士人重視生命的一面，而從招魂葬我們可以知道魏晉士人，尤其是晉朝，對於人死後形神俱滅的哀懼，促使他們除了渴望能招魂埋葬自己的親人外，對於鬼神之說更是倍感興趣，而採反對立場的士人，注重現世，或奮發有為，或及時行樂。從此士人對此二者的熱烈討論，我們可以知道肉體的「消」、「毀」都是當時士人關懷的重大課題。

小　結

　　魏晉世人的求名行為，與道家相悖，也悄然遠離了儒家本義。他們了解了道家守柔不爭，靜退不競的道理，卻不能接受道家知足寡欲的養生之道；他們欲掙脫禮教的束縛，卻未能承擔儒家認為知識分子應該背負的社會責任，於是追求身心的逍遙之際，卻遺落的國家大事。

　　在一次又一次的政權鬥爭中，魏晉士人有的喪失性命，有的僥倖得存。存活下來的士人，盼求個人身家性命的安全，故去危圖安、遠識避禍之，對於國家，越見疏離。而身泰也非僅止求免身，卻讓自身處於甕牖間，部份士人更希望能滿足物質欲望，或是心靈安樂，而這些都需要富裕的經濟生活做為支持〔註282〕，故魏晉士人積聚競奢。物質欲望的滿足，在聲色享樂上達成了，至於精神心靈的安樂，則可以藉由怡情山水、追求音樂與藝術上的饗宴來完成。當身心皆安頓後，士人開始思索，追求其他事物的滿足，而「名」超越了時間空間的限制，有其獨立的價值，名代表著身分地位，有名便有了影響力，有名便能讓自身在死去後，仍得以留存在世人的心中，不被遺忘，達到真正的「不死」，於是在《三國志》、《晉書》、《世說新語》中，我們可以看到魏晉士人如何詮釋他最理想的「身名俱泰」。

〔註282〕王岫林《魏晉士人之身體觀》：「『身泰』之欲的追求，需要『利』的支持，是以當時士人躁競於利之追求。」，頁32。

第三章　魏晉士人追求身名俱泰的樣貌

　　漢朝大一統時代以儒家獨尊，個人服膺在名教的統治之中，魏晉時代，禮教陵遲，原先循名責實、依禮而行的個體，出現了悖禮而行，率性而爲的情形，可以說人從名教的束縛中解放，但仍有人持守不移，同時也有人以名教爲工具，沽名釣譽，故從士人言行舉止可以反映其對名教的態度。若厭惡虛僞名教，則有悖禮之言，若堅守禮教，則有儒生之行，至於以名教沽名釣譽者，則表裡不一，魏晉時期士人的名教觀，影響了士人對身名的持守。

　　再則魏晉經歷多場戰亂，死亡的威脅無處不在，人們除了求長壽之外，似乎束手無策。於是古人開始轉向精神不死來尋求永生。《左傳·襄公·二十四年》記載范萱子與叔孫豹的一番對話，討論人死後不朽的問題，可爲代表，「太上有立德，其次有立功，其次有立言。雖久不廢，此之謂不朽」，叔孫豹的這段話，深入追求精神不朽的人心中。魏晉時期，許多追求「身名俱泰」的士人，除了追求當世的名聲與物質享受之外，對於後代聲名也萬分企求，如杜預便是追求立功立言以求後代名聲之人。

　　《晉書·杜預傳》:「常言德不可以企及，立功立言可庶幾也」，杜預平吳有功，進爵當陽縣侯，增邑並前九千六百戶，可謂已立事功，至於「立言」，晉書記載杜預「既立功之後，從容無事，乃耽思經籍爲春秋左氏經傳集解」、「好爲後世名，常言高岸爲谷，深谷爲陵，刻石爲二碑紀其勳績，一沉萬山之下，一立峴山之上，曰:『焉知此後不爲陵谷乎?』」〔註1〕，除了撰述《春秋左氏經傳集解》思求立言之外，尚且於萬山下、峴山上立碑以紀其功勳，唯恐後人不知杜預之名。而何劭「食必進四方珍異，一日之供，以錢二萬爲

〔註1〕〔唐〕房玄齡《晉書·杜預傳》，頁 686～687。

限，時論以爲太官御膳無以加之，然優游自足，不貪權勢」〔註2〕，以這樣的生活條件可謂「身泰」之極，其「不貪權勢」並非代表不戀名聲，「嘗語鄉人王詮曰：『僕雖名位過幸，少無可書之事，惟與夏侯長容諫授博士可傳史冊耳』」，可知其在生時，便已思考過後人爲其立傳時，可寫之事，可論之功過。除此之外，何劭也著有《荀粲王弼傳》，也可見其爲後世名聲著力。其父何曾，雖後世臭名遠播，但在生時日食萬錢，善自奉養，又以孝順著稱，爲當時的禮教中人，泰始初時，司馬昭曾下詔稱何曾「立德高峻，執心忠亮」，傅玄稱其「以文王之道事其親者，其潁昌何侯乎？」〔註3〕，以何曾在世時的表現，確實是欲以立德名播天下的。

可見欲「名泰」，由三不朽著手，是許多士人的共識。除此之外，當時士人頗重才藝，藉由才藝獲致聲名者有之，故此章以此四項爲出發點，歸納士人追求身泰名遂的情形。

第一節　建功立業，揚名立萬

魏晉時代，雖多清談浮華之士，但重視事功的務實派仍有，由於國土分裂，正是壯士大有可爲之際，士人懷抱雄心壯志，追求立功揚名，雖然能順利建業立功者並不多〔註4〕，但懷抱爲國效命，名留青史著卻所在多有，以曹氏三父子言，即便是曹植以詩文聞名當代與後世，其生前抱負也是以建功立業，名留青史爲主。西晉時期，更多人迫切於收復吳蜀二國，殆至東晉，收復失土，擊楫渡江，更產生了像祖逖這類的豪士。

《世說·品藻》「未廢海西公時，王元琳問桓元子：『箕子、比干，迹異而心同，不審明公孰是孰非？』曰：『仁稱不異，寧爲管仲』」〔註5〕，管仲功名顯赫，輔佐齊桓公稱霸，較之箕子、比干二人輔佐商紂王，不僅未能建立功業，一個必須佯狂保命，一個則是慘遭殺害，雖都保全了仁名，與其如此，寧爲管仲。求取事功較之佯狂、殺身，更符合桓溫追求的人生。

〔註2〕〔唐〕房玄齡《晉書·何劭傳》，頁665。
〔註3〕〔唐〕房玄齡《晉書·何曾傳》，頁663～664。
〔註4〕兩晉時代崇尚名士，故不重事功，對於務實之士多鄙薄之，如卞壼被譏爲「如含瓦石」的鄙吝者，時代風氣以望空爲高，故追求事功者如劉琨、祖逖、桓溫，北伐皆失利。
〔註5〕余嘉錫《世說新語箋疏》〈品藻41〉，頁523～524。

而曹操在《讓縣自明本志令》中明白述說自己的志願：

> 孤始舉孝廉，年少自以本非巖穴知名之士，恐爲海內人之所見。凡愚欲爲一郡守，好作政教，以建立名譽，使世士明知之。故在濟南始除殘去穢，平心選舉，違迕諸常侍，以爲彊豪所忿，恐致家禍，故以病還。……後徵爲都尉，遷典軍校尉，意遂更，欲爲國家討賊立功，欲望封侯作征西將軍，然後題墓道言：「漢故征西將軍曹侯之墓」此其志也。〔註6〕

曹操原在濟南是想藉由「除殘去穢」來建立名譽，後來遷爲典軍校尉，曹操的志願更改爲討賊立功，希望能建功封侯，甚至希望墓碑上所刻之名爲征西將軍，以企不朽，而曹操後來的功蹟確也讓他名留青史，由人褒貶。其子曹植也常常在所著文章中，表達自己渴望一展長才、留名青史的心願，其《求自試表》：

> 今臣無德可述，無功可紀，若此終年，無益國朝，將掛風人彼己之譏，是以上慙玄冕，俯愧朱紱。……固夫憂國忘家，捐軀濟難，忠臣之志也。……必效須臾之捷，以滅終身之愧，使名掛史筆，事列朝策，雖身分蜀境，首縣吳闕，猶生之年也，如微才弗試，沒世無聞，徒榮其軀而豐其體，生無益于事，死無損于數。須荷上位，而忝重祿，禽息鳥視，終于白首，此徒圈牢之養物，非臣之所志也。……志欲自效于明時，立功于聖世。每覽史籍，觀古忠臣義士，出一朝之命以徇國家之難，身雖屠裂而功銘著于鼎鍾，名稱垂于竹帛，未嘗不扮心而歎息也。……臣獨何人以堪長久，常恐先朝露塡溝壑，墳土未乾，而身名竝滅。〔註7〕

即使身爲曹操之子，卻懼於尸位素餐，背後的動機便是不願「墳土未乾，而身名竝滅」，故一再要求給予機會，得以建功，曹植嚮往「身雖屠裂而功銘著于鼎鍾」的不朽，即便因此殞命，也是「猶生之年」。因爲人皆有死，若貪圖自身的安逸富貴，則與「圈牢之養物」沒有差異。

而段灼，字休然，敦煌人。「魏時仕州郡，稍遷鄧艾鎮西司馬，從艾破蜀，封關內侯，累遷議郎。晉泰始中擢爲明威將軍魏興太守」〔註8〕，其〈上表陳

〔註6〕　〔清〕嚴可均輯《全三國文》，頁17。
〔註7〕　〔清〕嚴可均輯《全三國文》，頁86～87。
〔註8〕　〔清〕嚴可均輯《全晉文》，頁770。

五事）便是從忠君遭忘、功名未成、尸位素餐、親人喪亡、中年嬰災「五恨」
出發：

> 臣聞忠臣之于其君，猶孝子之于其親。進則有欣然之慶，非貪官也；
> 退則有戚然之憂，非懷祿也。其意在于不忘光君榮親，情所不能已
> 已者也。臣伏自悼，私懷至恨：生長荒裔，而久在外任，自還抱疾，
> 未嘗覲見，陛下竟不知臣何人，此臣之恨一也。遭運會之世，值有
> 事之時，而不能垂功名于竹帛，此臣之恨二也。逮事聖明之君，而
> 尫悴羸劣，陳力又不能，當歸死于地下，此臣之恨三也。哀二親早
> 亡隕，兄弟竝凋喪，孝敬無復施于家門，此臣之恨四也。夏之日忽
> 以過，冬之夜尋復來，人生百歲，尚以爲不足，而臣中年嬰災，此
> 臣之所恨五也。〔註9〕

文中充滿人生短暫，親人早亡，而功名未就的悲憤，尤其在朝廷正值多事之
秋時，竟未能爲君效勞，以成功業，「而不能垂功名於竹帛」，可見段灼對於
自己未能把握時機，而名載史冊，愁恨不已。

至西晉初期，天下仍是分割局面，所以仍有人追求建功立業。如棗嵩：

> 棗嵩見陸雲做逸民賦，嵩以爲丈夫出身，不爲孝子則爲忠臣，必欲
> 建功立策，爲國宰輔，遂做官人賦，以反雲之賦。〔註10〕

而杜預〈與王濬書〉：

> 足下既摧其西藩，便當徑取秣陵，討累世之逋寇，釋吳人于塗炭。
> 自江入淮，逾于泗、汴，泝河而上，振旅還都，亦曠世一事也。
>
> 〔註11〕

激勵王朗能討寇救民，得成「曠世」之事，杜預本人更是代羊祜爲鎮南大將
軍都督荊州諸軍事，平吳有功，進爵當陽縣侯，不僅聲震當世，更是史冊有
載。若看王朗寫予許文休之信，也可見王朗藉事功誘許文休投降，〈與許文休
書三首〉：

> 若足下能弼人之遺孤，定人之猶豫，去非常之偏號，事受命之大魏，
> 客主兼不世之榮名，上下蒙不朽之常耀，功與事竝，聲與勳著，考
> 績效足以超越伊呂矣！〔註12〕

〔註 9〕　〔清〕嚴可均輯《全晉文》，頁 770～771。
〔註10〕　〔唐〕房玄齡《晉書‧棗嵩傳》注引《文士傳》，頁 1506。
〔註11〕　〔清〕嚴可均輯《全晉文》，頁 636。
〔註12〕　〔清〕嚴可均輯《全三國文》，頁 125。

將投降一事，視爲不世榮名、不朽常耀之事，雖稍嫌誇大，但也可看出士人追求聲名不朽的熱切。在董昭〈與袁春卿書〉中也有相同情形：「且邾儀父始與隱公盟，魯人嘉之，而不書爵，然則王所未命，爵尊不成，春秋之義也。……若能翻然易節，奉帝養父，委身曹公，忠孝不墜，榮名彰矣！」〔註13〕，將這樣屈辱投降之事，稱爲「忠孝不墜」，且能「榮名彰矣」，在招降書中，絕非諷刺挖苦對方，而是爲求對方投降，以此來安撫對方，告訴對方這樣的行爲絕不會留下汙名，反而能因跟對主子，而得榮名於世。

晉室南渡，仍有士人追求建功立業，匡復國土，《世說新語‧言語》：

> 劉琨雖隔閡寇戎，志存本朝，謂溫嶠曰：「班彪識劉氏之復興，馬援知漢光之可輔。今晉祚雖衰，天命未改。吾欲立功於河北，使卿延譽於江南。子其行乎？」溫曰：「嶠雖不敏，才非昔人，明公以桓、文之姿，建匡立之功，豈敢辭命！」〔註14〕

劉琨欲以立功而得以「延譽」於江南，而溫嶠也以「建匡立功」爲己任。不過東晉朝綱不振，寄人國土，先後有王敦之亂、蘇峻之亂、桓溫專政、桓玄之亂、桓玄稱帝等亂事，都顯示有心之士欲乘時而起，以成大業。《世說新語‧尤悔》中便載：「桓公臥語曰：『作此寂寂，將爲文、景所笑！』既而屈起坐曰：『既不能流芳後世，亦不足復遺臭萬載邪？』」〔註15〕，劉孝標引《續晉陽秋》曰：「桓溫既以雄武專朝，任兼將相，其不臣之心，形于音迹」責難其不臣之心，但桓溫所言竟有不論美名臭名，但求名流後世，足見其對於自身不臣形跡是沒有愧疚的，最可悲的是不能名垂千載，也難怪桓溫會視王敦爲「可人」，是因爲兩者追求個人功業，不畏他人甚至後世的眼光是一樣的。

並不是每個建功立業者，都同桓溫一般，野心勃勃，不過建功立業到底是爲國家效忠或是爲求個人美名，其實見仁見智，《世說新語‧識鑒》便載：

> 韓康伯與謝玄亦無深好。玄北征後，巷議疑其不振。康伯曰：「此人好名，必能戰。」玄聞之甚忿，常於眾中厲色曰：「丈夫提千兵，入死地，以事君親故發，不得復云爲名。」〔註16〕

〔註13〕〔清〕嚴可均輯《全三國文》，頁143。
〔註14〕余嘉錫《世說新語箋疏》〈言語35〉，頁96～97。
〔註15〕余嘉錫《世說新語箋疏》〈尤悔13〉，頁904。
〔註16〕余嘉錫《世說新語箋疏》〈識鑒23〉，頁405。

謝玄認為自己出生入死的原因，當然是為了忠君愛國，但卻被韓康伯指其「好名」，故氣憤難平。顯然，出生入死，桓溫是為自己後世名，而謝玄則是效忠國君，兩者出發點不同，但謝玄如此憤恨澄清，顯示忠君愛國與追求個人名聲難以切割，造成「好人為壞人所累」的情形。

東晉在山河破碎的情況下，更是有志者奮起的好時機，但是有心北伐，或是收復河山者卻寥寥無幾，整個東晉在偏安的心態下，求為國效忠，建功立業者如劉琨、溫嶠者少，反而是強權者乘時而起，起兵造反者多，其中桓溫便曾說：「既不能流芳後世，亦不足復遺臭萬載邪？」，這時期士人多求安逸平穩的偏安生活，想要建功立業者留名後世者，反而有取而代之的野心，可見忠君思想的淡泊。魏晉忠孝觀的改變，從而使國家紛亂，軍閥四起，建功立業者不以家國為念，但以自身雄名遠播為務，即便身後不能留下忠臣美名，遺臭萬載也是可以期待的。

壹、賜諡以紀功懲惡

建功立業後，如何將這種立功之跡，流傳後世，便成了士人接下來的課題，除了名載史冊之外，尚能藉由賜諡、載蹟於碑石等方式，將人名與事蹟留予後世。我們可以從這些有形的事物，看出士人如何確保死後身腐而名留的種種用心。

諡號，是依據亡者生前的功過，來給予記功或是懲惡〔註 17〕，也因此士人對於諡號的封賜十分注重，如：

劉輔〈論賜諡啓〉：古者存有號則歿有諡，必考形跡，論功業而為之制。〔註 18〕

荀閎〈賜諡議〉：古之諡，紀功懲惡也，故有桓文靈厲之諡，今侯始封其以功美受爵土者，雖無官位，宜皆賜諡，以紀其功，且旌奉法，能全爵祿者也。〔註 19〕

張華〈晉文王諡議〉：殊位盛禮，實隆明德，班爵崇寵，亦光茂勳。

〔註 17〕 如秦秀〈何曾諡議〉：「謹案《諡法》：『名與實爽曰繆，怙亂肆行曰醜。』曾之行己，皆與此同，宜諡為繆醜公。古人闔棺之日然後誄行，不以前善沒後惡也。」，〔清〕嚴可均輯《全晉文》，頁 844。
〔註 18〕 〔清〕嚴可均輯《全三國文》，頁 202。
〔註 19〕 〔清〕嚴可均輯《全三國文》，頁 215。

> 至于表名贈號，世考洪烈，冠聲無窮者，莫尚于號諡也。論功高于
> 禹、稷，此德邁于伊、周。〔註20〕

　　嵇紹〈陳準諡議〉：諡號所以垂之不朽，大行受大名，細行受細名，
　　文武顯于功德，靈厲表于闇蔽。〔註21〕

「存有號則歿有諡」，諡號乃依據其人身前的功過來給予，從諡號來初步瞭解
古人，可以說是方便法門，故魏晉士人頗計較於諡號的有無、恰當，若人生
前有功卻未能得到諡號，親人或故友便會要求賜諡，從這也可看出諡號是人
留名後世的依據之一，如周顗〈上疏請周顗贈諡〉、王宮〈爲劉毅請諡疏〉，
甚或有諡卻不符生前行績而求修諡者，如滕並〈上表請改父修諡〉。諡號又有
褒貶的成分，更直接決定了人是流芳百世抑或遺臭萬年，諡號成爲一個人在
世時行爲表現的總標記，顯示一個人活過的痕跡，追求名聲的魏晉士人不得
不留心於此。而段灼〈上疏追理鄧艾〉中，更提到立廟賜諡以表忠臣，能達
到勸士人盡忠於君的效果：

> ……臣以爲艾身首分離，捐棄故土，謂可聽艾門生故吏收艾屍喪，
> 歸葬舊墓，還其田宅。以平蜀之功，紹封其孫。使艾闔棺定諡，死
> 無所餘恨，赦冤魂于黃泉，收信義于後世；葬一人而天下慕其行，
> 埋一魂而天下歸其義。所爲者寡而悅者眾，則天下徇名之士，思立
> 功之臣，必投湯火，樂爲陛下死矣。〔註22〕

用「葬一人而天下慕其行」來讓天下立功、求名者，有所依循，有所期盼，
這種死後表揚的方式，除了讓死者垂名後世，同時也達到教化人心的作用。
類似的情形也用在加贈爵號上，如弘訥〈議加贈卞壺爵號〉：

> 死事之臣古今所重。卞令忠貞之節，當書于竹帛。今之追贈，實未
> 副眾望。謂宜加鼎司之號，以旌忠烈之勳。〔註23〕

也許爲國效忠，立功建業的目的並非在封爵得諡上，但若建功立業後，卻未
能有相等的獎勵，默然而終，可以想見士人的失望。

〔註20〕〔清〕嚴可均輯《全晉文》，頁726。
〔註21〕〔清〕嚴可均輯《全晉文》，頁762。
〔註22〕〔清〕嚴可均輯《全晉文》，頁774。
〔註23〕〔唐〕房玄齡《晉書·卞壺傳》，頁1200。

貳、刊刻碑文以述之

劉勰《文心雕龍》說明碑的由來：

> 碑者，埤也。上古帝皇，紀號封禪，樹石埤岳，故曰碑也。周穆紀
> 跡於弇山之石，亦古碑之意也。又宗廟有碑，樹之兩楹，事止麗牲，
> 未勒勳績；而庸器漸缺，故後代用碑，以石代金，同乎不朽，自廟
> 徂墳，猶封墓也。〔註24〕

可見碑文原是封禪時，在山岳中樹石以記其事，是刻石記功用，而宗廟處亦
立有碑，不過不同於封禪所立之碑，並未刻上帝王勳績，只用作栓祭祀用的
牲畜，後來銅器逐漸缺乏，人們便以石碑代替鍾鼎，同樣可以垂之不朽，從
宗廟到墳墓，石碑同樣都可以保持不朽。據馬衡《中國金石學概論》言：

> 碑爲廟門墓所所用，既如上述。然則用以刻辭，果使自何時？曰，
> 始於東漢之初，而盛於桓靈之際，觀宋以來之所著錄者可知矣。漢
> 碑之制，首多有穿，穿之外或有暈者，乃墓碑施轆轤之遺制。其初
> 蓋因墓所引棺之碑而利用之，以述德紀事於其上，其後相習成風，
> 碑遂爲刻辭而設。……魏晉以後，穿暈漸廢，額必居中，文必布滿，
> 皆其明證也。〔註25〕

可知從東漢末年，碑由原本設立廟門與墓所中，改而以刻辭述事爲主，而不
限於廟門或墓所了，尤其魏晉時期文必布滿碑石，更可以看出碑文以進入「述
德紀事」的層次了。人們會因爲某人的事蹟足以垂範後世，所以將其事蹟刊
刻於石以述之。如邯鄲淳〈孝女曹娥碑〉：「名勒金石，質之乾坤，……，時
效彷彿，以昭後昆」〔註26〕可知人們藉由「立碑」、「題字」讓後人傳誦，或
言其功業，或敘其孝行，或載其忠跡，是要「名勒金石」、「以昭後昆」用的。
文心雕龍：「夫屬碑之體，資乎史才，其序則傳，其文則銘，標序盛德，必見
清風之華；昭紀鴻懿，必見峻偉之烈，此碑之制也。夫碑實銘器，銘實碑文，
因器立名，事先於誄，是以勒石贊勳者，入銘之域，樹碑述亡者，同誄之區
焉」〔註27〕，究其所言，則碑因有敘事功能，故與傳記有關聯；而碑文中有

〔註24〕詹鍈義證《文心雕龍義證》，頁 443～444。
〔註25〕馬衡《中國金石學概論》，吉林：時代文藝出版社，2009 年 10 月第一版，頁
　　　　89～90。
〔註26〕〔清〕嚴可均輯《全三國文》，頁 146。
〔註27〕詹鍈義證《文心雕龍義證》，頁 457。

贊頌功勳的，與銘文接近；而樹碑述亡者，則與誄文相近。從這裡我們可以看出碑銘誄三者的關聯與異同，而載事蹟以垂不朽是這三者的共同點，而碑文因爲刊刻於石中，較諸使用銅器爲便，又比誄文更能久遠流傳〔註 28〕。馬衡《中國金石學概論》：

> 紀事刻石者，紀當時之事實，刻石以表章之也。經典刻石者，古人
> 之論著，藉刻石以流傳之也。〔註 29〕

若紀人載事，多爲表章用，若是刊刻論著，則是希望能使文章流傳後代，魏明帝太和四年便曾刻其父曹丕之典論論文於洛陽太學的石碑上，除了有頒布天下之意，欲藉由刻石立碑以流傳後世的動機也很明顯。

由於連年戰亂，民用維艱，曹操曾禁止立碑〔註 30〕，到了晉武帝咸寧四年時，晉武帝更下詔禁立碑：「此石獸碑表，既私褒美，興長虛僞，傷財害人，莫大於此，一禁斷之」〔註 31〕，但是元帝太興元年，有司奏：「故驃騎府主簿故恩營葬舊君顧榮，求立碑」，於是此風又起，人們又開始私下立碑，尤其許多門生故吏，更會合資刊刻。這樣的情況十分特別，刊刻石碑較之書於文章耗費更多，但士人爲了立碑仍願意私下集資，顯示人們對於立碑能「名勒金石」、「以昭後昆」的作用難捨，即便朝廷屢次禁止也干犯禁忌〔註 32〕。

在魏朝立碑以載事蹟留名後世者仍有，胡寶國於《漢唐間史學的發展》

〔註 28〕 趙超《中國古代石刻概論》也提到：「碑這種外形的石刻，在古代應用得非常廣泛，可以說是進行文字傳播的一種常用載體。所以除了墓碑、功德碑外，碑還有非常實用的紀事功能，所使用的文體也包羅萬象。」，北京：文物出版社，1997 年 6 月第一版，頁 19～20。

〔註 29〕 馬衡《中國金石學概論》，頁 99。

〔註 30〕 〔梁〕沈約《宋書·禮志二》：「漢以後，天下送死奢靡，多作石室石獸碑銘等物。建安十年，魏武帝以天下凋弊，下令不得厚葬，又禁立碑」，臺北：藝文印書館，1958 年，頁 204。

〔註 31〕 〔梁〕沈約《宋書·禮記二》，頁 204。

〔註 32〕 郭瑞《魏晉南北朝石刻文字》：「雖然魏晉南北朝時期，許多政權屢次禁止立碑，但是貴族們對永垂不朽的渴望並不能被熄滅，所以墓碑就移到了地下演變成了墓志，並很快被廣泛使用」，廣州：南方日報出版社，2010 年 8 月第一版，頁 252。而黃金明《漢魏晉南北朝誄碑文研究》也同樣提到：「……一方面是帝王的禁令，一方面是不息的以銘勒傳聲名於後的意識，爲了逃避禁令，魏晉時人們又開始『撰錄行事，刊之於墓之陰』，把碑石縮小，放入墓室中。」都說明朝廷雖禁立碑但人們因渴求不朽，仍私立碑，不過改爲立於墓室，而成墓志。北京：人民文學出版社，2005 年 3 月第一版，頁 129。

便指出這種私人立碑的情形如〔註33〕：《三國志》載賈逵死後：「豫州吏民追思之，爲刻石立祠」、載顏斐死後「京兆聞之，皆爲流涕，爲立碑，於今稱頌之」、汝南太守田豫「汝南聞其死也，悲之，既爲畫像，又就爲立碑銘」，並認爲是人物品評風氣下的產物。但筆者認爲，就刊石記功的功能言，其「留名」意義至巨，如上所言，刻石與撰文在人力物力的耗費差距甚大，若沒有在「留予後人知曉」的動機下，何需刻石載名？又闕名〈劉鎭南碑〉：「詩人詠功，列于大雅，至今不朽，況乎將軍牧二川二紀，功載王府」〔註34〕。這位無名氏未能留下姓名，爲他所記的劉鎭南卻得以留名後世，顯現記載碑石使主人翁的事蹟得以垂之後世的重要性。

到晉代，歌功頌德的碑銘仍有，顯示朝廷禁斷對這種私立碑銘的無以爲力，如裴希聲〈侍中嵇侯碑〉，讚美嵇紹「在親成孝，于敬成忠」〔註35〕；袁宏〈祖逖碑〉、〈丞相桓溫碑銘〉讚美二人的事功、〈孟處士銘〉讚美處士不降志〔註36〕；孫楚〈故太傅羊祜碑〉、〈雁門太守牽招碑〉讚美事功〔註37〕；孫綽〈丞相王導碑〉、〈太宰郗鑒碑〉、〈太尉庾亮碑〉、〈太傅褚褒碑〉、〈司空庾冰碑〉、〈潁州府君碑〉讚美其人其事〔註38〕；李興〈晉故使持節侍中太傅鉅平成侯羊公碑〉記載羊祜的政事武功〔註39〕；盧播〈阮籍銘〉讚美阮籍眞樸的人格〔註40〕；潘岳〈司空密陵侯鄭袤碑〉言其爲人忠信孝友，「清風顯烈，沒而不朽」、〈荊州刺史東武戴侯楊使君碑〉記其西陵一役，「懸軍深入」〔註41〕；繆世應〈太尉石鑒碑〉，以石鑒「雅節不羣，值方其道」而立碑〔註42〕；李闡〈右光祿大夫西平靖侯顏府君碑〉敘其言行、官職〔註43〕。或述其品德，或述其功業。從上述這些碑銘，可以看出朝廷的禁斷，仍然未使晉朝人們斷絕表刊金石，以傳千載的渴望。也許是因爲孝行可嘉，又或是人品德行，最

〔註33〕 胡寶國《漢唐間史學的發展》，頁149。
〔註34〕 〔清〕嚴可均輯《全晉文》，頁307。
〔註35〕 〔清〕嚴可均輯《全晉文》，頁586。
〔註36〕 〔清〕嚴可均輯《全晉文》，頁723。
〔註37〕 〔清〕嚴可均輯《全晉文》，頁739～740。
〔註38〕 〔清〕嚴可均輯《全晉文》，頁748～749。
〔註39〕 〔清〕嚴可均輯《全晉文》，頁798。
〔註40〕 〔清〕嚴可均輯《全晉文》，頁57。
〔註41〕 〔清〕嚴可均輯《全晉文》，頁18。
〔註42〕 〔清〕嚴可均輯《全晉文》，頁156。
〔註43〕 〔清〕嚴可均輯《全晉文》，頁300。

多的便是事業武功，從人們的心理上來看，刻碑題字時，所想到的便是此人一生的豐功偉業，而非瑣屑小事〔註44〕。

　　然而魏晉碑文與漢代碑文仍有所不同，碑文雖以述亡德行為主，但魏晉碑文除了歌功頌德外，尚注重描述具體的言行，黃金明《漢魏晉南北朝誄碑文研究》中指出此一特徵，並說明魏晉碑文的這種變化：「表明當時人們一方面依然有很強的死後勒碑傳揚後事的意識，另一方面又懼怕禁令，懼怕以極力形容稱頌亡者以遭抨擊，力求以記實性的變通方式逃避制裁的矛盾心理」〔註45〕，內容轉向記實，但昭示後昆，永垂後世的動機卻仍是不變的。

　　這麼多的碑銘，都顯示出活著的人盼能將這些人物事蹟傳諸後世，以此推知，碑銘中記載的人物，在生前可能也有求名的渴盼。在雙方皆有此需求的原則下，為人立碑題字的情形便多了起來，甚至有不那麼「豐功偉業」，但仍「值得一書」的碑銘，如：

　　　　李苞〈閣道摩崖題名〉：景元四年十二月十日，蕩寇將軍浮亭侯譙國李苞字孝章，將中軍兵石木工二千人，始通此閣道。〔註46〕

　　　　梁柳〈崤山路石銘〉：晉太康三年，弘農太守梁柳修復舊道。〔註47〕

　　　　闕名〈造屍陵遏記〉：魏使持節都督河北道諸軍事征北將軍建城鄉侯沛國劉靖字文恭，……追惟前立遏之勳，親臨山川，指授規略，命司馬關內侯逢惲，內外將士二千人，起長岸，立石渠，脩主遏，治水門，門廣四丈，立水五丈，興復載利，通塞之宜，準遵舊制……

〔註44〕胡寶國視刊石立碑的行為為人物品評的影響「證明東漢以來呈風起雲湧之勢的私人立碑確實是人物品評風氣的產物，因此同樣存在著『既私褒美，興長虛偽』的弊端；同時也表明了魏晉國家對此無可奈何」，但從碑銘的內容來看，載人一生的功績德行，歌功頌德有之，評論優缺則無，甚且人物品評多從個人品格評起，而少以個人功業評起，如許邵評曹操「治世之能臣，亂世之奸雄」，非論其功業何如，或許人物品評確有影響立碑一事，但立碑更重視其「紀念」故人的功能，如顧榮舊屬求為其立碑一事可以看出，而紀念感念前人，刊石立碑，顯示出為前人留名後世的用心。《漢唐間史學的發展》，第148～149頁。
〔註45〕黃金明《漢魏晉南北朝誄碑文研究》，北京：人民文學出版社，2005年3月第一版，頁132。
〔註46〕〔清〕嚴可均輯《全晉文》，頁644。
〔註47〕〔清〕嚴可均輯《全晉文》，頁28。

元康五年十月十一日，刊石立表，以紀勳烈，并記過制度，永爲後
式焉。〔註48〕

闕名〈伊闕右壁銘〉：元康五年，河南府君，循大禹之軌部，督郵辛
曜、新城令王琨、部監作掾董猗、李袞，斬岸開石，平通伊闕。
〔註49〕

這些頗有「感秦國思鄭渠之績，魏人置豹祀之義」，與現今人們爲某些建築工
程題字有異曲同工之妙。爲修路造過等事立碑留名，尚可一書。卻也有爲不
甚重要之事，甚或內心感受而刻於石碑的情形，如：

韓伯〈王述碑〉：述遷會稽太守，淮海維揚，皇基所託，此蓋關河之
重，複決決大邦。〔註50〕

闕名〈七年粟銘〉：劉殷嘗夜夢人謂之曰：「西籬下有粟，竊而掘之，
得十五鍾，銘曰：『七年粟百石，以賜孝子劉殷』」〔註51〕

闕名〈建鄴城銘〉：二百年後，當有癡人脩破吾城者。〔註52〕

韓伯記王述遷會稽太守一事，未記其偉業何如，但說其肩負重任。劉殷夜夢
七年粟一事，更被記載於碑銘上。而〈建鄴城碑〉更不重描述工程的險峻，
反於建成之日，遙想城破之時，又有某癡人修城，寫其「癡人」，乃是因爲更
有後人破城、修城，這與一般工程建築竣工所寫的碑銘已大不相同。我們可
以由此知道，魏晉人藉由刻石一事，來對後人傾訴、溝通，除了顯現當時人
對生命短暫的感慨，也表達留名後世的渴切，尤其〈建鄴城銘〉更凸顯魏晉
人對時空變異的感慨，頗能呈現時代風氣。

不過，許多人也藉此機會大肆歌頌死者，造成名不符實的情況，也因此
有人針對這樣的不良風氣提出批評，如桓範〈銘誄〉：

夫渝世富貴，乘時要世，爵以賂至，官以賄成。常侍黃門賓客，假
其氣勢以致公卿，牧守所在，宰莅無清惠之政，而有饕餮之害。爲
臣無忠誠之行，而有姦欺之罪，背正向邪，附下罔下，此乃繩墨之
所加，流放之所棄。而門生故吏，合集財貨，刊石紀功，稱述勳德，

〔註48〕〔清〕嚴可均輯《全晉文》，頁373。
〔註49〕〔清〕嚴可均輯《全晉文》，頁373。
〔註50〕〔清〕嚴可均輯《全晉文》，頁297。
〔註51〕〔清〕嚴可均輯《全晉文》，頁373。
〔註52〕〔清〕嚴可均輯《全晉文》，頁373。

> 高邈伊周，下陵管晏，遠追豹產，近踰黃邵，勢重者稱美，財富者
> 文麗，後人相踵，稱以爲義。外若讚善，內爲己發，上下相效，競
> 以爲榮，其流之弊，乃至于此，欺曜當時，疑誤後世，罪莫大焉。
> 且夫賞生已爵祿，榮死以誄謚，是人主權柄，而漢世不禁，使私稱
> 與王命爭流，臣子與君上俱用，善惡無章，得失無效，豈不誤哉！
> 〔註53〕

從文中所述，可窺見當時人們刊刻的銘文、書寫的誄文，誇大描述其人的功德，造成「善惡無章」，且有讓後人誤解的可能。爲何會有這樣的流弊，與當時人務求留名，不重品德有關。

　　無論是順乘時勢，建功揚名；或是爲先人立廟，祭祀不絕；或以封爵賜謚，刊石記功……這些無非是盼能爲己留名，爲先人留名，從這都可看出魏晉士人爲求「名泰」的種種努力。

第二節　立德揚名，垂範後世

　　除了立功之外，人們也盼能藉由立德留名後世。晉杜預曾言：「德不可以企及，立功立言可庶幾也」，若以聖人爲標準，一般士人難能以德不朽，不過實際上有道德操守者，雖不欲以德立名，但其堅守道德，成全德名，流傳後世者，也可稱其以德不朽了。

　　本文以樹立忠臣孝子形象者，爲立德揚名之例，而非以聖人之標準看待。在朝代更替之際，人的道德節操面臨強大的挑戰，尤其在當權者剷除異己之時，更凸顯「雞鳴不已」的忠誠節操〔註54〕。而魏晉交替之際，「忠」名難以堅守，士人多觀望，求能明哲保身，至晉朝，改以「以孝治天下」，「忠孝」成了這時期士人掙扎於揚名後世或遺臭萬年的癥結。不過即便「渴名」不已，若不能留下性命，一切便成空談。士人思考著身泰名遂的可能，於是明哲保身，韜光養晦，成了上人選擇的道路。這時期，歸隱鄉里或是遁跡山林，成

〔註53〕〔清〕嚴可均輯《全晉文》，頁211。

〔註54〕如〈傅子（四）·補遺下〉：太祖既誅袁譚，梟其首，令曰：「敢哭之者，戮及妻子。」于是王叔治、田子泰相謂曰：「生受辟命，亡而不哭，非義也。畏死亡義，何以立世？」遂造其首而哭之，哀動三軍。軍正白行其戮。太祖曰：「義士也。赦之」，而司馬氏奪取政權，夷誅名士，都可以看出當權者誅殺異己，能守德不移者的艱難。〔清〕嚴可均輯《全晉文》，頁680。

了通往立德留名這目標的幽暗小道，在未能立德之前，以不毀仁德的方式，保全了自身，成就了隱士的高名。魏晉時期立功揚名充滿了英雄氣概的豪邁，立德不朽卻呈現士人板蕩中的堅持。

壹、捨身以報國

忠孝難兩全，所牽涉到的問題，便是身名的取捨。惜身愛身，乃是孝順父母之始，若出仕為官，一不能奉養父母，二為國犧「身」，有忠名則難成孝子。魏晉時期，這樣的衝突因著朝廷政權的更迭而更顯尖銳，江建俊〈魏晉忠孝辨〉中說到：「魏晉禪代，擁護的對象不同，效忠的對象便不同，難言其忠與不忠」〔註55〕，但若以為國犧牲的高標準來看，就算對其敵對的人馬而言不算忠，但能捨身報「國」，無論所忠何人，都可說是「死忠」了。畢竟以魏晉重視生命的態度來看，能捨命為忠者，非具有忠誠的道德情操者，難以成之。

以王淩父子為例。《三國志·王淩傳》記載王淩「是時海濱乘喪亂之後，法度未整，淩布政施教，賞善罰惡，甚有綱紀，百姓稱之不容於口」、「後從曹休征吳，與賊遇於夾石，休軍失利，淩力戰決圍，休得免難。」可以看出王淩是一位有才幹又忠肝義膽之士，但「司馬宣王既誅曹爽，進淩為太尉，假節鉞，淩愚密協計謂齊王不任天位，楚王彪長而才，欲迎立彪都許昌」，從《三國志集解》引《漢晉春秋》曰：「淩愚謀以帝幼，制於彊臣，不堪為主，楚王長而才，欲迎立之以興曹氏」，從這更能看出王淩忠於曹氏，一心為國，卻無意間妨礙了司馬懿獨攬大權的目標，司馬懿大軍逼淩，於是「淩行到項，夜呼掾屬與決曰：『行年八十，身名並滅邪！』遂自殺」，這「身名並滅」的感慨，應是認為自己位至太尉，一心向忠，臨死卻是背負亂臣賊子之名。從《三國志》引干寶《晉紀》：「淩到項見賈逵祠在水側，淩呼曰：『賈梁道王淩固忠於魏之社稷者，惟爾有神知之』」〔註56〕王淩感嘆自己忠於魏室，卻只有鬼魂知道，世人莫知，更遑論後代美名。

相較於王淩莫名地在權力鬥爭中喪命，王淩之子王廣卻是在自主選擇之

〔註55〕 江建俊〈魏晉「忠孝」辨〉，《魏晉南北朝文學與思想學術研討會論文集》，第五輯，國立成功大學中文系編輯，台北：里仁書局，2004 年 11 月初版，頁516～517。

〔註56〕 〔晉〕陳壽《三國志·王淩傳》，頁 651～653。

下，決定赴死。在王淩死後，司馬懿以王廣曾規勸其父，故未收王廣，但王廣卻認為：「廣父非反也。廣所以勸父弗舉者，欲須時耳。廣父不幸舉不當而敗。廣父，太傅之賊而曹氏之忠臣也。廣，太傅之忠臣，而父之賊也。賊父以求生，廣不為也」〔註57〕，於是伏劍而亡。王廣寫信給父親勸諫其事，須待時機，可惜王淩未能接受，顯見王廣並未反對父親迎楚王彪之事，故說父親的失敗是「不幸」，而非「不對」。但王廣是忠於司馬氏的，這對父子的悲劇便在於效忠的對象不同，在忠孝難兩全的情況之下，王廣伏劍而亡，不願苟且偷生，留下不忠不孝的臭名。

這麼劇烈的忠孝衝突，若王廣選擇繼續效忠司馬氏，那麼他便成了嵇紹的先聲了，嵇康被殺，但嵇紹卻出仕晉朝，甚至為晉惠帝而死，許多後人批評他的出仕，但也有許多人，因為嵇紹的「死忠」，再加以嵇康的〈家誡〉，為其迴護。顯見一個人的忠心，無論出發點對或錯，人們多為其能犧牲性命，而認可其「忠」。

再如王經。在《世說新語・賢媛篇》中：

> 王經少貧苦，仕至二千石，母語之曰：「汝本寒家子，仕至二千石，此可以止乎！」經不能用。為尚書，助魏，不忠於晉，被收。涕泣辭母曰：「不從母敕，以至今日！」母都無慼容，語之曰：「為子則孝，為臣則忠。有孝有忠，何負吾邪？」〔註58〕

聽從母親便是孝道，但王經違背母命，又「不忠於晉」，如此說來，是不忠不孝之徒。但從「助魏」一詞，可以看出王經是忠於魏室，在高貴鄉公被弒一事中，侍中王沈散騎常侍王業二人，將高貴鄉公欲出討司馬昭之事「馳告于帝」，而尚書王經以正直不出，至事發，高貴鄉公被弒，於是王經被收，故王經母認為王經雖不聽己命，但是因正直獲罪，可以知道王經母親認為若能保命則佳，若不能則應盡忠，以此看來，王經是既忠且孝。其實王經可與沈、業二人相同，但當他決定留下助魏時，應該不是以「留下忠臣孝子之名」為動機來犧牲性命。這是他自己良心的抉擇，卻自然的留下「忠臣孝子」之名於後世。〔註59〕

〔註57〕〔晉〕陳壽《三國志・王淩傳》，頁654。

〔註58〕余嘉錫《世說新語箋疏》〈賢媛10〉，頁678。

〔註59〕其實在晉武帝時，〈賜王經孫郎中詔〉中便說：「故尚書王經，雖身陷法辟，然守志可嘉，門戶湮沒，意常愍之，其賜經孫郎中」，這雖然是司馬氏招攬人心之作，但也可看出王經「志守可嘉」，承認其為忠臣。《全晉文》，頁418。

　　而周處，在《晉書》本傳記載：「及氐人齊萬年反，朝臣惡處彊直，皆曰：『處，吳之名將子也，忠烈果毅』乃使隸夏侯駿西征。伏波將軍孫秀知其將死，謂之曰：『卿有老母，可以此辭也』處曰：『忠孝之道，安得兩全？即辭親事君，父母復安得而子乎？今日是我死所也！』」。又因與梁王肜有隙，「處知肜不平，必當陷己，自以人臣盡節不宜辭憚，乃悲慨即路，志不生還」，後梁王肜促周處攻齊萬年，卻絕其後繼，「左右勸退，處按劍曰：『此是吾效節授命之日，何退之為？且古者良將受命，凶門以出，蓋有進無退也，今諸軍負信，勢必不振，我為大臣以身徇國，不亦可乎？』遂力戰而沒」〔註60〕，從這些都可以看出周處以身殉國之心，盡臣子之節，其實周處有機會選擇當一位孝子，歸養老母，但他認為忠孝難兩全，既然身為人臣，則自當盡節以報，而非畏死偷生。周處的確因為犧牲性命而成就了後代美名，但與王經相同，兩人並非在求「忠臣孝子」名的情況下，來犧牲性命，若以此解讀，則二人的名聲豈不是在權衡利弊的情況下達成了。我們也可以借用干寶《晉紀・論姜維》的話來說周處與王經：

　　　非死之難，處死之難也！是以古之烈士，見危授命，投節如歸，非

　　　不愛死也，固知命之不長，而懼不得其所也。〔註61〕

這是以「死有輕如鴻毛，重於泰山」的角度來看以身殉國，人無論壽命長短，皆難免一死，於其苟活於世，不如死得其所，周處也明言「今日是我死所也」，王經母必也認為王經之死是死得其所，若與王沈王業一般，恐有後世之譏。再看梁王肜，梁王肜與周處俱討齊萬年，身為貴戚，「進不求名，退不畏咎」，後梁王肜歷任錄尚書事、丞相、太宰，可謂身名俱泰，但若以身後名較之，則周處為忠臣，梁王肜為八王之亂的元凶之一。

　　臣子為國家義不顧身，又不能在親左右，隨侍奉養，忠孝難以兩全。不過周處死後卻諡為「孝」。按《晉書》本傳云：「在戎致身，見危授命，此皆忠賢之茂，實烈士之遠節。案《諡法》：『執德不回，曰孝』，遂以諡焉」，對於周處以「孝」為諡，江建俊在〈魏晉「忠孝」辨〉中的看法為「周處以大『忠』而得『孝』諡，以其立身行道，揚名於後世，榮顯其親，實孝之大者」〔註62〕，《孝經・開宗明義》便是以「立身、行道、揚名於後世，以顯父母」

〔註60〕〔唐〕房玄齡《晉書・周處傳》，頁1021。
〔註61〕〔清〕嚴可均輯《全晉文》，頁269。
〔註62〕江建俊〈魏晉「忠孝」辨〉，頁537。

為「孝之終也」，周處得忠臣孝子之名，非由其自身奉養父母而來，乃是因其立身行道，揚名後世。

對於這種「忠孝兩全」，其忠孝兩者間的樞紐便在於「名」。第二章時已對於這種顯親揚名為「孝」加以說明，人若「辱沒雙親」，即便善事奉養，仍是不孝之極，反之，若能光耀門楣，若未能奉養父母，以其事跡來看，也仍能稱其為孝，華嶠《《漢後書》江革毛義論》：

> 夫患啜菽粥之羸，干祿以求養，是以祿親也；孜孜以致孝，孝成而祿厚者，此能以義養也。孔子稱「孝哉，閔子騫！人不間于其父母兄弟之言。」言其孝皆合于道，莫可復間也。先代石氏父子稱孝，子慶相齊，人慕其孝而治，此殆所謂孝乎！惟孝友于兄弟，施于有政，是亦為政也。若二子者，推至誠以為行，行信于心而感于人，以成名受祿，可謂能孝養也。〔註63〕

將「成名受祿」以奉養父母，這樣的干祿，也算是「義養」，可見仕宦之途並非皆背負不孝罪名，反而要看求仕的原因。周處認為此時正是為人臣報效國家之時，豈能以家有老母為由，置國家於不顧，若每個人都以這樣的理由來逃避，國家滅亡了，人們也難以孝養父母了，故周處以「孝」諡是恰如其分的。

陳瓊玉《魏晉忠孝辯》一書中指出忠的內涵，一為臣對君的不貳性，另一特質是「諍諫性」，能冒著生命危險，當面指陳國君的錯誤，便是忠臣〔註64〕，考察全三國文，便可以發現，伴君如伴虎，許多臣子進諫時，抱著犧牲性命，也必直言的態度侍君，如：

> 楊阜〈諫營洛陽宮殿觀閣疏〉：陛下不察臣言，恐皇祖烈考之祚將墜于地，使臣身死有補萬一，則死之日，猶生之年也。〔註65〕

> 高堂隆〈詔問鵲巢陵霄闕對〉：臣備腹心，苟可以繁祉聖躬，安存社稷，臣雖灰身破族，猶生之年也。豈憚忤逆之災，而令陛下不聞至言乎？〔註66〕

> 董尋〈上書諫明帝〉：臣聞古之直士，盡言于國，不避死亡。……。

〔註63〕〔清〕嚴可均輯《全晉文》，頁769。
〔註64〕陳瓊玉《魏晉忠孝觀》，頁107。
〔註65〕〔清〕嚴可均輯《全三國文》，頁152～153。
〔註66〕〔清〕嚴可均輯《全三國文》，頁173。

臣知言出必死，而臣自比于牛之一毛，生既無益，死亦何損。秉筆
流涕，心與世辭，臣有八子，臣死之後，累陛下矣！〔註67〕

從「死之日，猶生之年」、「灰身破族，猶生之年」、「生既無益，死亦何損」，可以看出「冒死進諫」若能達成目的，則仍身死而不朽。雖然說臣子們以死進諫，頗有以生命逼迫之意，但若真的因此而死，也是「死忠」者。

對於這種願意捨身報國、敢於諍諫者，朝廷也會用這些忠君愛國之士，來鼓勵天下人效忠，如魏明帝《入賈逵祠詔》：「昨過項見賈逵碑像，念之愴然，古人有言：『患名之不立，不思年之不長』，逵存有忠勳，沒而見思，可謂死而不朽者矣。其布告天下，以勸將來」〔註68〕、魏齊王芳《追襃郭修詔》：「修于廣坐之中，手刃擊褘，勇過聶政，功逾介子，可謂殺身成仁，捨生取義者矣！夫追加襃寵所以表揚忠義，祚及後胤所以獎勸將來，其追封脩爲長樂鄉侯，食邑千户，……以光寵存亡，永垂來世焉」〔註69〕，這「死而不朽」、「永垂來世」都與前文所引忠臣進諫所言相同或相似，可見朝廷獎勸士人忠君愛國，便是用其能死而不朽、永垂來世來鼓勵，這與文天祥「留取丹心照汗青」是相同情感的。到了晉朝，晉安帝〈加贈檀憑之詔〉：「夫旌善紀功，有國之通典，沒而不朽，節義之篤行，故冀州刺史檀憑之，忠烈果毅，亡身爲國」〔註70〕、〈追贈何無忌詔〉：「無忌秉哲履正，忠亮明允，亡身殉國，則契協英謨」〔註71〕、晉孝武帝〈訪嵇紹宗族襲爵詔〉「（紹）貞潔之風，義著千載。每念其事，愴然傷懷。忠貞之胤，蒸嘗宜遠，所以大明至節，崇獎名教。可訪其宗族，襲爵主祀」〔註72〕，也是基於相同的理由，藉由加贈、追贈等方式，來獎勸士人報效朝廷。

東晉習鑿齒對於高堂隆等人的忠諫行為，深感可配，於是在〈高堂隆〉一文中，盛讚高堂隆：「高堂隆可謂忠臣矣。君侈每思諫其惡，將死不忘憂社稷，正辭動于昏主，明戒驗于身後，謇諤足以勵物，德音沒而彌彰，可不謂忠且智乎！」〔註73〕，除此之外，習鑿齒尚有〈鍾會功曹向雄〉、〈毌丘儉舉義〉、〈張昭閉戶拒命〉，讚美向雄哭王經與葬鍾會的義舉，認為毌丘儉是起義

〔註67〕 〔清〕嚴可均輯《全三國文》，頁243。
〔註68〕 〔清〕嚴可均輯《全三國文》，頁57。
〔註69〕 〔清〕嚴可均輯《全三國文》，頁65。
〔註70〕 〔清〕嚴可均輯《全晉文》，頁470。
〔註71〕 〔清〕嚴可均輯《全晉文》，頁470。
〔註72〕 〔清〕嚴可均輯《全晉文》，頁307。
〔註73〕 〔清〕嚴可均輯《全晉文》，頁468。

軍，指責張昭閉戶拒命，不能匡其君之失，綜合習鑿齒之言，可知他認為能犯顏直諫，不獨善其身者，才能稱之為忠臣。

若身為臣子卻不進一言，但求苟免，這絕非忠臣，不過魏晉時代卻出現許多這種居官不務世事者，真正如這些能諍諫者甚少。對於這些求免而居官者，有些掙扎在全身與護志間，有些則全力追求居高官，享榮華的人生。

貳、求免而輸誠

王戎「無蹇諤之節，自經典選，未嘗進寒素，退虛名」，便是不進一言，但求苟免的晉臣，表面上王戎盡忠於晉，實際上卻絕非忠誠之臣，但王戎卻坐享高位，身名俱泰，在魏晉遞嬗之際，許多人在司馬氏的屠殺手段中，看出若想保全性命，心中即便不願，但一定要與現實妥協，於是便產生了一批被迫歸順之士。例如向秀、李喜「畏法而至」，八王之亂時，顧榮擔任齊王冏主簿，「衡慮禍，及見刀與繩，每欲自殺，但人不知耳」〔註74〕，在「懼禍」的情況下，士人只好惶惶不安的度日，只求免身，不復談氣節。

其實這種圖免身的風氣，在曹魏時代便已發開端，朱熹〈答劉子澄書〉「建安之後，中州士大夫只知有曹氏，不知有漢室，卻是黨錮殺戮之禍有以啟之也。且已荀氏一門論之：則荀淑正言於梁氏用事之日，而其子爽已濡跡於董卓專命之朝，及其孫彧則遂為唐衡之壻，曹操之臣，而不知以為非矣。蓋剛大直方之氣，折於兇虐之餘，而漸圖所以全身就事之計，故不覺其淪胥而至此耳」〔註75〕，在黨錮之禍後，士人對於朝廷的忠誠開始轉變，士人開始著重於個人生命，而非在魏晉遞嬗之際時，人們才開始因懼禍而求安。

「忠君」的思想逐漸淡薄，求個人自全或家族綿延的思想卻與日俱增。余嘉錫《世說新語箋疏》云：「蓋魏晉士大夫，止知有家，不知有國。故奉親思孝，或有其人；殺身成仁，徒聞其語」〔註76〕，余英時《中國知識階層史論》提到魏晉之際君臣關係發生危機〔註77〕，羅宗強《玄學與魏晉士

〔註74〕〔唐〕房玄齡《晉書・顧榮傳》，頁1165。

〔註75〕王懋竑《朱子年譜》，《宋明理學家年譜》，北京：北京圖書館出版社，2005年4月第一版，頁178～179。

〔註76〕余嘉錫案《世說新語箋疏》〈德行42〉，頁46。

〔註77〕余英時《中國知識階層史論古代篇》，頁333。

人心態》對司馬炎弒君簒位所造成的「欲提倡忠而不可得」〔註78〕，江建俊〈魏晉忠孝辨〉中提到東晉門閥政治「家族利益凌駕於國家之上。影響所及，更重於孝，故有違孝道者，其行雖忠，亦爲人詬病」〔註79〕，可知對國君「忠」誠的精神江河日下，更多人注意的是自身的富貴與否，在杜恕〈臣第二〉中便說：「夫不憂主之不尊于天下，而唯憂己之不富貴，此古之所謂庸人，而今所謂顯士」〔註80〕便可窺見當時的忠君思想淡泊，反而一己之富貴漸凌駕在上。

因懼禍而入洛者，能爲保全自己的生命，而在道德上妥協到什麼程度，可以看出士人在身、名二者間拉鋸，若爲求生存而完全的改節歸順，事實上是很難的，因爲人們較難對以生命威脅自己的人效忠，故表面忠誠但內心則否。接下來就看個人的道德良知，越是掙扎在個人良知者，越是痛苦，即便保全性命，卻絕無法達到身心協調的「身泰」，只能達到「活著」的身泰。在這樣的情況下，追求後世的美名便顯得重要了，但要如何讓他人了解自己是被迫效忠的呢？我們查看魏晉士人的行爲舉止，便不難發現，許多奇特的行爲，便是在這樣的心情下迂迴的表現出來。

如以飲酒來避禍，不問世事，阮籍便用此種方式來拒絕與司馬氏結爲親家，又要能保全性命，又要保全後世名聲，阮籍大醉六十多天，其實阮籍藉由許多特殊的行爲，間接表達自己的不願效忠，卻又無可奈何的苦悶，如途窮而哭，或是守喪飲酒食肉〔註81〕。

又或者是以詩文來表達心跡，如向秀〈思舊賦序〉，頗有無奈於現實，懷念以往生活的感嘆；或是佯狂避禍，如范粲，原爲魏舊臣，司馬師輔政時，詔爲侍中，范粲懼禍卻又無法拒絕，只好「陽狂不言，寢所乘車，足不履地」，即便沒有「入洛」，但對於朝廷的賞賜與任命無法拒絕，以死明志又怕危及親人，於是便只好以這樣的方式來「護志」，范粲最後於所乘車中死去，在車上長達三十六年，以裝瘋來表達自己不願效忠晉室；又甚而有人在朝爲官，卻不務世事，避重就輕，以求「固志」，這些人不能隱遁，於是便以隱居之心，

〔註78〕羅宗強《玄學與魏晉士人心態》，頁197。
〔註79〕江建俊〈魏晉「忠孝」辨〉，頁537。
〔註80〕〔清〕嚴可均輯《全三國文》，頁236。
〔註81〕江建俊〈魏晉「忠孝」辨〉：「當統治者以「孝」爲「治術」，使孝流於虛矯，有識之士遂以毀行穢禮，以嘲諷之」，頁552。

在朝為官了〔註82〕，阮籍就曾為了喝酒求為步兵校尉，卻毫無作為，這種毫無作為的行為，便呈現出避禍以及不附於司馬氏的形跡，若果忠於司馬氏，有濟世志的阮籍，又已居官，大可施展抱負。這種一方面不敢反抗，又處處展現不附司馬的形跡，都迂迴表達他們的心志。

可知這種求免而歸順者，雖然不是忠臣，但並不代表無個人節操，前文述及孔子認為「邦有道，不廢；邦無道，免於刑戮」，更何況在魏晉時期，人們重視生命，厭世不厭生，所以若能保全性命，對於個人道德是不應有苛刻的責難。但若是「邦無道，富且貴焉，恥也」，則可以看出在亂世中，只求個人的身泰，是不道德的。但從魏到晉，尤其是西晉一代，競奢風氣日盛一日，這些追求個人財富者，顯然不顧立德不朽的可能了，西晉劉頌〈除淮南相在郡上疏〉：「今閭閻少名士，官司無高能。其故何也？清議不肅，人不立德，行在取容，故無名士」〔註83〕，當時的風氣衰頹如此。於是，我們可以判斷，若懼禍而輸誠者，這種「身泰」（其實更宜以「身存」名之），在道德層次上雖不如以死效忠者，但在情感上是可以同情理解的，但若在這種情況下，還追求個人生活的豪奢，或一味的聚斂，這種「身泰」，是等而下之的。

但還有一類士人很快接受現實，並不反對司馬氏，卻也非晉朝忠臣者，羅宗強用「好像是一種既成局面使他們不得不面對現實」〔註84〕，既然只是面對現實，對於忠或不忠，他們內心就不會受到很大的道德譴責，這類士人對當權者疏離，即便身處高位，也不代表他們與司馬氏親近。晉朝以忠立德之難，在其血腥篡奪時，便註定是難以達成的。除了這種無所謂忠不忠的士人外，還有一種更無道德可言的效忠，那便是依利益而行的效忠。

〔註82〕江建俊〈魏晉「朝隱」風氣盛行的原因及其理論依據〉：「『離事自全』乃當時士人普遍意識，於是能隱則隱，其具有名望，不遂隱志，被脅逼出仕者，則抱著『避重就輕』的處事態度，袖手不敢露才揚己，『慎默』才是當時最高的智慧」，《尉素秋教授八秩榮慶論文集》，臺北：文史哲出版社，1988 年 10 月初版，頁 476。

〔註83〕〔清〕嚴可均輯《全晉文》，頁 625。

〔註84〕羅宗強《玄學與魏晉士人心態》，頁 216。余英時舉司馬師收李豐事為例：「大將軍聞（許）允前，遽怪之曰：『我自收豐等，不知士大夫何為惢惢乎？』」，說明「典午之誅戮名士乃出於個人間權力之鬥爭，非欲與士大夫階層為敵也」可參看。《中國知識階層史論──古代篇》，頁 309。

參、逐利而自營

魏杜恕對臣子如何侍君的看法，是抱持臨難毋苟免的臣子節操，據〈臣第二〉：

> 見難而無苟免之心，其身可殺而其守不可奪，此直道之臣所以佐賢明之主，致治平之功者也。若夫主明而臣闇，主闇而臣僞，有盡忠不見信，有見信而不盡忠，涵淯于臣主之分，出入于治亂之間，或被禍懷玉以待時，或巧言令色以容身，又可勝盡哉？是以古之全其道者，進則正，退則曲。正則與世樂其業，曲則全身歸于道。不傲世以華眾，不立高以爲名，不爲苟得以偷安，不爲苟免而無恥。〔註85〕

對於出仕爲臣，則當直道仕君，雖然有治世亂世之別，但仍是要求「全其道」，即進則正，退則曲。顯見杜恕對於忠君思想仍一本儒家本色，但在曹氏與司馬氏爭權白熱化之際，這種「見難無苟免之心」並不多見，大多士人選擇遠離官場，抱持觀望的態度。擁護司馬氏者，多爲名教之士，彼此的結合出於利益，有如事業夥伴一般，但這也是需要道義的。若支持某一政權，卻心存二心，毫無忠誠的話，較之前文因懼禍而不得不投誠，更令人不齒，原因在於懼禍者是「不得不」，是不這麼做即有生命危險，而對己有利而效忠者，是主動的支持，兩者出發點南轅北轍。

以何晏跟何曾來說，兩人擁護的政權互爲敵對，何晏娶金鄉公主，與魏姻親，雖然局勢暗潮洶湧，何晏內心焦慮，卻仍以五言詩來表達自己有進無退的心，反觀何曾勸進司馬炎，但後來看出晉室有敗亡的徵兆，卻未進一言。羅宗強《玄學與魏晉士人心態》評論何曾的「忠誠」：「事君之道，主實用而善僞飾。實用，就是於己有利則爲之，僞飾，就是於君實存二心，而不外露」〔註86〕，這種忠心是只對自己有利者忠，與自全圖安者的歸順，並不相同。

也許求自全者的歸順，如阮籍「後朝論以其名高，欲顯崇之，籍以世多故，祿仕而已」〔註87〕，絕非爲了自身利益而與當權者結合，這種對當權者表面的敷衍，與以利益結合的效忠，在道德層次上大不相同，無忠者，反而更有個人道德堅持，而利益結合之效忠，是沒有道德堅持的牆頭草。在這樣

〔註85〕〔清〕嚴可均輯《全三國文》，頁 236。
〔註86〕羅宗強《玄學與魏晉士人心態》，頁 199。
〔註87〕三國志王粲傳注引孫盛《魏氏春秋》，頁 540。

的政治環境中，何曾達到的「身名俱泰」，在後世受到直接的推翻，因為他所留下的是「臭名」〔註88〕而非「美名」，至少「富且貴焉」就是一件可恥之事了。很清楚的，小人著眼於眼前，君子著重於後世。

雖然遺臭萬年，但何曾在當時卻是以孝聞名，《晉書》本傳載「曾性至孝，閨門整肅，自少及長，無聲樂嬖幸之好」、「司隸校尉傅玄著論稱曾及荀顗曰：『以文王之道事其親者，其潁昌何侯乎』」〔註89〕，我們可以說何曾位至三公，又有孝名，生活飲食豪奢無度，雖然在後世人的眼光中，何曾並未留下美名，不能稱為名泰，但對於當時人而言是身泰且名泰的了。何曾以孝順來奪取名聲，但他本身卻是一個虛偽之徒，對於其所擁護的司馬氏沒有忠誠可言，卻能坐享高位，以孝聞名。

秦耀宇《六朝士大夫玄儒兼治研究》便稱何曾、王沈、鄭沖、荀顗這類人為「托名教之名，圖利祿之實」，並指出「從山濤與時俯仰到荀勖禍國亂民，士大夫儒道兼綜的思想探索非但沒有妥善解決名教與自然的矛盾，而且滑向了成全自我寵祿、毀滅國家朝政的利己主義泥潭」〔註90〕，這種利己的精神，用在效忠國家上，就成了有利則忠，無利則漠視其亂，甚至為禍於朝。

除了何曾之外，擁護晉室王權者，還有賈充。很明顯的，賈充並非出於保身而歸順晉室，但是對於司馬政權，賈充的擁戴也非出於赤誠，從他被派遣加都督秦涼二州諸軍事，出鎮長安一事，可以看出他是貪生怕死之徒，沒有為司馬氏建功立業，分憂解勞的臣子情懷，賈充諂媚主上，多是為了個人功名利祿。

這些競奢聚斂的行為，除了當權者無力制止外，同時是在「邦有道」的前提下展開的，即便西晉一代賈后亂政，惠帝無能的情況下，士人是不能言其「無道」的，也因為這樣，士人追求身泰者，能不畏輿論，置國家於不顧，都是因為這個原因〔註91〕。西晉的滅亡，多數人也以「清談誤國」

〔註88〕奉秀〈何曾諡議〉：「宜諡為繆醜公」，〔清〕嚴可均輯《全晉文》，頁844。
〔註89〕〔唐〕房玄齡《晉書・何曾傳》，頁664。
〔註90〕秦耀宇《六朝士大夫玄儒兼治研究》，揚州：廣陵書社，2008年4月第1版第1，頁207。
〔註91〕余英時於《中國知識階層史論》言：「就人格而言，老莊之徒與名教中人，賢與不肖隔自雲泥，此當時及後世之公論也。然其故固不在名教與自然之本身有所軒輊，亦非群體與個體可有高下之判。追本窮源實在名教中人未能忘情富貴，而老莊之徒猶有安於貧賤者耳！」並舉何曾荀顗為例。也許這是後世人的評論，卻不代表當時人們以富貴為非，頁313～314。據《晉書》何曾傳

來譴責清談之士，其實這些只顧個人身泰名泰者，也是西晉滅亡的重要原因。

若以「求名」的角度來看，蓋「孝名」易得，而「忠名」難立，除了孝是出於人性自然，忠則出於後天人為的原因之外，明君難尋，更是讓有心為國者卻步，若再加上朝代更迭，忠臣更彌足珍貴了。相較之下，寶愛其身，善事父母，雖不至「身名俱泰」，但至少能「身名俱有」。但魏晉人多真情流露，對於孝順父母，甚至能到「死孝」的地步，非全為「求名」而為，上文所要強調的是「忠名」之難以獲取。傅玄〈重爵祿〉便說明仕宦之途難走，人們難以堅守忠君之思的原因：

> 夫棄家門，委身于公朝，榮不足以庇宗人，祿不足以濟家室，骨肉怨于內，交黨離于外，仁孝之道虧，名譽之利損，能守志而不移者鮮矣。人主不詳察，聞其怨興于內，而交離于外，薄其名，必時黜其身矣。家困而身黜，不移之士，不顧私門之怨，不憚遠近之謫，死而後已，不改其行；上不見信于君，下不見明于俗，遂委死溝壑，而莫之能知也。豈不悲夫？天下知為清之若此，則改行而從俗矣。清者化而為濁，善者變而陷于非，若此而能以致治者，未之聞也。
> 〔註92〕

呈現出伴君如伴虎，不被人了解的痛苦，如此能堅定不移者鮮矣，於是清者化為濁，善者便為非，在這樣的情況下，想要求得國家大治，是不可能的事。君臣之間的聯繫本來就十分脆弱，單方面靠臣子的忠誠是難以維繫的。這全是因為君臣間的情感本來就不是天生自然而成的，與父子之間的親情並不相同。

從這裡，我們便可以知道身、名、忠、孝四者之間的交互關係，若如王經周處，為忠臣難成孝子，但因其大忠而成其孝名，故身死而名留；若如杜恕所言，「或被褐懷玉以待時，或巧言令色以容身」者，求得全身而退，卻恐有獨善其身、亂臣賊子之譏，如此兩難的處境，正是「忠孝難兩全」的底蘊。

載：「時司空賈充權擬人主，曾卑充而附之。……以此為正直所非」，頁665，荀顗傳：「（顗）無質直之操，唯阿意苟合於荀勗、賈充之間。……顗上言賈充女姿德叔茂，可以參選。以此獲譏於世」，頁765。雖然說有追求官場亨通之意，但遭人所譏更有可能是因為他們諂媚不正直的行為，而非因追求富貴而遭當時人所譏。

〔註92〕〔清〕嚴可均輯《全晉文》，頁667。

從阮籍周旋於司馬氏的態度，「發言玄遠，口不臧否人物」、「不與世事，
遂酣飲如常」從這可以看出阮籍以能「全身」處事，即便求步兵校尉，仍是
爲酒而來，羅宗強稱他「仕既不願同流合污，多所迴避；隱又不能歛跡韜光，
了卻塵念」〔註 93〕，嵇康遇事便發，以此遭禍，若阮籍選擇忠於魏，則同樣
難逃一死，若選擇忠於司馬政權，則形同同流合汙。莊子的無用之用便成了
一條解脫途徑。莊子〈人間世〉以櫟樹爲例，說明「不才之木，無所可用」，
因無用而遠避災禍，在王岫林《魏晉士人之身體觀》中，便將莊子的無用之
用得以全身，來說明阮籍運用身體的方式，便是採用這種哲學〔註 94〕。雖然
這仍不能與建功立業，名垂青史相比，留著「無用」之身，苟活於世，更似
乎仍難逃「苟免而無恥」之說，但值得注意的是無用乃「大用」，在亂世之中，
能全身遠禍便是艱難至極，一言一行都須注意，若當面忤逆，除自身難保之
外，尚可能危害整個家族，若因自己的言行舉止帶來家族不幸，不正是「忠」
也不成，「孝」也不成了嗎？而阮籍身爲竹林七賢之一，在當時士人當中，他
的存在起著指引的作用，所以阮籍以無用之身，這樣的方式存活於魏晉之際，
乃成其大用。

第三節　寄身翰墨，飛聲後世

　　藉由著述立言以留名後世，也是人們欲得不朽的方法之一。曹丕便曾以
「文章乃經國之大業，不朽之盛事」稱人若能寄身翰墨，勤於著述，便能「名
聲自傳于後」，在上位者都盼能藉由著述留名後世，更何況是其他士人，於是
著述創作，除了能表達自身的情意思想，更成爲通往精神不朽的大道。
　　魏晉時期爲文學觀念轉變與文學價值獨立的關鍵時代。曹丕屢屢提及著
述的重要，提高了文學的地位與價值〔註 95〕：

　　　觀古今文人，類不護細行，鮮能以名節自立，而偉長獨懷文抱質，
　　　恬淡寡欲，有箕山之志，可謂彬彬君子者矣，著《中論》二十餘篇，

〔註 93〕羅宗強《玄學與魏晉士人心態》，頁 160。
〔註 94〕王岫林《魏晉士人的身體觀》，頁 156～157。
〔註 95〕王琳《齊魯文人與六朝文風》引述鍾嶸《詩品》之言，並說「……揭示了漢
　　　　魏之際士人的興趣從經學轉向文學的情況，同時也說明思想文化領域的熱點
　　　　在一定程度上往往是隨著高層人物的愛好而轉移的」，便說明此種情形。濟
　　　　南：齊魯書社，2008 年 12 月第一版，頁 8。

成一家之言，辭義典雅，足傳于後，此子為不朽矣！德璉常斐然有
述作之意，其才學足以著書，美志不遂，良可痛惜〔註96〕。
《又與吳質書》

生有七尺之形，死惟一棺之土，惟立德揚名，可以不朽，其次莫如
著篇籍，疫癘數起，士人凋落，余獨何人，能全其壽？故論撰所著
典論、詩賦，蓋百餘篇集，諸儒于肅城門內，講論大義，侃侃無倦。
〔註97〕《與王朗書》

蓋文章經國之大業，不朽之盛事，年壽有時而盡，榮樂止乎其身，
二者必至之常期，未若文章之無窮，是以古之作者寄身于翰墨，見
意于篇籍，不假良史之辭，不託飛馳之勢，而聲名自傳于後〔註98〕。
《典論論文》

於此一一列舉，是因為曹丕將生命的不朽，寄託在文章創作中，而魏晉士人已
將「達成不朽」視為一重大的課題，且實際的尋找方法來完成這個理想，「身
名俱泰」非空想奢望，是可努力完成的，短暫的生命，對比時間的長流，就算
身為帝王，怕也轉眼消逝，若要名播後世，藉由著述立言的途徑，更能確保流
芳百世。尤其從《又與吳質書》中感嘆應瑒早逝，即便才學足以著書，卻未來
得及立言後世，未能在生命截止前留下足以名垂後世的事蹟，這類情形對於當
時士人來說是良可痛惜的，也只有在追求精神不朽如同魏晉士人者，才能有對
這類逝世痛悼不已的情況，若單追求在世時的身泰名遂，是不會有這種感傷
的，可見魏晉士人隨著自己的領悟與抉擇來詮釋當世名與身後名。

　　撰述文章以此獲名的情況古今皆同，《晉書・文苑傳》便屢屢提及士人「以
文章顯」的情形，且有文學家族的情形發生〔註99〕。如棗據「所著詩賦論四
十五首，遇亂多亡失，子腆字玄方，亦以文章顯，永嘉中為襄城太守，弟嵩
字臺產，才藝尤美」〔註100〕、庾闡「所作詩賦銘頌十卷，行於世，子肅之亦

〔註96〕〔清〕嚴可均輯《全三國文》，頁43。
〔註97〕〔清〕嚴可均輯《全三國文》，頁43。
〔註98〕〔清〕嚴可均輯《全三國文》，頁51。
〔註99〕王琳《齊魯文人與六朝文風》稱：「六朝士人普遍已能文相標榜……，而尤引
　　　　人注目的是湧現許多『世以文章顯，軒冕相襲』的文學家族，往往憑藉其世
　　　　代相傳的文化積澱醉心於文學創作，以獲取社會聲譽」，可知士人重視文學，
　　　　並有以文學相承的情形。頁8。
〔註100〕〔唐〕房玄齡《晉書・棗據傳》，頁1506。

有文藻著稱」〔註101〕、李充「充注尚書及周易旨六篇，釋莊論上下二篇，詩賦表頌等雜文二百四十首，行於世，子顒亦有文義，多所述作」〔註102〕、伏滔「子系之亦有文才」〔註103〕，最明顯的當以應貞「魏侍中璩之子也。自漢至魏，世以文章顯，軒冕相襲，爲郡盛族」〔註104〕，以寫作文章顯名於世是不能在疆場或官場上揚名立萬者，所能採行的方法了，且這種顯名的方式較其他二者來得安全而自在，雖然天分也有影響，但寫作也能藉由後天的教導而有一定水準，若是家庭間有長輩的指導，久之則成書香世家。魏晉家族注重子弟的教育，盼望家族弟子們，皆爲人中龍鳳，長久經營家族門風，「盛族」、「望族」，頂著令人欣羨的姓氏，即便不是最佳子弟，卻也沾光不少，維持門第，也就是維持自身的名望。求名之外，鞏固名望，成了家族中每個人的責任。「身」是家族的一分子，涵蓋在家族之「名」下，這「身名俱泰」在魏晉家族觀中，成了責任與義務的關聯了。

　　此時也有「崇文」的現象，人們更加重視善屬文之士，如桓溫聽說袁宏著《東征賦》卻未描述到其父親桓彝，「溫知之甚忿，而憚宏一時文宗，不欲令人顯問」，後終於有機會詢問袁宏，聽到袁宏描述其父「溫泫然而止」〔註105〕，又未載及陶侃，而有陶侃子抽刀問袁宏一事，文章中有無記載自己親人事蹟，竟憤恨至此，說明了晉人重視文章，且了解文章的影響力。

　　尚有許多文人願意花上數年時間完成一部著作，甚而一篇文章，如左思便花了十年時間完成《三都賦》。隋朝李諤《上書正文體》便提到：

> 魏之三祖，更尚文詞。忽君子之大道，好雕蟲之小技。下之從上，
> 有同影響。竟騁文華，遂成風俗。江左齊梁，其弊彌甚。貴賤賢愚，
> 唯務吟詠。……世俗以此相高，朝廷以此擢士。利祿之途既開，好
> 尚之情彌篤。〔註106〕

可見自從曹魏開始，這種尚文之風便漫延整個魏晉時代，甚至到南朝齊梁其風未艾。從魏朝重視文學，視爲經國大業後，到晉朝人重視文人，且重視文章的記載功能、影響力，皆促使士人利用文字來達成不朽。

〔註101〕　〔唐〕房玄齡《晉書・庾闡傳》，頁1510。
〔註102〕　〔唐〕房玄齡《晉書・李充傳》，頁1513。
〔註103〕　〔唐〕房玄齡《晉書・伏滔傳》，頁1520。
〔註104〕　〔唐〕房玄齡《晉書・應貞傳》，頁1499。
〔註105〕　〔唐〕房玄齡《晉書、袁宏傳》，頁1514。
〔註106〕　〔唐〕魏徵等撰《隋書》，臺北：藝文印書館，1958年，頁769。

　　不過這也導致有些人但求留名，卻未能以嚴肅的態度寫作，讓著書立言成為浮濫不實者的取巧方法。桓範〈序作〉便提到士人著作書論，卻浮辭談說的情形：

> 夫著作書論者，乃欲闡弘大道，述明聖教，推演事義，盡極情類，記是貶非，以爲法式，當時可行，後世可修。且古者富貴而名賤，廢滅不可勝記。唯篇論俶儻之人爲不朽耳。夫奮名于百代之前，而流譽于千載之後，以其覽之者益，聞之者有覺故也，豈徒轉相放效，名作書論，浮辭談說而無損益哉！而世俗之人不解作體，而務汎溢之言，不存有益之義，非也。〔註107〕

述說古人著作書論，奮名於前，流譽後世，是因爲有益且能省悟後代讀者、聞者，與這些「務汎溢之言」者，是不同的，若未能對「奮名」有積極理解，了解到這些文字將會對後代產生影響，而只是空寫浮泛之言，是不能在歷史留名的。

　　魏晉士人想藉由文章著述，在未來留下吉光片羽者眾。左思收集大量歷史地理資料，耗費十年時間撰寫《三都賦》，是大家耳熟能詳之事，但在其撰成後，卻並未如預期般得到眾人矚目，左思「恐以人廢言」，於是拿著《三都賦》造訪當時有高名的皇甫謐，「一經品題，身價百倍」〔註108〕，若不爲求名，單只是如陶潛般「酣觴賦詩，以樂其志」，是不須要帶著文章造訪名士的，何需高人品題，顯然左思寫《三都賦》，是要據此揚名的。左思晚年更「專意典籍」，不再任官。

　　從左思《咏史》其四，便可以看出，左思選擇寫作求名擅文壇的原因：

> 濟濟京城內，赫赫王侯居。冠蓋蔭四術，朱輪竟長衢。
> 朝集金張館，暮宿許史廬。南鄰擊鐘磬，北裏吹笙竽。
> 寂寂楊子宅，門無卿相輿。寥寥空宇中，所講在玄虛。
> 言論準宣尼，辭賦擬相如。悠悠百世後，英名擅八區。〔註109〕

當世的顯赫，與後世的英名比較，左思顯然是贊同堅守寂寞於當世，藉由寫作求未來英名。從這也反應出當時士人的兩種抉擇，一是求得當世名位，身泰也名泰，但後世是否名泰就不得而知了。另一則是寧可不求身泰，而求後

〔註107〕〔清〕嚴可均輯《全三國文》，西安：陝西人民出版社，2007 年，頁 211。
〔註108〕〔唐〕房玄齡《晉書‧左思傳》引《魏志‧魏臻傳》注，頁 1503。
〔註109〕逯欽立《先秦漢魏晉南北朝詩》，臺北：木鐸出版社，1984 年，頁 733。

世名聲。另一首咏史詩便寫出左思他認爲即便建功立業，他也願放棄高官厚
祿，功成身退。「功成不受爵，長揖歸田廬」〔註110〕，若將身泰降低標準至保
全性命於亂世，則左思已經達成了。

從魏晉士人「重文」，並以善屬文揚名，可以看出士人欲藉自身文筆揚名
與藉文字的記載功能來留名後世的努力，下面我們分別以寫作的特色、偏愛
的文體，來討論魏晉世人追求立言不朽的情形。

壹、喜列序作者姓名

魏晉時期頗尚文人集會，在山水園林間，流觴曲水，賦詩作文，留下諸
多詩篇，更可以藉由這樣的機會，具列文章與人名，此做法除了紀錄下當天
的盛況，更有留名後世，使後人神往的可能，王崇的〈金谷詩序〉，便是其中
之一，而神往的後人便是王羲之，〈蘭亭集序〉也具有同樣的動機。〈金谷詩
序〉前人引述甚多，今日特重其文末所言：

> 感性命之不永，懼凋落之無期。故具列時人官號姓名年紀，又寫詩
> 箸後。後之好事者，其覽之哉。凡三十人，吳王師議郎、關中侯、
> 始平武功蘇紹，字世嗣，年五十，爲首。〔註111〕

從「具列時人官號姓名年紀」並希望「後之好事者，其覽之哉」，而這一切的
動機是出自「感性命之不永，懼凋落之無期」，都可以看出這篇詩序不僅藉由
介紹此次集會，更由序列與會人員，來達成留名後世的渴望。同樣的蘭亭集
序「固知一死生爲虛誕，齊彭殤爲妄作，後之視今。亦猶今之視昔。悲夫！
故列敘時人，錄其所述，雖世殊事異，所以興懷，其致一也。後之覽者，亦
將有感於斯文」〔註112〕，又是「後之覽者，亦將有感於斯文」，寫作序文，預
想後人將會看到此文。魏晉士人「列序人名」態度認眞，從《世說新語》序
列七賢、三駬、三才〔註113〕，以及當代碑銘〔註114〕中羅列眾人姓名都可以看

〔註110〕逯欽立《先秦漢魏晉南北朝詩》，頁732。
〔註111〕〔清〕嚴可均輯《全晉文》，頁587。
〔註112〕〔清〕嚴可均輯《全晉文》，頁 547～548。另外洪然升《六朝「文士」——
「文藝」品鑒論》言：「在集錄當下文章之時，制序之舉顯然亦不可忽略，這
也是一種『立言』的憑據，且在平日的文會中即可爲之，西晉的金谷園之會
與東晉的蘭亭之會除了詩作之外，更皆以序文作爲重要見證」，指出制序之
舉，有留存片刻存在的意義，足以不朽於來世。頁340。
〔註113〕余嘉錫《世說新語箋疏》〈賞譽 29〉：「太傅有三才：劉慶孫長才，潘楊仲大
才，裴景聲清才」，頁436。張蓓蓓《漢晉人物品鑒研究》對於這類如竹林七

出，甚至在共同著書中，也出現序列眾人姓名的情形，如東晉范寧〈春秋穀梁傳集解序〉：

> ……升平之末，歲次大樑，先君北蕃迴軫，頓駕于吳，乃帥門生故史，我兄弟子姪，研講六籍，次及三傳，左氏則有服杜之注，公羊則有何嚴之訓，釋穀梁傳者雖近十家，皆膚淺末學，不經師匠，辭理典據，既無可觀，又引左氏公羊以解此傳，文義違反，斯害也已。于是乃商略名例，敷陳疑滯，博示諸儒同異之說，昊天不弔，太山其頹，蒭蕘墓次，死亡無日，日月逾邁，跂及視息，乃與二三學士及諸子弟，各記所識，並言其意，業未及終，嚴霜夏墜，從弟凋落，二子泯沒，天實喪予，何痛如之。今撰諸子之言，各記其姓名，名曰春秋穀梁傳集解。〔註115〕

為釋《春秋穀梁傳》，於是與學士子弟們「各記所識，並言其意」，還未完成但「從弟雕落，二子泯沒」，令人悲痛生命的脆弱，在這樣的情況下，范寧更有為這些早衰凋零的親人子弟們留名的責任。

〈金谷詩序〉、〈蘭亭集序〉皆記載了當日情形，更重要的是列出與會人員，而〈春秋穀梁傳集解序〉也說明了註解的動機，同樣羅列參與人員的姓名。讓這些曾參與的人們皆由這樣的〈序〉留下他們生前詩文、註解，雖未成一家之言，但也留下片金碎玉供後人憑弔。

貳、撰史風氣蓬勃與大量子書產生

魏晉許多有志之士，視修史為不朽盛事。在陸雲〈與兄平原書〉中，便屢次提到修《吳書》一事，事關重大：

> 雲再拜：誨欲定《吳書》雲昔嘗已商之兄，此真不朽事，恐不與十分好書同是出千載事。〔註116〕

賢、建安七子、洛中三賢等名目，指出「漢末清流名士結黨題拂，自立三君、八俊等目，當時及後世師法此等共號者亦頗不少。此等名目，一方面可以同時推譽若干人物，再則又能並舉迹近品同的人物以收比較之功」，可見士人互相標榜，將數人賦予同一稱號，可一次並譽數人，且更易於口耳流傳。臺北：花木蘭出版社，2010年3月初版，頁97。

〔註114〕 如全晉文載〈伊闕右壁銘〉：「元康五年，河南府君，循大禹之軌部，督郵辛曜、新城令王琨、部監作掾董猗、李袤，斬岸開石，平通伊闕」，頁373。

〔註115〕 〔清〕嚴可均輯《全晉文》，頁256。

〔註116〕 〔清〕嚴可均輯《全晉文》，頁122。

另一封〈與兄平原書〉：

> 雲再拜：《吳書》是大業，既可垂不朽；且非兄述此一國事，遂亦失
> 兄。〔註117〕

撰史除了明得失之外，作者更能因此留名於後，將過往人物的事蹟記載史策，不僅能爲先人留名，同時也爲自己留名，魏晉時期經由立言追求不朽者，多有這種情形，如序列作者的情形便是一例，再如後文將提到的傳記類文學也是。

　　再如王隱的父親王銓「少好學，有著述之志，每私錄晉事及功臣行狀，未就而卒」，《晉書・王隱傳》中便提到王隱重視修史一事，同樣視其爲立言不朽的重要途徑：

> 隱曰：「蓋古人遭時，則以功達，其道不遇，則以言達，其才故否泰
> 不窮也。當今晉未有書，天下大亂，舊事蕩滅，非凡才所能立。君
> 少長五都，游宦四方，華夷成敗皆在耳目，何不述而裁之！應仲遠
> 作《風俗通》，崔子眞作《政論》，蔡伯喈作《勸學篇》，史游作《急
> 就章》，猶行於世，便爲沒而不朽。當其同時，人豈少哉？而了無聞，
> 皆由無所述作也。故君子疾沒世而無聞，易稱自強不息，況國史明
> 乎得失之跡，何必博弈而後忘憂哉！」納喟然歎曰：「非不悅子之道，
> 力不足也。」乃上疏薦隱。〔註118〕

明確的視著作爲沒而不朽的途徑之一，魏晉士人焦慮死後無聞於世，藉由詩文表達「憂生之嗟」，但更積極的，魏晉士人花費許多心力尋找能延續生命，或是名播千載的方法，並力行實踐，蔚爲風氣。王隱父親王銓爲有志著述者，王隱也因此承襲了父親的想法，視著述爲不朽盛事。若不論其散佚與否，除王隱《晉書》外，夏侯湛亦曾著過《魏書》，不過見陳壽所著，便壞己書。除此之外撰史者尚有：

1. 薛瑩撰《後漢書》
2. 司馬彪著《續漢書》
3. 陸機《晉紀》
4. 虞預著《晉書》四十餘卷
5. 孫盛則著有《魏氏春秋》《晉陽秋》

〔註117〕〔清〕嚴可均輯《全晉文》，頁125。
〔註118〕〔唐〕房玄齡《晉書・王隱傳》，頁1365。

6. 袁山松《後漢書》

7. 鄧粲《晉紀》，又名《元明紀》，乃是鄧粲「粲以父騫有忠信言而世無知者，乃著元明紀十篇」〔註119〕

8. 習鑿齒著《漢晉春秋》

9. 謝沈撰《後漢書》百卷

10. 袁宏《後漢紀》

11. 葛洪《後漢書抄》

12. 張璠《後漢記》

13. 孔衍《漢魏春秋》

除了撰史之外，這些人大多著有其他文章，或是以文知名當世。當然並非每人的寫作動機都是出自於追求聲名，但如此大量出現，而且又在「著述立言以不朽」的風氣下，必定也隱藏著追求不朽的期盼。

除了史書之外，子書在魏晉時期也大量出現，其實與當時談辯風氣盛行多少有關。胡國寶《漢唐間史學的發展》：「《隋書·經籍志》子部收錄與政治、學術有關的私人著作甚多，從數量上看，東漢魏西晉人所做最多，東晉以後明顯減少」，《隋書·經籍志》收錄這時期的士人所作子書有：

1. 徐幹《徐氏中論》

2. 任嘏《任子道論》

3. 劉劭《人物志》

4. 蔣濟《蔣子萬機論》

5. 盧毓《九州人士論》

6. 王肅《王子正論》

7. 杜恕《杜氏體論》、《篤論》

8. 譙周《譙氏法訓》

9. 袁準《袁子正論》、《袁子正書》

10. 夏侯湛《新論》

11. 鍾會《芻蕘論》

12. 傅玄《傅子》

13. 張顯《析言論》

14. 楊偉《桑丘先生書》、《時務論》

〔註119〕〔唐〕房玄齡《晉書·鄧粲傳》，頁 1371～1372。

15. 楊泉《楊子大元經》

16. 劉廙《政論》

17. 阮武《阮子正論》

18. 華譚《新論》

19. 虞喜《志林新書》

20. 干寶《干子》

21. 蔡韶《閔論》

22. 顧夷《顧子》

23. 呂竦《要覽》

24. 杜夷《杜氏幽求新書》

25. 葛洪《抱朴子》

26. 孫綽《孫子》

27. 符朗《符子》

28. 嵇康《養生論》

29. 阮侃《攝生論》

30. 顧歡《夷夏論》

這些著作除了表現出當時士人好談辯的風氣之外，還可以看出士人好立一家之言，胡國寶引《抱朴子·自敘》：「洪年二十餘，乃計作細碎小文，妨棄功日，未若立一家之言，乃草創子書……令後世知其為文儒而已」〔註120〕、以及《太平御覽》卷六〇二引《抱朴子》佚文：「陸平原作子書未成，吾門生有在陸君軍中，常在左右，說陸君臨亡曰：『窮通，時也。遭遇，命也。古人貴立言，以為不朽，吾所作子書未成，以此為恨耳』」〔註121〕二則，說明當時士人著作子書的風氣。從這些著作以及這兩段引文中，都說明了魏晉立言以不朽的盛況。

參、注解經子以寄己意

魏晉人作注有其時代背景，漢朝社會亂象紛呈，許多思想重又引起士人思索，尤其如何在亂世中安身立命，更成為士人追求哲學理論依據的一大動

〔註120〕楊明照《抱朴子外篇校箋》，頁 697～710。

〔註121〕〔宋〕李昉等《太平御覽》，《景印文淵閣四庫全書》，臺北：商務印書館，1983年，頁 534。

力。於是士人投入注解的世界中，也因此產生大量的注解文。魏晉人作注，多不依經典，甚而有「舍經而自作文」的情形。為經典作注，並藉此表達自我思想哲學，是真正的成一家之言，略舉《隋書·經籍志》載魏晉士人為經典所作注，就有：

1. 王弼注《周易》、《老子》、《論語》
2. 向秀、郭象、司馬彪皆注《莊子》
5. 張湛注《列子》
6. 范寧注《穀梁》、《古文尚書舜典》。
7. 王朗、王肅、杜預、董遇皆注《春秋左氏傳》
8. 王肅注有《尚書》、《春秋外傳章句》、《周官禮》、《喪服經傳》、《禮記》
9. 何晏《論語集解》
10. 王廙《周易注》
11. 王肅、桓玄、謝萬、韓康伯皆注《周易繫辭》
12. 袁喬、李充注《論語》
13. 干寶注《周易》、《周官》
14. 鄧粲注《老子》
15. 孔衍《春秋公羊傳集解》、《春秋穀梁傳訓注》
16. 王愆期注《春秋公羊經傳》

《世說新語·文學》篇中提到士人注莊子的情形「初，注莊子者數十家，莫能究其旨要。向秀於舊注外為解義，妙析奇致，大暢玄風」〔註122〕，注解《莊子》一書者，竟有數十家，可以看出士人這熱衷於注解，這些注解經典的行為，除了表示魏晉從經典尋求政治或人生問題的答案外，尚且有爭勝的情況出現，如《世說》載向秀注解《莊子》一文，劉孝標注引《秀別傳》稱向秀注成後，嵇康問呂安「爾故復勝不？」，又何晏見王弼注老子「何意多所短，不復得作聲，但應諾諾。遂不復注，因作《道德論》」〔註123〕，《世說·文學》尚記載「莊子逍遙篇，舊是難處，諸名賢所可鑽味，而不能拔理於郭向之外。支道林在白馬寺中，將馮太常共語，因及逍遙。支卓然標新理於二家之表，立異義於眾賢之外，皆是諸名賢尋味之所不得。後遂用支理」〔註124〕，可見當時士人

〔註122〕余嘉錫《世說新語箋疏》〈文學17〉，頁206。
〔註123〕余嘉錫《世說新語箋疏》〈文學10〉，頁201。
〔註124〕余嘉錫《世說新語箋疏》〈文學32〉，頁220。

對於莊子的意涵各有論點，卻不超出向秀與郭象二人的說法，而支道林卻「立異義於眾賢之外」，雖然並沒有著書注解，但也可見士人在見解上爭勝的情形〔註125〕。士人雖熱衷於注解經典，但同時也追求最好的注解，故呂安見向秀注《莊子》，驚曰「莊周不死矣」〔註126〕，何晏見王弼注，便不復注老子，以及支道林說解〈逍遙篇〉，「後遂用支理」，若非對解釋經文如此重視，是不會有這類情形的。對注解經文的狂熱與爭勝，正成為士人揚名的途徑，在眾多注解中脫穎而出，並讓眾人用自己鑽研體會而出之理，更是「成一家之言」的具體實踐，再加上清談辯論的風行，也莫怪人們對於作注有如許狂熱。

　　除了藉詩文抒發個人情志，以撰史刻劃人物事蹟，為經典作注表達個人哲思之外，魏晉時期同樣風行傳記文學，家傳、自傳，或是為他人立傳皆有可觀。

肆、傳記類文學盛行

　　藉由立傳描述他人生平，單獨成篇者，於魏晉時期達到空前盛行的局面，在《齊魯文人與六朝文風》中便將這種單獨成篇的傳文──「雜傳」〔註127〕，盛行的原因整理為三：1.思想解放，人記其行事，以為標榜。2.宣揚族姓，顯示郡望，以製造輿論。3.清談品題人物的影響〔註128〕。這三種原因多從時代背景而言，若從立傳的「載名記事」功能，我們可以知道，傳記類文學盛行的原因絕對與揚名後世的心理有關。

　　胡寶國〈雜傳與人物品評〉則說：

> 《隋書·經籍志》史部雜傳類包容甚廣，如郡書、高士傳、高隱傳、高僧傳、止足傳、孝子傳、忠臣傳、良吏傳、名士傳、家傳、童子傳、列女傳、神仙傳等均在其中。〔註129〕

〔註125〕如《世說新語·文學》：「于法開始與支公爭名，後情漸歸支，意甚不忿，遂遁跡剡下。遣弟子出都，語使過會稽。于時支公正講小品。開戒弟子：『道林講，比汝至，當在某品中。』因示語攻難數十番，云：『舊此中不可復通。』弟子如言詣支公。正值講，因謹述開意。往反多時，林公遂屈。屬聲曰：『君何足復受人寄載！』」，余嘉錫《世說新語箋疏》〈文學45〉，頁229～230。

〔註126〕余嘉錫《世說新語箋疏》〈文學17〉，頁206。

〔註127〕王琳《齊魯文人與六朝文風》：「魏晉南北朝時期，各種不依附正史，獨自流行人物傳記不斷湧現，異常繁榮。這類作品大約從南朝起被人們統稱為雜傳」，頁23。

〔註128〕王琳《齊魯文人與六朝文風》，頁23～24。

〔註129〕胡寶國《漢唐間史學的發展》，頁132。

並整理出魏晉南北朝其中幾項的撰寫情形，得出「家傳、郡書、高士傳、別傳在各個時期的分佈。這些書基本上都是出現于東漢，在兩晉數量最多，到南朝日趨減少」〔註130〕，而黃金明《漢魏晉南北朝誄碑文研究》，則從魏晉禁碑的角度來看雜傳的興盛：

> 魏晉時，傳、別傳、家傳、人物敘等雜傳特別興盛……。樹碑立傳，碑、傳雖爲二體，但卻有著割不斷的聯繫，碑文雖是頌述亡者德勳，又兼備傳記的性質，記其姓名、先祖、官歷，主要功德，且也是傳其名也。然魏晉禁碑，碑傳受禁，而高漲、覺醒的傳揚不朽的意識卻並不會因此而泯滅，於是內傳、別傳、家傳、傳、序贊、錄、牒、敘等雜傳如同後漢之碑，迅速地繁興起來。〔註131〕

顯見魏晉時代士人高漲的「不朽」意識，促使人們不斷從事各種能記事載蹟之行爲，而傳記即以記「人」爲主，渴求揚名後世之人必然會尋求這類文體來達成目標，故部份魏晉士人開始著手撰寫人物傳記，以自傳來說：

魏朝有：

1. 文帝曹丕〈自敘〉
2. 高貴鄉公曹髦〈自敘〉

西晉：

1. 趙至〈自敘〉
2. 杜預〈自敘〉
3. 傅暢〈自敘〉
4. 陸喜〈自敘〉
5. 皇甫謐〈自敘〉

東晉：

1. 梅陶〈自敘〉

〔註130〕胡寶國《漢唐間史學的發展》，頁141。

〔註131〕黃金明《漢魏晉南北朝誄碑文研究》，頁133。李興寧《魏晉別傳研究》則提出九品官人法的「品狀」成爲兩晉撰寫別傳的資料來源，品狀「內容詳細記載了個人的才能、父祖的官爵及族望。並且由大小中正加以評狀，然後以黃紙寫定，連同相關的資料都存放在吏部，以備政府選舉及用人時參考。兩晉時期，世家子弟多由職閒廩重的秘書郎或著作郎開始起家。著作郎所掌是有關史料蒐集的工作。不論在職時間長短，到職之時都必須撰寫名臣傳一篇。名臣傳內容的來源，就是中正品狀所提供的資料，因此吏部儲存的大批資料，也成爲魏晉時期別傳的重要來源」，國立高雄師範大學國文學系博士論文，2003年7月，頁57。

除此外，阮籍《大人先生傳》、陶淵明《五柳先生傳》，也採用傳記的形式來表達個人情志與理想。若人欲表達一己志向，素描個人一生，在不能為史筆所書的情形下，至少能為自己立傳，於是自傳便成了古人對後人的一紙自白書，頗有向後人介紹自己的苦心，也藉由這自傳一文留下曾經活過的痕跡。

　　魏晉士人重視家族門第，許多百家譜載各家興替，家傳的撰寫更是盛行，家傳能為家族歷史溯源，且能為傑出家族人立傳，作品如華嶠《譜敘》，江祚《江氏家傳》，佚名《王朗王肅家傳》，曹毗《曹氏家傳》，范汪《范氏家傳》，紀友《紀氏家紀》等。這些人苦心將家族中的人物、家風等記載下來，雖亡佚使後人無得聞之，但推求這些人的動機，無非是希望能「宣揚族姓」，也可看出士人對自己家族的重視。裴松之注《三國志‧魏志‧華歆傳》引華嶠《譜敘》，記敘華歆，以「眾乃大義之」、「避地江南者甚眾，皆出其下，人人望風」、「能劇飲，至石餘不亂」、「淡於財欲……陳羣常嘆曰：『若華公，可謂通而不泰，清而不介者矣』」〔註132〕，多為欽慕歌頌之言，更可以看出家傳宣揚族姓的功能。

　　其他尚還有載某一區域的人物傳記，如魏蘇林《陳留耆舊傳》，魏周斐《汝南先賢傳》，張方《楚國先賢傳》，范瑗《交州先賢傳》，習鑿齒《襄陽耆舊傳》。或是某些特定士人，如：袁宏《三國名臣序贊》、《名士傳》，戴逵《竹林七賢論》，袁敬仲（應為袁宏）《正始名士傳》，皇甫謐《高士傳》、《逸民傳》，虞槃佑《高士傳》等。這些傳文羅列眾人，不厭其煩用心記載，若細深究，為他人立傳與品評人物的關聯較大，但若為自己、為家族人立傳，則宣揚自己與家人的可能性較大〔註133〕。若不論其出發點，單視「傳文」記人載事的特質，則喜愛挑選此種文體寫作的魏晉士人，尤其是兩晉士人，其努力留下先人事蹟的用心，顯示其企慕「名泰」的心理。

〔註132〕〔晉〕陳壽《三國志‧華歆傳》，頁396～398。

〔註133〕胡寶國提到：「大致說來，受人物品評風氣的影響，撰寫雜傳最盛行的階段是東漢到東晉。進入南朝，由於皇權的加強，由於門閥士族制度的凝固，士人不再熱衷於人物品評，與此相適應，雜傳的撰寫明顯減少，代之而起的則是譜牒之書日漸增多。」雖然自傳與家傳也深受品評人物的影響，但其寫作立場較「為他人立傳」來得主觀，自傳表達個人情志與家傳頌揚族人先人的部分，都顯示出其動機更傾向於記人留名。且魏晉時期家傳中，可知作者的，多是自家子孫所撰寫，若是為他人家族立傳，則僅有晉傅暢撰《裴氏家記》，雖也可以說品評先人，但事實上更接近歌功頌德。《漢唐間史學的發展》，頁132。

　　從魏晉士人對待文學的態度，與樂於序列眾人姓名、撰史，勤於注解、為人為己立傳，都可以看出魏晉士人藉立言求名的現象，當然也有許多為抒發內心憤懣的文學作品，但我們可以從這些行為中，看出其著作為留名，積極的一面。且從立言求名的現象中，可以看出魏晉人除了求一己之名外，尚且樂於替他人留名，撰史可以看出這種傾向，家譜則是留家族人之名，而為他人立傳，或寫贊言，或感懷其事，呈現樂於替人留名的情形。

　　魏晉家傳盛行，除了重視門第之外，更具有血脈相連，毋忘其祖的涵意〔註134〕。且藉由集會文集，序列作者的方式，將記載的功能發揮到最大，讓文字重現當時人物聚集的時刻，這種渴求將活過的痕跡銘刻於後人記憶中的動機十分明顯，而且這些人中有些是在身泰的情況下，藉創作著述以求留名者，如杜預、司馬彪、金谷集會與蘭亭集會的眾人，與我們想像中，在苦悶、積鬱中，以血淚著成的作品大不相同。

　　藉由著述文章，以留名後世，即立言不朽，但我們仍應該注意到文字記載的功能，讓更多人不朽，這是魏晉士人求名而形成的特殊現象。不厭其煩的序列姓名，苦心孤詣的撰寫巨著，為人為家為己立傳，重視人物，勤於留下生平事蹟，都可看出士人對於死亡的焦慮，而企求名泰於後世。

第四節　巧藝絕倫，藝術人生

　　追求立言、立功以不朽，皆有強烈的求名欲望，但藉由技藝以「求名」者，不如說是因技藝而「得名」，魏晉士人重視才藝，後人知之甚詳的王羲之善寫書法，有「書聖」的美稱，除此之外，如：

　　　　《三國志・魏志・胡昭》：「初昭善史書，與鍾繇、邯鄲淳、衛覬、韋誕，並有尺牘之迹，動見楷模焉。」〔註135〕

　　　　《晉書・謝尚傳》：「善音樂，博綜眾藝」〔註136〕

〔註134〕也可參看李興寧《魏晉別傳研究》引劉知幾《史通・雜述》「高門華胄，奕世載德，才子承家，恩顯父子。由是紀其先烈，貽厥後來」說明家傳的人物描寫「除了著重世系的延續之外，其他多溢美之辭。透過家傳的紀錄，可見當時世家大族在當時國家政治中舉足輕重的地位，生活面貌及社會生活」，頁175～176。

〔註135〕〔晉〕陳壽《三國志・魏志・胡昭傳》，頁366。

〔註136〕〔唐〕房玄齡《晉書・謝尚傳》，頁1316。

《世說新語‧巧藝》「羊長和博學工書，能騎射，善圍棊。諸羊後多知書，而射、奕餘藝莫逮。」〔註137〕注引《文字志》曰：「忱性能草書，亦善行隸，有稱於一時」

《世說新語‧巧藝》「謝太傅云：『顧長康畫，有蒼生來所無』」〔註138〕注引《續晉陽秋》：「愷之尤好丹青，妙絕於時」

《晉書‧衛瓘傳》「瓘學問深博，明習文藝，與尚書郎敦煌索靖俱善草書，時人號爲一臺二妙。」〔註139〕

《晉書‧索靖傳》：「靖與尚書令衛瓘俱以善草書知名」〔註140〕

《晉書‧王導傳》附〈王恬傳〉：「（王恬）晚節更好士，多技藝，善奕棊，爲中興第一」《世說‧德行篇》注引《文字志》曰：「多才藝善隸書，與濟陽江彪以善奕聞」〔註141〕

《晉書‧王廙傳》：「王廙，字世將，丞相導從弟，而元帝姨弟也。父正，尚書郎。廙少能屬文，多所通涉，工書畫，善音樂、射御、博弈、雜伎」〔註142〕

這些士人都有才藝，且名聲遠播。張蓓蓓〈魏晉學風窺豹〉據庾度支《書品論》整理出魏晉書法名士就包含鍾繇、王羲之、王獻之等23人，而善繪畫者，據唐張彥遠《歷代名畫記》、《敘歷代能畫人名》則有顧愷之、戴逵等15人，而名士知音審律，能彈奏琴瑟琵琶等，據《太平御覽》、《圖書集成》則有阮籍、嵇康等17人，而魏晉以善卜筮聞名者，也有管輅、郭璞、葛洪三人，善醫術者有阮侃、皇甫謐、裴頠等11人〔註143〕，而棋藝則可從《隋志》子部兵家類所收錄有關彈棋圍棋之書〔註144〕，可見魏晉時期文藝風氣頗盛。

〔註137〕余嘉錫《世說新語箋疏》〈巧藝5〉，頁719。
〔註138〕余嘉錫《世說新語箋疏》〈巧藝7〉，頁719。
〔註139〕〔唐〕房玄齡《晉書‧衛瓘傳》，頁704。
〔註140〕〔唐〕房玄齡《晉書‧索靖傳》，頁1066。
〔註141〕〔唐〕房玄齡《晉書‧王導傳》附王恬，頁1127。
〔註142〕〔唐〕房玄齡《晉書‧王廙傳》，頁1277。
〔註143〕張蓓蓓《中古學術論略》，臺北：大安出版社，1991年5月第一版，頁148～150。
〔註144〕《隋志》子部兵家類有沈敞《棊勢》、王子沖《棊勢》、范汪《棊九品序錄》、袁遵《棊後九品序》、陸雲《棊品序》、徐廣《彈棊譜》、徐泓《圍棊勢》、馬朗《圍棊勢》，頁509。

　　《世說新語・巧藝》篇載：「戴安道就范宣學，視范所爲：范讀書亦讀書，范鈔書亦鈔書。唯獨好畫，范以爲無用，不宜勞思於此。戴乃畫南都賦圖；范看畢咨嗟，甚以爲有益，始重畫」〔註145〕，可以看出魏晉士人對繪畫藝術的看法，與傳統雕蟲小技的看法已經不同了，一幅好畫，讓原本視繪畫爲「無用」的范萱改觀，「甚以爲有益」，這裡記載的不是戴逵畫美，而是提出繪畫「有益」。再如弘農王粹「圖莊周於室，使（嵇）含爲之讚」，也可看出當時士人喜愛繪畫，故繪丹青於室，裝飾其豪宇，藉此附庸風雅。而無論是鑒賞繪畫，或是親身繪畫，都對人抒展懷抱、宣洩情緒有正向的幫助。同篇記載謝安稱讚顧愷之之畫「有蒼生來所無」〔註146〕，都可以看出對繪畫藝術重視，非以傳統末流小道觀之。

　　魏晉士人關注這些藝術活動或是休閒娛樂，皆是讓生活藝術化，若人無可避免的終歸一死，則追求生活的充實、美善，確乎至關重大，前文提及魏晉士人追求精神上的寧靜美好，物質生活中有人追求的是感官享樂，但也有人追求的是生活上高雅的情調，每個人的生活品味不同，而西晉較注重物質享樂，東晉卻強調文人雅士的寧靜瀟灑〔註147〕。以書法爲例，王羲之〈題衛夫人筆陣圖後〉：「夫欲書者，先乾研墨，凝神靜思，預想字形大小、偃仰、平直、振動，令筋脈相連，意在筆前，然後作字」〔註148〕，寫書法需要高度的專注、思考，投入這種藝術活動，可以使人忘記塵世間的俗事，寫完後又能達到情緒穩定的效果，人們認爲寫書法能「修身養性」，魏晉士人也是藉由寫書法來修身養性〔註149〕。張可禮《東晉文藝綜合研究》：

　　　　他們（東晉文人）在不同程度上體悟和認識了文藝的自身價值。他
　　　　們的藝術活動，諸如蘭亭集會賦詩、王羲之等家族對書法的愛好、
　　　　顧愷之的許多繪畫和陶淵明的常以文章自娛等，不再像以前那樣圍

〔註145〕余嘉錫《世說新語箋疏》〈巧藝6〉，頁719。
〔註146〕余嘉錫《世說新語箋疏》〈巧藝7〉，頁719。
〔註147〕羅宗強《玄學與魏晉士人心態》，頁315～346。
〔註148〕〔清〕嚴可均輯《全晉文》，頁549。
〔註149〕黃曉芳《竹林七賢的寄志與譴愁之道》：「身爲文人的竹林七賢，將擅長之藝
　　　　術活動，作爲寄志的生活方式，其中最大的原因是藝術活動成爲娛樂、敘志、
　　　　體驗審美、淨化心靈、抒發情感、滿足精神需求、治療、洩憤、傾訴、分享、
　　　　修身養性、演繹心情、寄心、釋放情感、促進健康之媒介，對於身處亂世的
　　　　七賢，可謂是展開關注自我、重視自我的一種生活方式和理念」，成功大學中
　　　　國文學研究所碩士論文，2011年7月出版，頁154。

於政治倫理教化，而是爲了陶冶自己的性情，愉悅自己的心靈。
〔註150〕
可見從事藝術活動對於個人身心的健康都有幫助，不願從事聲色娛樂者，便會希望在藝術領域發揮，不僅能遣懷，淨化心靈，同時也達到精神上的滿足。若能達到精神上的滿足與身體上的健康，不正是「身泰」的完成。《世說新語・言語》便載有：

> 謝太傅語王右軍曰：「中年傷於哀樂，與親友別，輒作數日惡。」王曰：「年在桑榆，自然至此，正賴絲竹陶寫。恆恐兒輩覺，損欣樂之趣。」〔註151〕

謝安對於哀樂之情傷身，與親友分離傷感，無以排遣，王羲之便是以「絲竹陶寫」來宣洩情緒，寬慰己身。尤其人一進入中年，對於生命消逝的感傷，更爲劇烈，若要使心靈澄淨，便可藉由音樂等藝術活動，來達成寄興消愁的目的。如嵇康〈琴賦序〉：

> 余少好音樂，長而翫之，以爲物有盛衰，而此無變，……可以導養神氣，宣和情志。處窮獨而不悶者，莫近於音聲也。〔註152〕

余英時先生稱這類文學、音樂、書法等是「自我內在人生之享受」〔註153〕，士人淡出政治圈後，優渥的生活水準，使士人於閒暇中，觸角伸入技藝之中，不僅顯示其風流文雅，又可表現自己的天分〔註154〕，其結果便是不僅獲名，更能陶養性靈。

　　王羲之〈題衛夫人筆陣圖後〉中所述的書寫之法，其實與莊子〈養生主〉庖丁解牛有異曲同工之妙。庖丁解牛中，「以神遇而不以目視」、「依乎天理」都說明了庖丁的技藝高超，是因其合乎「道」而行，故刀刃能十九年若新發於硎，藝術的創作與技藝雖不能一概而論，但在「藝」上，二者卻有其相通之處。黃志盛《莊子思想藝術化》：

〔註150〕 張可禮《東晉文藝綜合研究》，山東：山東大學出版社，2001 年 1 月第 1 版，頁 271。
〔註151〕 余嘉錫《世說新語箋疏》〈言語62〉，頁 121。
〔註152〕 〔唐〕李善注《昭明文選》，臺北：河洛出版社，1975 年 5 月臺景印初版，頁 377。
〔註153〕 余英時《中國知識階層史論》，頁 273。
〔註154〕 張蓓蓓《中古學術論略》提出在魏晉時代，琴、棋、書、畫，甚至卜筮、醫術，是天才的一種表現，也可以在內心得到自附風流的滿足。頁 152～154。

> 就技術性而言，解牛的動作，只須計較其實用的效果，物質的享受。
> 然而，就藝術性而言，解牛的動作，則必須擺脫實用的目的，而專
> 取於精神上的享受。〔註155〕

因爲庖丁專注於解牛，且其解牛的方式已達到藝術的境界，故當他解完牛後是「爲之四顧，爲之躊躇滿志」，這也說明了藝術所能達到的精神享受，是愉悅而滿足的，若說西晉士人的物質享受，是身泰的極致，而東晉士人追求寧靜的天地，如從事藝術創作，或泛覽山水所形成的身心愉悅，正是另一種「身泰」的展現。

從事藝術創作，雖然較無銅臭味，較無紙醉金迷的生活，但也不代表能從「名」的世界逃脫，仍有許多人希望能因此獲得某某大師的尊稱。王羲之身爲書法家，又同時是名門的後代，不代表他認爲寫書法純粹只是身心靈的提升，《晉書》載王獻之學書，「羲之密從後掣其筆不得，歎曰：『此兒後當復有大名』」〔註156〕，顯然學書法能致大名，王羲之從兒子持筆的力道上，知道此兒未來會成爲「名」書法家，事實也果眞如此，可見當時已有從技藝中求名的現象。

一開始的學書，也許並不希望能從中獲名，一旦有所成，則難免產生爭競之心，《晉書》列傳第五十，史官評論「書契之興，肇乎中古，繩文鳥跡，不足可觀。末代去朴歸華，舒箋點翰，爭相誇尚，競其工拙。伯英臨池之妙，無復餘蹤；師宜懸帳之奇，罕有遺跡」〔註157〕，高雅的藝術活動，即便脫俗，使人心獲得淨化，到頭來仍是難以拋卻俗世的眼光，而爭求工巧，藝術除了使魏晉士人得到心靈的抒壓，卻也讓好競之徒以此爭名。

小　結

從魏晉忠孝觀的轉變，可以看出忠君思想淡泊，但求個人身名俱泰者日多，難道魏晉士人對於後世名聲皆如張翰般「使我有身後名，不如即時一桮酒」的灑脫？顯然不盡如此，觀阮籍劉伶輩，以任誕嘲諷當權者虛僞禮法，或是以立碑銘的方式留下足跡，都可以看出仍有許多士人追求身後名。

不過魏晉士人對於歷史的評價更崇尚多元，不僅止於以忠臣孝子的形象

〔註155〕黃志盛《莊子思想藝術化》，臺北：花木蘭文化出版社，2009 年 3 月初版，頁 125～126。
〔註156〕〔唐〕房玄齡《晉書・王羲之傳》附王獻之，頁 1340。
〔註157〕〔唐〕房玄齡《晉書》列傳第五十，頁 1343。

留名，反而藉由更多方式，留下更多樣的人格形象於後世。吾人可藉由王沈、阮籍、荀顗共撰魏書一事看出端倪「荀顗、阮籍共撰魏書，多爲時諱，未若陳壽之實錄也」〔註158〕，若連撰修史書的態度都採取「多爲時諱」，則歷史評價似乎並不那麼重要，甚至歷史評價可能正與事實眞相相反，顯然，人可以流芳千古，也可以遺臭萬載，所以魏晉遞嬗時，雖然有人仍如王經般忠君，求「清名」於後世，但更多人懼禍改圖，不畏「毀名」。故而有竹林七賢、八達等人，不拘禮法，追求「達名」，有些是疾世嘲諷，有些則是東施效顰，但都以此獲致名聲。降至東晉，偏安江南，接觸到南方美麗的山林，士人追求心靈上的寧靜，瀟灑的生活態度，於是一些高僧、高士輩出，人們追求「高名」。從「清名」、「毀名」、「達名」、「高名」的追求變化，都可以看出時代改變與士人求名若渴且極富實踐精神的一面。

　　而魏晉士人追求名泰之餘，更希望能身泰。若爲求名而喪身，是對自己的不仁，則無論如何都希望能留下性命，若不幸短命身死，卻未及留下足以飛聲後世的事蹟，更是身名並滅，令人哀痛。這種至少「活命」的身泰觀，普遍存在於這時期的士人心中。若能更進階的做到優渥的生活，心靈的悠閒，則更是理想的「身泰」，但要達到此種境界，勢必與自身的道德、理想、責任感衝突。於是鑽營聚斂者，不以世務嬰心，就算是隱居求精神優游者，也勢必拋卻讀書人對國家社會的責任感。從《世說新語‧言語》「劉眞長爲丹陽尹，許玄度出都就劉宿。牀帷新麗，飲食豐甘。許曰：「若保全此處，殊勝東山。」劉曰：「卿若知吉凶由人，吾安得不保此！」王逸少在坐曰：「令巢、許遇稷、契，當無此言。」二人並有愧色」〔註159〕，劉惔與許詢二人於時被目爲高士，但見面所談不及國家大事，社會責任，反以牀帷、飲食爲談論重點，故受王羲之所嘲。魏晉時代因道德、理想、責任感殞命以求者寡，爲道德、理想、責任感自苦者有之，而拋卻道德、理想、責任感者多矣。原因除了忠孝觀的改變、歷史評價的不確定性，也因爲政權由來血腥，使士人無心效忠，士人遠離權力中心，開始注重個人生活的悠閒富裕有關。

　　追求身泰者雖然企望能達到身心安頓，精神愉悅，但仍難以逃脫魏晉浮競之風，除了大量著作產生之外，許多文人雅士從事的藝術創作，都難以逃脫爭競求名的社會風氣。

〔註158〕〔唐〕房玄齡《晉書‧王沈傳》，頁759。
〔註159〕余嘉錫《世說新語箋疏》〈言語69〉，頁126～127。

第四章　追求身名俱泰下所呈現的時代風氣

　　魏晉士人試圖從功、德、言以及才藝中求名，可以看出忠孝觀的改變，士人更重視家族，勇於嘗試並付諸心血的追求身泰與名泰，我們可以藉由分析這些行為，來看魏晉時期士人觀念改變情形。

第一節　子孫賢肖，光耀門楣

　　誠然魏晉是十分重視形體美的年代，如以膚白為尚，或是儀態服飾皆十分注重。但其中更有神姿、儀態等的美學追求，在《世說》中便有：

　　王戎云：「太尉神姿高徹，如瑤林瓊樹，自然是風塵外物。」〔註1〕

　　裴令公有儁容姿，一旦有疾至困，惠帝使王夷甫往看，裴方向壁臥，聞王使至，強回視之。王出語人曰：「雙目閃閃，若巖下電，精神挺動，體中故小惡。」〔註2〕

　　庾公曰中郎：「神氣融散，差如得上。」〔註3〕

　　王大將軍稱其兒云：「其神候似欲可。」〔註4〕

從神姿、精神、神氣、神候，可見在魏晉人眼中，人的美並不全然在表面容

〔註1〕余嘉錫《世說新語箋疏》〈賞譽16〉，頁428。
〔註2〕余嘉錫《世說新語箋疏》〈容止10〉，頁612。
〔註3〕余嘉錫《世說新語箋疏》〈賞譽42〉，頁445。
〔註4〕余嘉錫《世說新語箋疏》〈賞譽49〉，頁449。

貌形體，尚且在人的精神顯現。尤其以裴令公生病時，仍強回頭注視王夷甫，其精神堅強不容他人忽視，以此看出他只是體中小惡。觀看〈容止〉、〈賞譽〉篇，從其中對他人的評論便可以看出，那絕非單止容貌儀態的美，其中有精神流貫〔註5〕。如「森森如千丈松，雖磊砢有節目，施之大廈，有棟梁之用」〔註6〕、「見山巨源，如登山臨下，幽然深遠」〔註7〕、「巖巖若孤松之獨立」〔註8〕。若從這點來看，人一旦死去，生前精神便無能再現，其他人想要一觀其精神氣韻，是不能再有了，但魏晉人卻試圖從其子孫中去尋找這人生前的豐姿韻味，緬懷不捨。於是生命的延續，可以藉由子孫繁衍來獲得，此節便是探討這一種生物性的不朽。

壹、生物性的不朽

子孫是生命的延續，精神的傳承，是最直接的生命不朽，並非是個人聲名的流傳，而是以生物性的生命延續，來達成不朽。馮友蘭先生便曾提出這種生物性的不朽：

> 蓋人所生之子孫，即其身體一部之繼續存在生活著，故人若有後，
> 即為不死。〔註9〕

這其實與曾子所說「身也者，父母之遺體也。行父母之遺體，敢不敬乎？」相同，人們會以「絕子絕孫」來詛咒他人，沒有子嗣的傳承，是一件可哀可懼之事。對於魏晉士人而言，早已了解個人生命的短暫，於是對於有無子嗣一事，視為大事，「不孝有三，無後為大」，魏晉士人重視家族大於重視國家的原因，若從「孝」、「血緣」來看，便可以輕易透視其內在因緣。

觀《世說新語》可以找到許多記載家族體系，如：

> 林下諸賢，各有儁才子。籍子渾，器量弘曠。康子紹，清遠雅正。
> 濤子簡，疏通高素。咸子瞻，虛夷有遠志。瞻弟孚，爽朗多所遺。
> 秀子純、悌，並令淑有清流。戎子萬子，有大成之風，苗而不秀。

〔註5〕 王岫林於《魏晉士人之身體觀》中提到魏晉士人內在精神顯現於體，「是玄理化的而非德性化的。只要能踐玄理，則身體無處不流露精神。」，頁43。
〔註6〕 余嘉錫《世說新語箋疏》〈賞譽15〉，頁426。
〔註7〕 余嘉錫《世說新語箋疏》〈賞譽8〉，頁422。
〔註8〕 余嘉錫《世說新語箋疏》〈容止5〉，頁609。
〔註9〕 馮友蘭《三松堂全集》第二卷，鄭州：河南人民出版社，2000年12月2版，頁565～566。

唯伶子無聞。凡此諸子，唯瞻爲冠，紹、簡亦見重當世。〔註10〕

洛中雅雅有三嘏：劉粹字純嘏，宏字終嘏，漠字沖嘏，是親兄弟。王安豐甥，並是王安豐女婿。宏，眞長祖也。洛中錚錚馮惠卿，名蓀，是播子。蓀與邢喬俱司徒李胤外孫，及胤子順並知名。時稱：「馮才清，李才明，純粹邢。」〔註11〕

謝公云：「金谷中蘇紹最勝。」紹是石崇姊夫，蘇則孫，愉子也。〔註12〕

如何去初步認識一個人，從他的父祖或是最爲人知的親戚，來得知這人在社會上的身分地位，故《世說》中常出現「某某孫」、「某某子」來引介這人。人們也可以從這人身上去找尋其父祖之形象，甚至去比較這人與父祖的優劣。如：

羊長和父繇，與太傅祜同堂相善，仕至車騎掾。蚤卒。長和兄弟五人，幼孤。祜來哭，見長和哀容舉止，宛若成人，乃歎曰：「從兄不亡矣！」〔註13〕

王丞相辟王藍田爲掾，庾公問丞相：「藍田何似？」王曰：「眞獨簡貴，不減父祖；然曠澹處，故當不如爾。」〔註14〕

王敬倫風姿似父，作侍中，加授桓公，公服從大門入。桓公望之，曰：「大奴固自有鳳毛。」〔註15〕

王公淵娶諸葛誕女。入室，言語始交，王謂婦曰：「新婦神色卑下，殊不似公休！」婦曰：「大丈夫不能彷彿彥雲，而令婦人比蹤英傑」〔註16〕

魏晉士人重視家族門第，卻也顯示出這種渴求延續生命的內在因緣。人們會觀察後輩子孫是否能留下前代先人的優點、外貌，而這些死去的先人也因爲這些子孫，而能留在人們的記憶中，當人們指出這是誰家弟子時，自己的名

〔註10〕余嘉錫《世說新語箋疏》〈賞譽29〉，頁437。
〔註11〕余嘉錫《世說新語箋疏》〈賞譽22〉，頁433。
〔註12〕余嘉錫《世說新語箋疏》〈品藻57〉，頁530。
〔註13〕余嘉錫《世說新語箋疏》〈賞譽11〉，頁423。
〔註14〕余嘉錫《世說新語箋疏》〈品藻23〉，頁517。
〔註15〕余嘉錫《世說新語箋疏》〈容止28〉，頁621。
〔註16〕余嘉錫《世說新語箋疏》〈賢媛9〉，頁677。

字與形象便能再次進入人們腦海，故如果自家弟子不肖，不僅有辱沒門風之慮，更直接的是破壞了自己在人們中的形象。若自家弟子青出於藍，不僅顯示出教育成功，更能顯現自家血液中有著優異於他人的特點。

如此一來，沒有子嗣更顯現血脈斷絕的可哀，如曹操與蔡邕相識，傷痛蔡邕無嗣，於是對其女蔡琰「遣使者以金璧贖之」，而《世說言語65》亦載：

> 羊秉爲輔軍參軍，少亡，有令譽，夏侯孝若爲之敘，極相讚悼。羊權爲黃門侍郎，侍簡文坐。帝問曰：「夏侯湛作羊秉敘絕可想。是卿何物？有後不？」權潸然對曰：「亡伯令問夙彰，而無有繼嗣。雖名播天聽，然胤絕聖世。」帝嗟慨久之。〔註17〕

> 謝太傅重鄧僕射，常言「天地無知，使伯道無兒」〔註18〕

簡文帝問羊權，羊秉是其誰人，接著再問的便是他的後代，從這更可以看出人們是藉由後代子孫來延續生命，承繼精神的依賴。所以當聽到這樣美好的人竟未能有後，「嗟慨久之」，且這樣的人即便名氣大到「名播天聽」，沒有子嗣仍是最大遺憾。而伯道無兒，劉孝標注引《晉陽秋》曰：「鄧攸既棄子，遂無復繼嗣，爲有識傷惜」，可以看出士人對其血脈未能延續的「惋惜」。尤其若其人生前有美好的品德或才華爲人所知，卻未能有血脈傳承，更令人扼腕。

這種生物性的不朽，可以經由後代子孫，讓世人揣想或是追憶自己生前的風姿，還可以利用祭祀來確保自己不被後世遺忘，慎終追遠，便是期盼子孫能藉由祭祀，追憶祖先。

貳、祭祀與孝道

若一個人生前功德盛大，世人會爲其立廟祭拜，不僅讓後人得以感念其恩德，更可使其道德武功精神得以延續，讓後人了解其人在世時的豐功偉業。祭祀對於生者是不忘其祖，對於亡者，有留名後世，不遭遺忘的冀望，所以在離亂的魏晉社會中，許多人仍想一盡孝思，卻苦於家人離散，未得收屍，所以我們可以了解藉由招魂葬的儀式，不僅撫慰這些在世親人的孝心，同時也達成讓這些已故親人能夠得到祭祀奉養的目的，也可以看出當時招魂葬盛行，其實與當時講求孝道有關，招魂葬更深沉的涵義，便是讓這些死後不能被埋葬者，不在兒孫祭拜時，遭人遺忘。馮友蘭曾謂：

〔註17〕余嘉錫《世說新語箋疏》〈言語65〉，頁124。
〔註18〕余嘉錫《世說新語箋疏》〈賞譽140〉，頁491。

然若惟立德立功立言之人，方能爲人所記憶，則世之能得此受人知
之不朽者必甚寡。大多數人皆平庸無特異之處，不能使社會知而記
憶之。可知而記憶之者，爲其家族與子孫。特別注重祭祀祖先，則
人皆得在其子孫之記憶中，得受人知之不朽。此儒家所理論化之喪
禮祭禮所應有之涵義也。〔註19〕

可知人們可以藉由祭祀，留名於後代子孫中。然墳塚久易湮沒，隨著一代代
子孫的出生，這些祖先的生平事蹟隨著時代久遠，而逐漸消散，於是家譜家
傳便提供了這些人得以留名的另一方法，故魏晉時期家譜與家傳的撰寫頗豐
〔註20〕。

　　重視家族利益，個人生命是依附在家族生命中，個人生命的延續與整個
家族生命的延續是緊緊相扣的，楊儒賓先生於《中國古代思想中的氣論及身
體觀》便說：

個人生命託於族群生命之中，在「生命一體化」的概念中，個人形
體的生死，只是生命形態的流轉，所以死只是「化」，而不是絕滅，
個人生命不以爲念，族群生命才是根本。〔註21〕

這仍與孝道息息相關，「不孝有三，無後爲大」，個人生命雖會消逝，但家族
血脈卻可以流傳。人的生命短暫，即便身後名顯赫，但功過難論，況且「有
後代」比後世名聲更有生命延續之感。若未能延續血脈，肉體在黃泉下腐朽，
生命煙消雲散，怎能沒有愧對「列祖列宗」之憾。魏晉時代，孝子輩出，且
欣賞眞情流露的眞孝子，尤其注重喪禮時的盡哀，又重視家族情誼，甚而有
「有孝子無忠臣」之說，從「生命延續」的角度來看，更能有深刻感受。

　　人難以求得永生——肉體的不朽，但經由血脈相連的方式，得到「生命
形態的流轉」，若想留名後世，士人可以在追求個人名聲永垂不朽之外，還可
以用鞏固家族名聲爲留名後世的方法，許多「大姓」家族，子弟們即便不甚
有名，也能因爲頂著耀眼的姓氏，而令人艷羨。

〔註19〕馮友蘭《三松堂全集》第二卷，頁566。
〔註20〕劉成紀《形而下的不朽——漢代身體美學考論》：「對於這個問題（指死亡），
　　　　儒家的解決方式就是讓死者最大限度地活在生者的記憶中。所謂的三年之
　　　　喪，正是試圖通過對記憶的強化使死者的音容笑貌得到較長期的維持。……
　　　　除此之外，在中國古代，同宗者往往建有祠堂，同族同姓者續有家譜或祖譜，
　　　　這屬於家族或宗親記憶的範圍」，頁259。
〔註21〕楊儒賓《中國古代思想中的氣論及身體觀》，頁233。

　　不過也有爲了家族利益，甚至是家族存亡，而必須不計個人聲名毀譽的情形，更可知這種延續族群生命的巨大壓力。很顯然的在許多士人眼中，對於整個族群生命的延續，個人聲名是微不足道的，如阮籍依違司馬政權，很多時候是爲了保全家族性命，以致留下許多爲後人質疑的事跡。再如謝安東山再起，遭人以「遠志小草」嘲諷，實也是爲了家族興亡，不得已出仕，家族與個人是難以切割的。嵇康以身殉志，顯然是一重名輕身者，但若從訓示其子嵇紹堅其所守〔註22〕，則可看出嵇康對於延續自己血脈的兒子，是希望他如果仕進，則須守志不二，而嵇紹也果眞以身護駕，血濺御衣，死後晉室三次表彰，且封其後裔，在群體生命與個人聲名上，嵇紹完成了他父親未能完成的事業，以此來看嵇紹對於整個「家族」來說，是徹頭徹尾的孝子。反之若個人身死，且牽連宗族，便會遭到貶責，如郤正〈姜維論〉：「凡人之談，常譽成毀敗，扶高抑下，咸以姜維，投厝無所，身死宗滅，以是貶削，不復料摘」〔註23〕，雖然郤正此文是爲姜維辯駁，但也可知大部分人對於「身死宗滅」是不贊同的。

　　維繫家族生命在於「孝」，無論是留下後代，或是振興家族聲名，都可以稱爲孝行，個人與家族的關聯以「血緣」結合，以「孝」道來完成不朽的願望。但個人與社會間的關聯，卻沒有如同「血緣」這麼強烈的內在因緣，於是以「忠」的方式來連結二者，且自古忠孝難兩全，當兩者發生牴觸，士人的抉擇常是以家族利益，或奉養父母爲優先，無怪乎余嘉錫《世說新語箋疏》：「蓋魏晉士大夫，止知有家，不知有國。故奉親思孝，或有其人；殺身成仁，徒聞其語」〔註24〕。

　　由此我們可以知道，爲何魏晉時代如此重視家族，若以子孫繁衍的角度審視，便會發現，魏晉人藉由內在血緣，外在姓氏，來達成生命不朽。也許不能因爲立功立德立言而名留青史，但至少可以名留家譜，代代延續。

　　有後則是對自己生命的延續，而祭祀是對自己生命起源的上溯。但這畢竟是將自己的生命定在血脈的延續，姓氏的留存上來看，個人被放置於長遠的時空中，是祖先與未來子孫中的一個連接點，傳宗接代是完成個人生命延

〔註22〕嵇康〈家誡〉：「若志之所之，則口與心誓，守死無貳」。戴明揚《嵇康集校注》，臺北：河洛出版社，1978年5月出版，頁315。

〔註23〕〔晉〕陳壽《三國志‧姜維傳》，頁893。

〔註24〕余嘉錫《世說新語箋疏》，頁46。

續的一個辦法。不過生活在世界上，不太能因為已有子息，便覺生命意義完了，大部分人仍會朝著立功立德立言的方向前進，往更高的目標追尋。

第二節　護志全身，靜默無為

前文提到魏晉時期，對政治局勢敏感的士人，通常因為有遠識而能避禍，獲得時人稱讚，這些避禍之人可能是以深謙遜讓，靜退不競的方式躲過政治風暴，但有些人則是直接遠離紅塵，再加上追求精神上的恬靜，許多人選擇隱居。觀察魏晉時期，人們隱居以避禍，去危圖安的情況盛行，而魏晉嬗代，對於政治立場的抉擇，有人選擇「隱居以求其志」，或是「迴避以全其道」，於是又都遯入山林，仔細分析魏晉隱士們隱居的動機，可以看出這些人對於生命的安排，已走出了出仕以兼濟天下的雄心，拋卻了名位的誘惑，求能保全性命。從出與處的抉擇到出即處的朝隱，表達出士人從隱逸中，仍達成了身名俱泰的理想。

壹、慕高貴清

孔子曾稱讚自己的學生南宮適，《論語》記載：「子謂南容（南宮適）：『邦有道，不廢；邦無道，免於刑戮』」〔註25〕，誇獎南宮適在政治清明時能出仕為官，若遇到亂世，則懂得明哲保身，我們知道孔子一直都抱持著積極出仕的態度，但是若處於亂世中，孔子對於保全己身是十分贊同的，試想若不能保全生命，有政治抱負也是無能施行。不同的時代環境，就該有不同的處世態度，人若不能變通，往往只是枉送性命，若就此觀，東漢末戰爭頻仍，朝代遞嬗，正是人們掙扎求得生存的亂世，許多人選擇山林隱居不仕，但即便如此，也並不代表能求得「免於刑戮」，因為許多隱士在隱居時，便必須面對朝廷徵召，不得而隱的危機。於是便須在名節與性命中，求得平衡。

以管寧為例。管寧，北海朱虛人，與華歆、邴原相友，於時天下大亂，聽說遼東太守公孫度令行海外，於是便舉家遷至遼東。魏明帝即位，太尉華歆讓位與管寧，明帝下詔用詞頗為嚴厲，「徵命屢下，每輒辭疾，拒違不至，豈朝廷之政與生殊趣，將安樂山林往而能不反乎？」、「君臣之道不可廢也，望必速至，稱朕意焉」，又下詔青州刺史，詔文中責備管寧「使朕虛心引領歷

〔註25〕〔宋〕朱熹《四書集注》，頁45。

年，其何謂邪？徒欲懷安，必肆其志」〔註26〕，面對這樣深切的責難與逼迫，管寧「辭之以疾」，並稱自己是「篡桴駑下」之人，仍不應命，於是魏明帝下詔問青州刺史程喜「寧為守節高乎？」，這樣的問題表明了，朝廷對於管寧的遲不應命懷疑為不願失節，改事異朝，這其實也是隱居求志之人最難表明清楚而不受懷疑的問題，若對朝廷的回覆太過阿諛，則有名毀失節的可能，但若是對朝廷的回答過度強硬，則有喪命的憂患，要如何拿捏展現了這類隱居之人的智慧，若求生多一些，不顧聲名被污，幡然改節，大可出而仕宦；若不願與當朝苟合，昂然表達自己的政治立場，殺身成仁，卻能留下後代美名。管寧始終以自己身有疾病，資質駑鈍為理由推拒，這其實是最委婉卻又不阿諛的說辭，程喜對朝廷的回覆便顯得重要，程喜說管寧：「每執謙退，此寧志行所欲，必全不為守高」，於是管寧順利推拒了朝廷此次的徵召。

這類的朝廷與隱士的拉鋸戰，隱士也並非全處於弱勢，有時朝廷礙於興論壓力，或是顧及「收攬人心」的目的，便有可能對這類隱士不加以強逼出仕，如正始二年，太僕陶丘一等人推薦管寧，但奏末卻說「若寧固執匪石，守志箕山，追迹洪崖，參蹤巢許，斯亦聖朝同符唐虞優賢，揚歷垂聲千載，雖出處殊塗，俯仰異體，至於興治美俗，其揆一也」〔註27〕，「興治美俗」說法，不僅為管寧留一退路，同時也是為朝廷消弭與隱居高士間的緊張，但從這一奏摺來看，無論管寧出不出仕，都被朝臣所利用。在《晉書・隱逸傳》中也記載相當多這類企圖「去危圖安」的隱士：

魯勝：嘗歲日望氣，知將來多故，便稱疾去官。〔註28〕

氾騰：屬天下兵亂，去官還家。太守張閬造之，閉門不見，禮遺一無所受，歎曰：「生於亂世，貴而能貧，乃可以免」，散家財五十萬，以施宗族，柴門灌園，琴書自適。〔註29〕

譙秀：秀少而靜默，不交於世，知天下將亂，預絕人事，雖內外宗親不與相見。〔註30〕

這些人還能有善終，但也並非每個人都能逃過現實的逼迫，如宋纖。宋纖原先隱居在酒泉南山，有弟子受業三千餘人，起先也是不應州郡辟命，但後來

〔註26〕〔晉〕陳壽《三國志・管寧傳》，頁361～362。
〔註27〕〔晉〕陳壽《三國志・管寧傳》，頁363～364。
〔註28〕〔唐〕房玄齡《晉書・隱逸傳・魯勝傳》，頁1539。
〔註29〕〔唐〕房玄齡《晉書・隱逸傳・氾騰傳》，頁1543。
〔註30〕〔唐〕房玄齡《晉書・隱逸傳・譙秀傳》，頁1547。

張祚遣使者張興備禮，徵宋纖爲太子友，由於張興逼迫甚切，於是只好隨張興至姑臧，接著又遷爲太子太傅，宋纖於是上疏曰：「『臣受生方外，心慕太古，生不喜存，死不悲沒，素有遺屬，屬諸知識在山投山，臨水投水，處澤露形，在人親土，聲聞書疏，勿告我家，今當命終，乞如素願』，遂不食而卒〔註31〕」，宋纖求隱不得，又因弟子三千餘人，遂受逼於張興，無處可逃之下，只好赴命，若宋纖不顧在世美名，遷改宿願，或許能暫免一死，但宋纖心意堅定，竟不懼死，也要脫離這樣的肉體與精神的箝制。

　　還有一人也難免於朝廷的逼迫，但比較特別的是，他拋卻不了身爲一名讀書人對於社會應有的道義責任，那就是任旭。任旭父親任訪是吳南海太守，永康初，晉惠帝博求清節儁異之士，太守仇馥舉薦任旭，「旭以朝廷多故，志尚隱避，辭疾不行」，但是後來陳敏作亂江東，「惟旭與賀循守死不迴，敏卒不能屈」〔註32〕，若從此看，任旭雖因永嘉大亂，不願出仕，有辭疾避禍之意，一旦有逆賊作亂，任旭卻能守死不迴，可見雖圖安身，卻仍是不能做到不問世事，這是任旭不同於其他去危圖安之人的地方，也顯現士人在出與處當中的迷惘，甚至對於獨善其身的愧疚。

　　但是也有人態度強硬，而遭來殺身之禍者，例如嵇康。嵇康因不滿於司馬氏政權的虛僞，於是隱居在山陽鍛鐵，又因爲個性「剛腸疾惡，輕肆直言，遇事便發」，在鍾會前來拜訪時，仍旁若無人，鍛鐵不輟；因山濤薦舉代吏部郎，毅然寫下絕交書，表達自己絕不出仕的決心；最終因呂安一事，而下罪入獄。吾人可從〈養生論〉中，考察嵇康的身名觀。

> 然則欲與生不竝立，名與身不俱存，略可知矣，而世未之悟，以順欲爲得生，雖有後生之情，而不識生生之理，故動之死地也，是以古人知酒肉爲甘鴆，棄之如遺，識名位爲香餌，逝而不顧，使動足資生，不濫于物，知正其身不營于外，背其所害，向其所利，此所以用智遂生之道也。〔註33〕

「名與身不俱存」，追求名位而又想求得長生是不可能的，因爲追求名位會使人營於外物，嵇康認爲人若「志開而物遂，悔吝生則患積而身危」〔註34〕，

〔註31〕　〔唐〕房玄齡《晉書‧隱逸傳‧宋纖傳》，頁1552。
〔註32〕　〔唐〕房玄齡《晉書‧任旭傳》，頁1543。
〔註33〕　〔清〕嚴可均輯《全三國文》，頁269。
〔註34〕　〔清〕嚴可均輯《全三國文》，頁269。

追求外物，一旦發生小過錯，內心悔吝之情累積而致身體危亡，由此可知，在獲取名位的過程中，人會因爲悔恨之情而傷生，況且「欲之患其得，得之懼其失」〔註35〕，患得患失，讓人內心不得平靜，如何能得長生，所以嵇康側重「神以默醇，體以和成，去累除害」〔註36〕，嵇康的養生理論，很清楚的表達他「貴身賤名」的身名觀，雖然嵇康的養生論洋洋灑灑，但嵇康卻未能達到他所希冀的長生，終享天年，人們所追求的並不表示一定能達到，宜再從嵇康的行跡來加以考察。

對於仕進，嵇康並不是完全屏棄不談的，〈卜疑〉中嵇康描寫一弘達先生「仕不期達」，但因身處於「大道既隱」的時代，「動者多累，靜者鮮患」，於是便「思丘中之隱士，樂川上之執竿也」類似阮籍「以世多故，少有全者」，然後嵇康便提出二十八道問題，問太史貞父，希望太史貞父能藉由占卜算命，來回答他的出處問題，在此羅列其中一部分：

> 寧隱居行義，推至誠乎？將崇飾矯誣養虛名乎？
>
> 寧與王喬赤松爲侶乎？將進尹摯而友尚父乎？
>
> 寧如夷吾之不吝束縛而終在霸功乎？將如魯連之輕世肆志，高談從容乎？〔註37〕

若依其內容來考察嵇康對於仕與隱的選擇，會發現嵇康對於苦身竭力隱居在山巖中，或是入朝爲官功成霸業，疑惑難決〔註38〕。當然我們知道嵇康他隱居未仕，是因爲不滿司馬氏政權，但若今日嵇康面對的不是虛僞殘忍的司馬氏政權，他會如何抉擇出仕與否？考察嵇康生平，嵇康十六歲時因著〈遊山九詠〉，魏明帝擢其爲潯陽長，後來曹操的兒子曹林又把女兒長樂亭主嫁給他，於是他成了皇親國戚，然後又升任爲中散大夫，從這我們可以得知嵇康並非不仕之人，他的不仕是政治立場的不同，他不願當司馬氏朝廷的官，而

〔註35〕〔清〕嚴可均輯《全三國文》，頁270。

〔註36〕〔清〕嚴可均輯《全三國文》，西安：陝西人民出版社，2007年，頁270。

〔註37〕〔清〕嚴可均輯《全三國文》，頁265～267。

〔註38〕在陳美朱〈西晉之理想士人論〉中，藉由對照屈原〈漁父〉的「『寧』字以下所陳述的價值觀代表肯定，『將』字以下則代表否定的『公式』來解讀〈卜疑〉一文，則必然會在宏達（即弘達）先生所提出的第十四個問題之外造成第十五個問題：到底『宏達先生』所肯定與所否定的價值觀是什麼？因爲『寧』以下的價值觀已不再是絕對的肯定，而『將』以下的處世態度也不是必然的否定」，頁17。

非他不當官。從他的生平事蹟以及〈卜疑〉中的出處疑問，我們可以知道嵇康並非完全的棄賤名位，若身在他認為的「有道」之世，他便願當一名「內不愧心，外不負俗，交不為利，仕不謀祿」的弘達先生。在陳美朱〈西晉之理想士人論〉中，分析嵇康的理想士人形象：「要而言之，嵇康筆下的『宏達先生』乃針對『有道之世』所設計的理想士人形象，具有『內不愧心，外不負俗』的人格本質……。然而一旦面臨『無道之世』，『守正』與『處俗』已不可兼具，『出仕』與『退隱』只能擇一，宏達先生乃成為嵇康『吾每師之，而未能及』的理想」。〔註39〕

所以我們可以知道嵇康對於財富是揚棄的，所以他才會有「仕不謀祿」之說，但對於名位卻並非完全厭棄，而是在前提成立的時候，他便願意出仕為官。接著我們必需要再由行跡考察嵇康貴身與否。

嵇康因呂安一事而下罪入獄，呂安的哥哥呂巽與司馬氏政權親和，因呂巽奸淫呂安妻，又誣告呂安不孝，呂安引嵇康為證，嵇康「義不負心，明保其事」，卻因先前開罪於鍾會，使鍾會藉機以「負才亂群惑眾」、「欲助毋丘儉」之名，進讒於司馬昭，嵇康便因此斷送的性命。嵇康對於認為合於「義」之事，即便明知可能會因此送命也是「遇事便發」的，為呂安作證一事，難道嵇康不知這會引發殺身之禍？抑或是他認為他為呂安作證，司法能公正給予清白？針對嵇康獄中所寫的〈幽憤詩〉：「託好老莊，賤物貴身。志在守樸，養素全真」、「雖曰義直，神辱志沮。澡身滄浪，豈云能補」、「窮達有命，亦有何求？古人有言，善莫近名。奉時恭默，咎悔不生」，似乎對於自己未能堅持老莊哲學，與未能依照自己的養生理論而行感到後悔，但詩中更明顯的表達自己清白卻遭執禁的憤懣，「對答鄙訓，縶此幽阻，實恥訟冤，時不我與」，結尾「采薇山阿，散髮巖岫」〔註40〕，藉由伯夷、叔齊不食周粟，表明決不與司馬氏政權妥協，這些都說明嵇康雖然後悔，但對於堅持自身的立場，嵇康是寧願死也不讓步的。再從嵇康臨行前的表現，顧視日影，索琴彈奏，便知道對於此次作證可能招來死罪，嵇康是了然於胸的，就算這出乎嵇康預料，面對判決結果，嵇康也選擇從容赴死，嵇康雖有養神養形，求仙求長生的理論與想法，但並不代表他戀生惡死，或是重視生命輕賤名譽，若執〈養生論〉

〔註39〕陳美朱〈西晉之理想士人論〉，頁21。
〔註40〕戴明楊校注《嵇康集校注》，頁26～31。

一文，謂嵇康「貴身賤名」則失之褊狹。嵇康倡言「貴身賤名」，卻走上了「貴名賤身」之路。

　　嵇康因為有明確的政治立場，而不願出仕，甚至因此犧牲性命，但隱居者不全是執於政治立場，徘徊出仕濟民與隱居獨善之間，許多人是因為逃難或是避禍而隱。敦煌人郭瑀在政治上的出處頗為奇特，《晉書》記載他「少有超俗之操，東游張掖，師事郭荷，盡傳其業，精通經義，雅辯談論，多才藝，善屬文」〔註41〕，隱於臨松薤谷，後張天錫遣使者備禮徵之，張天錫所寫給郭瑀的信中，就提出到了人出處的問題：

　　……君不獨立道由人弘故也。況今九服分為狄場，二都盡為戎穴，

　　天子僻陋江東，名教淪於左衽，創毒之甚，開闢未聞，先生懷濟世

　　之才，坐觀而不救，其於仁智，孤竊惑焉。〔註42〕

在兼濟與獨善之間，隱逸之人受此詰問，其實是相當難以回答的，張天錫是在指責郭瑀逃避了社會責任，只求個人安危。而郭瑀對著使者，手指翔鴻說：「此鳥也，安可籠哉？」郭瑀表達了自己對於名位的厭棄，不願受到束縛，卻避開了張天錫所指的「社會責任」一事，顯現郭瑀也明白在亂世紛紛當中，他其實也應該出來盡一己之力，所以當他後來深逃絕跡，而門人弟子被拘，便歎息說：「吾逃祿，非避罪也，豈得隱居行義，害及門人？」，被逼出仕。後來略揚王穆起兵酒泉，以應張大豫，遣使招瑀，郭瑀歎曰：「臨河救溺，不卜命之短長；脈病三年，不豫絕其餐饋；魯連在趙，義不結舌，況人將左衽而不救之！」，郭瑀於是與敦煌索嘏起兵以應王穆，此時的郭瑀雖然是無奈，但比起一開始為天錫所逼的清況又不同，雖是無奈但卻更為積極救世，後來郭瑀擔任太府左長史軍師將軍，但「口詠黃老，冀功成世定，追伯成之蹤」，也就是希望等到大事已定，便能從回山林，過自由的隱居生活，王穆後來聽信讒言，將討索嘏，即便郭瑀苦勸仍不從，郭瑀於是不與人言，不食七日，且夕祈死，最後歸酒泉南山，飲氣而卒。郭瑀一生隱不得隱，仕不能遂願，游移在隱居與濟世之間，我們從《晉書》的記載中，看出郭瑀處於亂世中，對於自己生命出處的迷惘。

　　也有人對於該如何出處心有定見，毫不猶疑。夏統字仲御，會稽永興人，採梠求食，或至海邊捕食小蟹以資養，由於雅善談論，宗族勸其出仕「謂之

<hr>

〔註41〕〔唐〕房玄齡《晉書·郭瑀傳》，頁1552～1553。

〔註42〕〔唐〕房玄齡《晉書·郭瑀傳》，頁1553。

曰：『卿清亮質直，可作郡綱紀，與府朝接，自當顯至，如何甘辛苦於山林，
畢性命於海濱也？』統勃然作色曰：『諸君待我乃至此乎？使統屬太平之時，
當與元凱評議出處，遇濁代念與屈生同汙共泥，若汙隆之間，自當耦耕沮溺，
豈有辱身曲意於郡府之間乎？』」〔註43〕。面對族人的勸說，夏統的反應十分
激烈，他認爲在處在太平與濁世之間，應該要隱居起來，而非辱身曲意於郡
府之間。夏統曾與賈充有過一面之緣，賈充「欲使之仕」，夏統卻是「俛而不
答」，賈充又「欲耀以文武」，於是命建朱旗，舉幡校，分羽騎爲隊，軍伍肅
然，然後鼓吹、車乘紛錯，又命妓女之徒「服褂襠、炫金翠」，但是夏統皆視
若無睹，賈充等人於是離開，說夏統是「此吳兒是木人石心也」。對於夏統的
視若無睹，我們當然可以認爲他並不在意功名富貴，但由他所言「使統屬太
平之時，當與元凱評議出處，遇濁代念與屈生同汙共泥，若汙隆之間，自當
耦耕沮溺，豈有辱身曲意於郡府之間乎」可以看出那是因爲他認爲當時是「汙
隆之間」，且請他出仕之人又是有識之士所不齒的賈充，若讓夏統處於太平之
世，他便會考慮到出處的問題了，這與當時許多隱居之人因「天下多故，而
不與世事」是相同心態的。在亂世當中，求得一己生存已不易，更何況又是
身名俱泰。

　　隱居之士常遇到的提問，便是身懷賢才，卻不願兼善天下，只求保全己
身，這樣的行爲常爲入世之人所譏刺，前文張天賜寫信詰問郭瑀便是，而晉
郭文的經歷也值得一說。郭文，字文舉，洛陽陷時，隱避在吳興餘杭大辟山
中：

> 王導聞其名，遣人迎之，文不肯就船車，荷擔徒行，既至，導置之
> 西園，園中果木成林，又有鳥獸麋鹿，因以居文焉，於是朝士咸共
> 觀之，文頹然箕踞，傍若無人，溫嶠嘗問文曰：「人皆有六親相娛，
> 先生棄之何樂？」文曰：「本行學道，不謂遭世亂欲歸無路，是以
> 來也」。又問曰：「飢而思食，壯而思室，自然之性，先生安獨無情
> 乎？」文曰：「情由憶生，不憶故無情」。又問曰：「先生獨處窮山，
> 若疾病遭命，則爲鳥鳥所食，顧不酷乎？」文曰「藏埋者亦爲螻蟻
> 所食，復何異乎？」。又問曰：「猛獸害人，人之所畏，而先生獨不
> 畏邪？」文曰：「人無害獸之心，獸亦不害人」。又問曰：「苟世不

〔註43〕〔唐〕房玄齡《晉書・夏統傳》，頁1535～1536。

> 寧，身不得安，今將用先生以濟時若何？」文曰：「山艸之人安能
> 佐世？」〔註44〕

郭文隱居後，王導迎之，他並不推卻或是逃往他處，反而居住在王導為他設
置的西園裡，任人觀看，也隨人提問。朝士們的問題反映出他們對於隱居山
林的懷疑，也隱隱有對於隱士捨棄親友、離棄社會的譴責，雙方的立場殊異，
這場隱士與朝士的對話，有較勁的意味，從郭文傍若無人，任人提問，並有
問有答的反應看來，郭文對於朝士們「濟時」的說法與拋卻不了世俗物質的
享受是不以為然的，仕或隱的抉擇，不僅可以看出個人對於官場的看法，也
可以看出個人對於生活與生命的抉擇不同。

其實無論是朝士或隱士，都是重視生命價值之人，只是二者的著眼點不
同，朝士需要由在社會中的定位來肯定自我，需要有安定的物質生活來獲得
安全感，需要發揮自己的才智來實現自己的理想；隱士則逃離了社會束縛，
追求個人的身心自由，以徜徉在山林間來獲得精神上的滿足。

對於士人的社會責任，其實是從儒家的修身齊家治國平天下而來，懷才
不遇固然痛苦，但如果懷才而遇，所「遇」卻非己所「欲」，則身心皆被束縛，
不得自由，若隱避不仕又恐遭政治迫害，士人在這當中不僅僅只有「兩難」，
即仕或隱的抉擇，還有求生與自我實現的欲望不可兩得的痛苦。

在這樣的情況下，人們開始將「自我實現」的部分，由承擔社會責任轉
向追求個人心靈的大自由，期盼能達到精神上的超越，而非承繼社會的道義
責任，去做修身齊家治國平天下的儒家信徒。脫去了這層士人責任，時人更
能大膽的追求個人的精神自由，有許多人不再追求世俗的功名利祿，即便家
中貧苦不能自給，也不改其樂。如：

> 阮修：性簡任，不修人事。絕不喜見俗人，遇便舍去。意有所思，
> 率爾褰裳，不避晨夕，至或無言，但欣然相對。……雖當世富貴而
> 不肯顧，家無儋石之儲，宴如也。〔註45〕

> 楊軻：食麤飲水，衣褐縕袍，人不堪其憂，而軻悠然自得〔註46〕

> 羅含：以城西池小洲上立茅屋，伐木為材，織葦為席而居，布衣蔬
> 食，晏如也。〔註47〕

〔註44〕 〔唐〕房玄齡《晉書·隱逸傳·郭文傳》，頁 1544～1545。
〔註45〕 〔唐〕房玄齡《晉書·阮修傳》，頁 896。
〔註46〕 〔唐〕房玄齡《晉書·楊軻傳》，頁 1550。
〔註47〕 〔唐〕房玄齡《晉書·羅含傳》，頁 1520。

再如陶潛，「環堵蕭然，不避風日，短褐穿結，簞瓢屢空——晏如也」更是眾所周知的，刺史王弘，因十分欽佩陶潛的為人，特到陶潛家中拜訪，陶潛稱疾不見，「既而語人云：『我性不狎世，因疾守閒，幸非絜志慕聲，豈敢以王公紆軫為榮邪？』」〔註48〕，陶潛為何要特意說明自己隱居不見朝官的原因，那是因為他不願別人認為他是一位藉由隱居來求取好名聲的人，而是原本就性不狎世。

而有些想兩全其美之人，希望能獲得隱居的自由，卻不願面對山林生活的窮困，這似是不可能的任務，卻仍在士人的手中達成了，這便是「朝隱」。

貳、朝市心隱

若將隱居涵義不侷限於隱於山林，在朝廷中若能不嬰世務，便也是隱居在朝廷當中了，人們說「小隱隱於山林，大隱隱於朝市」即是，如：

庾敳：雅有遠韵，為陳留相，未嘗以事嬰心，從容酣暢，寄通而已。……是時天下多故，機變屢起，敳常靜默無為。〔註49〕

王戎：尋拜司徒，雖位總鼎司，而委事僚寀。〔註50〕

阮孚：蓬髮飲酒，不以王務嬰心，時帝既用申韓以救世，而孚之徒未能棄也，雖然不以事任處之，轉丞相從事中郎，終日酣縱，恆為有司所按，帝每優容之。〔註51〕

曹志：雖累郡職，不以政事為意，晝則遊獵，夜誦詩書，以聲色自娛。〔註52〕

裴憲：陳郡謝鯤，穎川庾敳，皆儁郎士也，見而奇之，相謂曰：「裴憲鯁亮宏達，通機識命，不知其何如父？至於深弘保素，不以世物嬰心者，其殆過之。」〔註53〕

其中裴憲，在石勒建後趙稱帝後，與王波一同為石勒撰朝儀，到石季龍時，更受禮重，史書記載「憲歷官無幹績之稱，然在朝玄默，未嘗以物務經懷，

〔註48〕〔唐〕房玄齡《晉書·陶潛傳》，頁1559。

〔註49〕〔唐〕房玄齡《晉書·庾敳傳》，頁915～916。

〔註50〕〔唐〕房玄齡《晉書·王戎傳》，頁816。

〔註51〕〔唐〕房玄齡《晉書·阮孚傳》，頁895。

〔註52〕〔唐〕房玄齡《晉書·曹志傳》，頁912。

〔註53〕〔唐〕房玄齡《晉書·裴憲傳》，頁700。

但以德重名高，動見尊禮」，當官在職「未嘗以物務經懷」，卻仍能享有重禮，可見當時人對於道家老子「無爲而治」的理解，已經直接實踐在現實生活當中，但這樣的不以世務嬰心，卻仍在公職，造成歷官無幹績的結果，使整個社會風氣沉淪。

朝隱之人，其實有其道家理論的支持，在「無爲而治」的旗幟下，許多人以此爲藉口，甚至人們認爲這樣的行爲才是高超絕俗，才是大隱，這必定在當時蔚爲風氣，干寶才有這樣的批評「當官者以望空爲高」，這類不願隱居山林，過貧苦生活，又不願勤於政事，擔負濟世責任的人，非仕非隱的結果便是政事空轉，尸位素餐〔註54〕，這樣的人雖然不值得鼓勵讚賞，但若以個人「身名俱泰」的觀點來看，這批人不僅做到，更達到了精神生活上的清閒，這其實也與現代人追求「錢多事少離家近」的生活是同樣心態。唐君毅《中國人文精神之發展》便這麼形容魏晉時代：「而這時人之精神之最好的表現，則是在減輕了卸掉了責任感之後，人的精神亦可變得更輕靈、疏朗、飄逸、清新、瀟灑」〔註55〕，我們可以了解爲何這些魏晉士人總能展現出瀟灑的氣度來，是因爲沒有案牘勞形，使人心神勞瘁〔註56〕。

但這當中的平衡並不好拿捏，這類人必須要有遠識的智慧，方能在權力核心當中，仍做到免於刑戮。由於政局動盪不安，若想求得安身遠禍，對於局勢的轉變若不夠敏感，是不可能全身而退的，尤其魏晉禪代時期，政治情勢不明朗，政局不穩定，許多人選擇隱居避禍，甚至是身在朝位，卻不視事，以免捲入政變，如鄭沖。鄭沖起自寒微，《晉書》記載他「卓爾立操，清恬寡欲，耽玩經史，遂博究儒術」〔註57〕，後來出補爲陳留太守，「沖以儒雅爲德，蒞職無幹局之譽，簞食縕袍，不營資產，世以此重之」，毫無幹局，卻因簞食

〔註54〕 張仲謀在《兼濟與獨善》中，對於這類朝隱之士，有如下的說明：「此種大隱，看似對小隱的揚棄與超越，實際是隱逸精神的蛻化變質。他們既拋棄了儒家的社會責任感與實踐理性精神，又失去了道家以自我放逐來表示對統治者的抗議的積極內核，結果是造成了身仕心隱、不負責任的閒散官僚」，北京：東方出版社，1998 年 2 月，頁 199。

〔註55〕 唐君毅《中國人文精神之發展》，臺北：臺灣學生書局，1983 年 3 月 6 版（臺五版），頁 31。

〔註56〕 其時尚有務實之士糾劾之，如《世說新語・豪爽》注引《漢晉春秋》載庾翼對盛名冠世，卻不屑實務者評道「此輩宜束之高閣」，或是干寶《晉紀總論》所提劉頌、傅咸，都對這些不勤於政事者糾正，不過在當時這類務實者，卻被譏爲「俗吏」、「執鄙者」者。

〔註57〕 〔唐〕房玄齡《晉書・鄭沖傳》，頁 660。

緼袍，不營資產而獲得時譽，後來常道鄉公即位，封鄭沖爲太保，位在三司之上，「沖雖位階台輔，而不預世事」，之後鄭沖命阮籍寫下勸進箋，便被封爲太傅，進爵爲公。不預世事者，卻能平步青雲，官運亨通，這其實是因爲他選對了政治立場，從他爲高貴鄉公講授尙書，到爲晉武帝奉策勸進，可以知道鄭沖雖然身任魏朝官職，卻「身在曹營，心在司馬」，對於武帝踐祚他是參與在內的，如此看來「簞食緼袍，不營資產」其實是他爲求名而做的舉動，常道鄉公時的「不預世事」，也是因爲在政治立場上他傾向司馬氏，這雖不是朝隱，但已走在如何身在官場，卻能遠離災禍，從中尋求政治利益的坦途上了。

　　再如向秀，嵇康被殺之後，應歲舉至朝廷當官，看似由隱轉仕，幡然改圖，但實際上向秀居官，仍不視事，他的出仕是爲了隱匿行跡，以免遭禍。

　　也有些人，雖不能位至三公，但藉由朝隱而避開禍端，即便結果可能是免官，但與失去官職相較，保全性命是最重要的，如阮裕：

> 大將軍王敦命爲主簿，甚被知遇。以敦有不臣之心，乃終日酣觴，以酒廢職。敦爲裕非當世實才，徒有虛譽而已，出爲溧陽令，復以公事免官，由是得違敦難，論者以此貴之。〔註58〕

阮裕敏銳的觀察到王敦有不臣之心，知道將來必有事，藉由酣醉等方式遠離政治中心，果然求得全身而退：

> 或問裕曰：「子屢辭徵聘，而宰二郡，何邪？」裕曰：「雖屢辭王命，非敢爲高也，吾少無宦情，兼拙於人間，既不能躬耕自活，必有所資，故曲躬二郡，豈以騁能？私計故耳。」〔註59〕

很明顯的，阮裕對於自己身在官場，所應負的忠誠與熱忱皆無，對他而言，這是一份餬口飯吃的工作，爲這工作丟掉性命是十分不值得的。此處須再提一人，即羊曼，羊曼與阮裕同樣爲王敦所召，「王敦既與朝廷乖貳，羇錄朝士。曼爲右長史，曼知敦不臣，終日酣醉，諷議而已，敦以其士望，厚加禮遇，不委以事，故得不涉其難」〔註60〕，乍看之下，羊曼雖爲右長史，但爲避禍，卻不世事，實際上，羊曼是因爲不願爲王敦做事，他是忠於晉室者，《晉書》本傳記載他在蘇峻之亂時，「王師不振，或勸曼避峻，曼曰：『朝廷破敗，吾

〔註58〕〔唐〕房玄齡《晉書・阮裕傳》，頁897。
〔註59〕〔唐〕房玄齡《晉書・阮裕傳》，頁897～898。
〔註60〕〔唐〕房玄齡《晉書・羊曼傳》，頁909～910。

安所求生？』勒眾不動，爲峻所害，年五十五」，從這段敘述可以得知羊曼並非貪生之徒，雖然在王敦作亂之時，羊曼與阮裕的行動相似，卻不代表兩人的想法一致，羊曼能以身殉主，從「私計故耳」可以知道，阮裕是不可能以身殉主者。

我們可以同情在魏晉交替之時，爲求保身而出仕的士人，他們不願意全心全意投入公務之中，是藉此表明心跡，一方面也是因爲害怕在權力角力當中遭到牽連。八王之亂，群王交戰，權位中心變化無定，若專心投入公務，只可能讓自己大禍臨頭，同時內心也渴望著隱居山林，不問世事，但當權者以強迫的方式，以出仕與否來檢驗自己認同與否，於是居任官職變成不得已而爲之的方法了〔註61〕。但這樣不得已而爲的情形卻漸漸變質了，人們反而以此爲高雅的行徑。郭象《莊子注》也提供了這些又想享有高名，同時又無法離開物質生活的人，極佳的理論依據：

> 夫理有至極，外內相冥，未有極游外之致而不冥於內者也。〔註62〕

> 世以亂故求我，我無心也，我苟無心，亦何爲不應世哉？然則體玄而極妙者，其所以會通萬物之性，而陶鑄天下之化，以成堯舜之名者，常以不爲爲之耳，孰弊弊焉勞神苦思，以事爲事，然後能乎？〔註63〕

以無心應世，不以外物爲累，即便身處廟堂，精神仍能遨遊人外，這樣的論點切合當時士人的需要，於是朝隱反成脫俗超然的雅事，人們自有這番理論爲自己開脫，而葛洪《抱朴子・任命篇》：

> 蓋君子藏器以有待也，稽德以有爲也，非其時不見也，非其君不事也，窮達任所值，出處無所繫。其靜也，則爲逸民之宗；其動也，則爲元凱之表。或運思於立言，或銘勳乎國器，殊塗同歸，其致一焉。〔註64〕

於此，無論在朝或在野，都是殊途同歸了，既然如此隱居在朝，也是一種「體公識遠」之事了。簡而言之「朝隱是在魏晉政治環境、玄學理論、享樂風氣

〔註61〕江建俊〈魏晉「朝隱」風氣盛行的原因及其理論根據〉提到：「這些極有能力、有智慧且有社會身價者，既不得不仕，而其仕又如游於熱鍋當中，時時憂患大禍到來，居其位而如坐針氈……」，頁456。

〔註62〕〔晉〕郭象《郭象注莊》，臺北：金楓出版社，1987年5月，頁162。

〔註63〕〔晉〕郭象《郭象注莊》，頁56。

〔註64〕楊明照《葛洪抱朴子外篇校箋》，頁480～481。

相結合下，所興起的理想生活方式」〔註65〕，又有高名，又有良好的物質生活，魏晉士人從不放棄魚與熊掌兼得的理想，也只有在這樣追求既要「身泰」又要「名遂」的社會中，才會發展出「朝隱」。

於是，我們可以知道魏晉時期隱逸內涵與以往並不相同，隱逸的地點不要求遺世隔絕，隱逸的本質與道德無一定關聯，這在許尤娜《魏晉隱逸思想及其美學涵義》中，便已分析：

> ……我們可以總結《世說‧棲逸》所反映的魏晉隱逸趨勢。第一，從多種不仕類型來看，可知「道德」並非隱逸的「充分條件」，而「自由」、「信仰」，已躍為隱逸的重要內涵。第二，隱逸者出現「與貴族周旋」的情形，代表魏晉人偏向於從「精神」（即「逸」）層面來評斷隱者，而不甚著重「隱居」的形式。〔註66〕

雖然許尤雅並非針對朝隱加以分析，但朝隱這種形式的隱逸，也與其所述相合。

另外，由於魏晉士人喜泛覽山水，更易與朝隱的人生哲學結合，江健俊《魏晉「神超形越」的文化底蘊》中，便指出隱與遊的關係：

> 東晉以來，優游山水在朝隱之風瀰漫下，更成為一種雅操、一種勝情，從史傳所載，就有新亭遊、冶亭遊、印渚遊、洛水遊、瀨鄉遊、東陽長山遊、白樓亭遊、征虜亭遊、白石山遊、北固山遊、茅山遊、雞籠山遊、曲阿湖遊、西園遊、石門遊、高陽池遊、會稽遊、蘭亭遊、剡下遊、華林園遊等。〔註67〕

閒暇之時，與好友同遊山水田林，目之所遇，皆是佳林修竹，頗能忘憂，在現代人生活中是紓解壓力的好方法，魏晉時期，處於險惡政治環境中，美好的自然勝景更是讓人窺谷忘返，望峰息心，於是朝隱人士藉由遊歷山水，來滌清思慮、昇華心靈，更可以從佳景中獲得創作靈感，留下名篇佳作，於是便有眾多山水詩、遊覽詩。在加上此時，玄風大暢，以玄對山水，忘卻塵俗，更令士人趨之若鶩，留下許多遊歷行跡。這種「雅操」、「勝情」正是精神上

〔註65〕江建俊〈魏晉「朝隱」風氣盛行的原因及其理論根據〉，頁471。

〔註66〕許尤娜《魏晉隱逸思想及其美學涵義》，臺北：文津出版社，2001年7月初版，頁71。

〔註67〕江建俊《魏晉「神超形越」的文化底蘊》，臺北：新文豐出版社，2013年11月初版，頁411。

的「身泰」，於是朝隱士人在平時公務上，無爲而治，閒暇之時，飄然塵外，得到清貴高雅之名，身泰與名泰兩全其美了。

第三節　多元價值，文藝社會

　　若鎮日栖栖惶惶，滿佈驚懼，於是閉門不出，焦慮待死，是身處亂世，政局混亂者，常有的形象，則魏晉士人企圖從立功立德立言，甚至藝術中獲得名聲，又同時能積聚錢財，發展莊園經濟，這些終致身名俱泰者，他們的人生是充實的。尤雅姿《魏晉士人之思想與文化研究》：「好逸惡勞、肆情縱欲、厚味、美服、好色、醇醪、音聲、風景等紛紛爲魏晉士人所恢求，而其動機也無非是想在生命的有效期限內，實證肉體形軀和活潑心靈的真實存有」〔註68〕，憂生之嗟使人欲從現世中證明自己存在的價值，也渴望死後能留下自己活過的痕跡。於是魏晉士人採用許多方法來留下這些吉光片羽，如作序以載其事，勒石以記其功，撰述以明其志。

　　除了記名留跡的方式多樣外，士人也發展出獨特的行爲來取得眾人的注目，以此要名於世，或飲酒、或袒裸、或穢語等，標新立異。這些人或許蔑視禮法，但從其追求身泰名泰的積極中，面對死亡的逼迫中，發展出這些多樣的行爲方式，表現出人們追求自我的展現，欲解脫外在的束縛，從《世說新語·品藻》「桓公少與殷侯齊名，常有競心。桓問殷：『卿何如我？』殷云：『我與我周旋久，寧作我』」〔註69〕，我們看到在爭名求名中，士人經過自省自覺後，寧可掙脫外在束縛，回返自我本身。

　　尤雅姿《魏晉士人之思想與文化研究》：

> 幸福應是整個人格的狀態，它兼具有靜態和動態的性格，就靜態而言，幸福就是精神狀態上的寧靜祥和與滿足，如《老子》第八一章所描述的「甘其食，美其服，樂其食」……。若從動態而言，幸福指的是人們不斷地開創著生活的新領域，並從這些領域活動中，或取一種自我更新、自我發現的喜悅和滿意。〔註70〕

〔註68〕尤雅姿《魏晉士人之思想與文化研究》，臺北：文史哲出版社，1998年9月初版，頁118。
〔註69〕余嘉錫《世說新語箋疏》〈品藻35〉，頁521。
〔註70〕尤雅姿《魏晉士人之思想與文化研究》，頁130。

從追求身心安頓，到渴望能展現自我，我們可以看出魏晉士人在這方面是積極努力的，殷浩便是取得自我發現的喜悅與滿意，才能說出「寧作我」之語。王羲之的坦腹東床，也表現出不願造作，寧可自然表現自己，因而雀屏中選。而魏晉士人專注於文藝中，寧肯花上數十載的光陰著述，或是注解經典成癖〔註 71〕，都是從這些領域活動中，來獲得自我發現與自我更新。士人發展的觸角既廣且深，從文藝到武功，都是士人在身泰的情況下，既而所追求的名泰。

欲從建功立業而取得身泰名泰者，展現對世俗名位的依戀，而從東晉桓溫、桓玄的表現來看〔註 72〕，則可知士人有道德感薄弱，不懼後世罵名的情形。對於歷史評價的質疑，使得這些野心家，大膽追求取而代之的可能，其實從東漢末年群雄並起時，對於「英雄」人格的嚮往，都使得士人對於自身的能力以及可開創的未來，充滿信心，表現人生更多元化的可能。

而欲以忠孝立德揚名者，在虛偽與真誠中，有人因此獲名而遺譏後世，有人則選擇不與妥協，慷慨赴義。但更多士人選擇這當中的幽暗地帶，發展出奇特的朝隱生活，求得身名俱泰。

相較於從立德立功中，士人所做出的犧牲，於立言或是才藝中求名者，則顯得單純。魏晉時代如：「羊長和博學工書，能騎射，善圍棋」、「（王恬）晚節更好士，多技藝，善奕棋，為中興第一」都顯示魏晉士人追求多才多藝，而才藝除了使生活更朝向藝術化發展外，同是也是顯名的好方法。而士人們投入文學創作，使這時期的史書、注解、子書，大量出現，都是展現自我，且從中自我發現而滿足喜悅，士人於此的身名追求，是兩全其美的。錢賓四《略論魏晉南北朝學術文化與當時門第之關係》中言：「蓋當時之崇尚文學藝術，皆由其崇尚人生來。此一時代之人生，亦可謂是一種文學藝術的人生」〔註 73〕，張蓓蓓解其「崇尚人生」為「看重自我，以及自我所可有的一段人生表現」〔註 74〕，魏晉士人因崇尚人生，故極力發揮所長，以尋求人生不同的表現。

〔註 71〕〔唐〕房玄齡《晉書，杜預傳》，頁 687。
〔註 72〕如桓溫死前欲加九錫，顯現其欲篡奪之心，後病死未遂，而桓玄則逼晉安帝禪讓，建立桓楚，而人皆野心勃勃，肆行篡逆。
〔註 73〕錢賓四《中國學術思想史論叢》，合肥：安徽教育出版社，2004 年 7 月第一版，頁 140。
〔註 74〕張蓓蓓《中古學術論略》，頁 153。

　　而魏晉士人能如此盡情的追求人生的各種可能，其實有其外緣因素與內緣因素。外緣因素即魏晉文藝社會的高度成熟，魏朝當權者的愛好，晉朝政令寬緩有關；內緣因素則是強烈的自我意識。

壹、政治與社會文化的促成

　　魏晉士人企圖運用各種方式求得聲名遠播，其中文士們藉由文學、繪畫、書法等方式達成，這些五花八門的文藝必須在有觀眾讀者的社會中生存，在《六朝「文士」──「文藝」品鑒論》中：「當各體藝術發展到一定程度，文藝社會亦趨於成熟，不再被傳統的『文藝小道』觀所侷限之時，社會中人便能轉從不同的角度去欣賞『技』的展現」〔註75〕，**魏晉傳抄或諷誦文學作品十分盛行**，除了有名的左思《三都賦》造成洛陽紙貴，而「庾仲初作揚都賦成，以呈庾亮。亮以親族之懷，大爲其名價云：『可三二京，四三都。』於此人人競寫，都下紙爲之貴」〔註76〕、「裴郎作語林，始出，大爲遠近所傳。時流年少，無不傳寫，各有一通。載王東亭作經王公酒壚下賦，甚有才情」〔註77〕，對於王獻之「書壁」造成的「觀者雲集」，或是王羲之書六角竹扇，而眾人買之，甚至山陰道士以鵝換取王羲之寫道德經之事，都可以看出當時社會文藝已發展到高度成熟的地步。在這樣的文藝風氣中，魏晉士人便能以不同傳統儒家建功立業、忠臣孝子的方式來展現自己，或是以詩文揚名，或是以子書傳述個人思想，以及名書法家，名畫家，都受人重視〔註78〕。

　　除了整個社會文藝風氣成熟外，「重才」的心理，更促成魏晉士人多元化的發展，如左思《三都賦》作成後，皇甫謐稱善之外，更爲他作序，而陸機原本對左思作《三都賦》一事是輕視嘲笑的，「及思賦出，機絕歎服，以爲不能加也，遂輟筆焉」〔註79〕，皇甫謐基於愛才之心幫其寫序，而陸機輟筆的舉動，則是基於重才之心，不願於左思的文章上添筆，這樣的重才愛才，讓士人更勇於發揮所長，來獲得眾人肯定。而張華「性好人物，誘進不倦，至

〔註75〕洪然升《六朝「文士」\「文藝」品鑒論》，頁269。
〔註76〕余嘉錫《世說新語箋疏》〈文學79〉，頁258。
〔註77〕余嘉錫《世說新語箋疏》〈文學90〉，頁269。
〔註78〕《世說新語》〈巧藝7〉篇中如謝安讚美顧愷之之畫「有蒼生來所無」，可以看出士人對於繪畫的重視及對畫家的讚賞。
〔註79〕〔唐〕房玄齡《晉書，左思傳》，頁2377。

於窮賤侯門之士有一介之善者，便咨嗟稱詠，爲之延譽」、謝尙對「袁虎少貧，嘗爲人傭載運租。謝鎭西經船行，……。即遣委曲訊問，乃是袁自詠其所作詠史詩。因此相要，大相賞得」〔註80〕，以及劉眞長推薦張憑擔任太常博士，都反映出士人重才愛才之心。

此外晉朝取得政權的過程血腥，晉武帝上任後，政令寬緩，而東晉其實政權掌握在門閥士族手中，從《世說新語·任誕》：「祖車騎過江時，公私儉薄，無好服玩。王、庾諸公共就祖，忽見裘袍重疊，珍飾盈列，諸公怪問之。祖曰：「昨夜復南塘一出。」祖于時恒自使健兒鼓行劫鈔，在事之人，亦容而不問」〔註81〕，只要在政治上不犯其諱，像祖沖這般鼓行劫鈔，也可以「容而不問」，而前文提到官不視事，卻獲享高名，也可以看出當時政令寬緩的情形。

在這樣的文藝風氣與朝廷態度中，士人便得以發揮所長，各以自身專長來獲致身泰名泰。

貳、強烈的自我意識

如同前文所述，士人在經過自省自覺後，「寧作我」，掙脫外在束縛，追求自我發現。這種強烈的自我意識，使士人在追求身泰名泰時，更能順由自己的個性來達成。

魏晉士人追求自然不造作，在許多事物上皆喜順性而爲，如王羲之的坦腹東床即是，除此之外張翰認爲與其追求身後之名，不如順性而爲，飲酒度日，而桓溫則寧可選擇成爲管仲第二，此二人興趣、個性，恰爲極端，更可看出魏晉時期士人重視自我，不喜受傳統禮法束縛。

對於「順性而爲」，我們可以將性解讀爲天性或是性格等義，在趙輝《六朝社會文化心態》中，便提到：

> 古人所言的「性」是一個極爲複雜的概念，具有哲學、倫理學、心理學諸方面的屬性。玄學家所討論的「性」，自然也是如此。……但是，在玄學家及六朝文人的觀念中，「性分」等除了指人的先天稟賦及規定性外，也明顯地包含著心理學所言的「個性」的含義。……

〔註80〕余嘉錫《世說新語箋疏》〈文學88〉，頁268。
〔註81〕余嘉錫《世說新語箋疏》〈任誕23〉，頁741。

因而，玄學家所謂的「任性」，「率性」等，除了認命的含義外，也
包含著順任人的興趣、愛好、性格諸方面的含義。〔註82〕

故「性」除了解讀成人有人性而馬有馬性、魚有魚性，各自不同的「天性」
外，尚可解釋爲性格，魏晉重個體個性的自然流露，不愛造作，更懂得欣賞
與尊重每個人的不同：

桓玄問劉太常曰：「我何如謝太傅？」劉答曰：「公高，太傅深。」
又曰：「何如賢舅子敬？」答曰：「櫨、梨、橘、柚，各有其美。」
〔註83〕

懂得欣賞每個人的不同，展現出魏晉社會對於個人個性發展的寬容，使社會
價值觀邁向多元，也因此魏晉社會人們多能勇於發展自己的可能，順性而爲。
在郭象《莊子・養生注》：「天性所受，各有本分，不可逃，亦不可加」〔註84〕、
張湛《列子注序》：「治身貴於肆任，順性則所之皆適」〔註85〕，也提供了士
人理論上的依據。若以立功立德立言爲傳統儒家追求不朽的途徑，而這注重
個人個性，順性而爲的發展情形，則更傾向道家。雖然道家對於求名行爲，
視爲戕生害性之行爲，但若不以求名爲目的，這種順其自然的發展，是道家
重個體的展現。丁亮便指出道家自然主義與個體覺醒間的關聯：

一切在「我」而不在「彼」，於是「自我」成爲價值根源，而「自我」
意識極度擴張。故「則我者貴」，「非我無所取」，是以「百慮何爲，
至要在我」，如此則「禮豈爲我輩設也」。而「我」既然如此特殊重
要，「自」便成了表現與欣賞的標準與原則。〔註86〕

道家不願人求名戕生，但魏晉士人取其重視自我的部分，將個人在社會與文
化體制中解放出來。故唐君毅《中國人文精神之發展》「人要求表現自我，發
抒個性，不受一切禮法的束縛，政治的束縛」〔註87〕，於是這些好奢聚斂者
也是自然，袒裸穢語者也是自然，與豬共飲也是自然，吝嗇好色也是自然，「造
物者無主，而物各自造，物各自造而無所待焉」〔註88〕，故強求自己清靜寡

〔註82〕趙輝《六朝社會文化心態》，頁223。
〔註83〕余嘉錫《世說新語箋疏》〈品藻87〉，頁546。
〔註84〕〔晉〕郭象《郭象注莊》，頁99。
〔註85〕楊伯峻《列子集釋》，頁279。
〔註86〕丁亮《「無名」與「正名」——論中國上中古名實問題的文化作用與發展》，
頁83。
〔註87〕唐君毅《中國人文精神之發展》，頁31。
〔註88〕〔清〕郭慶藩《莊子集釋》，頁111。

欲也成了不自然，魏晉士人以此來衝破道家清靜無爲的人生觀〔註89〕。《世說新語‧豪爽》篇便載：

> 桓公讀高士傳，至於陵仲子，便擲去曰：「誰能作此溪刻自處！」
> 〔註90〕

陵仲子不食不義之食，甚至在不愼將人們餽贈給哥哥的鵝吃下後，到屋外將鵝肉吐掉的事，對於孟子便曾批評陵仲子的不通人情世故，十分苛刻，皇甫謐將其人其事載入《高士傳》中，桓溫讀到此篇，便擲去此書，批評陵仲子「溪刻」，即苛刻到極點，桓溫對這樣的人以高士自居是不以爲然的，因爲這般吐鵝肉的行爲令人感覺十分刻意、造作，這件事也表達了魏晉士人對於這種清高至極的行爲，不全表贊同。又如《世說新語‧品藻》「王子猷、子敬兄弟共賞高士傳人及贊。子敬賞井丹高潔，子猷云：『未若長卿慢世』」〔註91〕，同樣也表達了人們開始欣賞玩世不恭者，取代原先對於高潔之士的崇敬，這不僅展現了魏晉士人不同以往傳統儒家所要求的束脩自好，反而更注重己身的價值觀，處世之道非專以禮教爲準，人應個順其性，而非清高自持，《晉書》載王戎收取南郡太守劉肇筒中細布五十端，雖然被清愼者所鄙，但「帝謂朝臣曰：『戎之爲行，豈懷私苟得，正當不欲爲異耳！』」，雖然有不冒尖，與眾人同的苦心，但君王以此爲臣子脫罪，更讓居官「清正」的要求有了彈性空間，與漢代士人立身廉潔爲準則有了差距。《世說新語‧栖逸》：

> 許玄度隱在永興南幽穴中，每致四方諸侯之遺。或謂許曰：「嘗聞箕
> 山人，似不爾耳！」許曰：「筐篚苞苴，故當輕於天下之寶耳！」
> 〔註92〕

許詢隱居後，仍接受四方諸侯所贈之物，被人譏笑以隱居獲取高名，卻不能清高自守，反藉隱士之高名圖利。許詢卻認爲以許由隱居，而引來天下大寶──王位，自己所接受的禮物實在不能與其比較，若許由仍是人們心中的高士，那麼自己的行爲便不應受到責難，許詢的行爲一樣也表達了對清高自持

〔註89〕 丁亮：「……於是傳統道家講求的清靜無欲無累於外在行爲層面完全被突破了，因爲若在內容層面將自得與獨化豎立爲兩個價值標準則將形成一種外在的要求，而非以自性爲準的價值，故若人天生好利則好利乃是自然，若強之『不好利』則反是『引彼以同我』，將『惠之愈勤而偏薄滋甚』」，《「無名」與「正名」──論中國上中古名實問題的文化作用與發展》，頁221。

〔註90〕 余嘉錫《世說新語箋疏》〈豪爽9〉，頁601。

〔註91〕 余嘉錫《世說新語箋疏》〈品藻80〉，頁542～543。

〔註92〕 余嘉錫《世說新語箋疏》〈栖逸13〉，頁660。

的揚棄，人們不再以舊觀念束縛自己，反而縱容自己的情欲，敢於追求自己所認爲的理想人生。

士人對於自我的肯定、自我的了解，可以從其充滿自信的言談中看出：

> 顧劭嘗與龐士元宿語，問曰：「聞子名知人，吾與足下孰愈？」曰：「陶冶世俗，與時浮沈，吾不如子；論王霸之餘策，覽倚仗之要害，吾似有一日之長。」劭亦安其言。〔註93〕

> 明帝問謝鯤：「君自謂何如庾亮？」答曰：「端委廟堂，使百僚準則，臣不如亮。一丘一壑，自謂過之」〔註94〕

> 明帝問周伯仁：「卿自謂何如庾元規？」對曰：「蕭條方外，亮不如臣；從容廊廟，臣不如亮。」〔註95〕

> 撫軍問殷浩：「卿定何如裴逸民？」良久答曰：「故當勝耳。」〔註96〕

> 撫軍問孫興公：……「卿自謂何如？」曰：「下官才能所經，悉不如諸賢；至於斟酌時宜，籠罩當世，亦多所不及。然以不才，時復託懷玄勝，遠詠老、莊，蕭條高寄，不與時務經懷，自謂此心無所與讓也。」〔註97〕

> 桓大司馬下都，問眞長曰：「聞會稽王語奇進，爾邪？」劉曰：「極進，然故是第二流中人耳！」桓曰：「第一流復是誰？」劉曰：「正是我輩耳！」〔註98〕

「臣不如亮」、「亮不如臣」，士人不僅對他人了解，更有「自知知明」。而「當勝」、「無所讓」、「正是我輩」，在言談間，充滿了當仁不讓的口吻，「自知」與「自信」，可以看出魏晉士人追求自我的發現，並已從中獲得喜悅和滿足，不以他人的價值觀爲是，自己的價值觀爲非，士人的不順從，也正可以看出社會朝向多元化發展的原因。

以此來看，魏晉士人詮釋身泰名遂時，有人重視物質的享受，有人重視精神的閒適，有人執守道德，有人任縱不拘，有人求當世名，有人求後代名，

〔註93〕余嘉錫《世說新語箋疏》〈品藻3〉，頁502。
〔註94〕余嘉錫《世說新語箋疏》〈品藻17〉，頁513。
〔註95〕余嘉錫《世說新語箋疏》〈品藻22〉，頁516。
〔註96〕余嘉錫《世說新語箋疏》〈品藻34〉，頁521。
〔註97〕余嘉錫《世說新語箋疏》〈品藻36〉，頁521。
〔註98〕余嘉錫《世說新語箋疏》〈品藻37〉，頁522。

這都突顯魏晉士人在自我覺醒後，對己身充滿自信與自知，且以自我爲價值根源，才能有如此多元化的人生。

小　結

忠孝自古難兩全，魏晉以孝治天下，士人尤以多孝子無忠臣爲人熟知，若從內在血緣來看，魏晉士人的孝道實踐，其實也蘊含了身名俱泰的同時獲得。爲後代子孫所記，以後代子孫延續性命。而難以兩全的忠孝，也因獲致外在功名，使祖宗家族揚名於世，而達成忠孝兩全的終極目標，更何況要是沒有任何偉大功績，仍可因孝順而得名，若又無特殊孝行爲人所知，至少也因後代子孫的延續，得饗祭祀的方式，留存在子孫心中。魏晉士人重視血脈傳承，也反應出了亂世中，人們對朝不保夕的焦慮，對生命無常的慨嘆。

而原本隱士以「逃名」爲本，但到了魏晉士人中，除了能避禍求全之外，無心隱居者，卻藉獲致高名，隱居山林成了「釣名」的手段。羅宗強謂：「歸臥自然，自恃高潔，不惟不違俗忤世，且可獲閒適怡悅於生前，留高士美名於身後」〔註99〕，整個社會籠罩在這種特殊的隱逸風潮中，逐漸發展出大隱隱於市的「朝隱」，當官卻不視事，又同時享有高名。魏晉士人企求身名俱泰的理想，又再一次獲得實踐。

而士人求名泰身泰，也反映出時代的劇變，可以看出當時人們對於多才多藝的讚賞，不僅反映出士人突破限制，也傳達出魏晉時代文藝高度發展的情形。強烈的自我意識，更讓士人不以順從他人價值觀爲是，追求自我的發展，欣賞每個人不同的性格，更使得社會文化多采多姿，士人更加放膽追求自己的理想人生。

〔註99〕羅宗強《玄學與魏晉士人心態》，頁134。

結　論

　　魏晉以九品官人法取士，造成「上品無寒門，下品無勢族」的情況，仕途為世家大族所壟斷，在門第政治下，世家大族子弟欲居官任職不是難事，而寒門出身的士人則遭受打壓，對於這些擁有莊園經濟又把持朝廷政權者，所欲追求的人生理想不再是經世濟民，反以個人的身泰名遂為目標。

　　魏晉士人追求「身名俱泰」，且具體以各種方式來達成這種境界，有如同何曾者，以虛偽禮教要名於時，奢侈擬過王室，雖死後秦秀謚議「繆醜公」，但對活著的何曾而言，這便是身名俱泰的極點；也有如阮籍，曾參與撰修《晉書》，識透了史書中的隱晦之言，更看盡了禮法之士的醜惡，以「百代以下，難以情測」之詩，慎言晦默，留存性命，最終成為歷史上特立獨行的一抹風景，這是他依違而成的「身名俱泰」。而這身泰、名泰，究竟為何如此使魏晉士人嚮往？

　　從甲骨文中「身」指人的腹部，到人的形軀、人的性命，甚至自我意識；而「名」從自命，到事物的名稱，到人的名位、名聲，身與名的涵義擴大，而其價值都值得人去追求。

　　在死亡的威脅下，身名兩者可能都不復存，而死亡是人的必經之路。儒家以人的性命可貴，理性看待生死，於是關注人的道德學問，社會的禮制秩序，若個人的生存危害到群體利益，便願意捨身取義，但也強調通權達變，並非皆要人以身殉道。即崇尚這樣的美德，但不以這樣的標準逼迫。

　　而道家關注的是自身，看出禮教規範的迂拘，不通人情，也看出名利名位對人們的吸引力，足以使人彼此傾軋，紛爭從此而起，故以「道隱無名」來消弭這樣的割離，並以「反璞歸真」、「少私寡欲」來勉勵人追求清靜無為

的人生。道家對於不計任何原因而「以身殉」的行為是不贊同的，故強調「守柔不爭」、「全身遠害」。

東漢士人重視名教氣節，舉止以儒家規範為依歸，一言一行更受到鄉里士紳的關注，若想仕進，言行舉止更要合禮，可惜許多干進之徒，虛偽依禮，名教竟成追名逐利的工具，許多有孝名、讓名之稱者，其實只是「假名」，東漢末年對於名教的質疑便開始在有志之士中蔓延。至曹操唯才是舉，一時間社會上瀰漫著有才無德也能揚名天下，功成名就的思想。禮教陵遲的結果，便是原本依禮而行的彬彬君子，開始注重自身的價值、情性，時有率性而為之舉，名教既非唯一依循標準，「身體」的自主權便又回歸個人手中。司馬氏奪權，以孝治國，乍看之下禮教恢復了，但司馬氏奪權過程，卻毫無禮教可言，士人率性而為之事比比皆是，在不反司馬政權的情況下，這些悖禮之行，便在寬緩的政令中持續。魏晉士人的身名觀，在破除名教的束縛後，「身」獲得了解放，不再全然依附「名」而行。

依名而成的社會秩序、倫理綱常鬆動，故我們從《世說新語》中我們可以看到魏晉士人不依禮教行事，甚至玩世不恭，對於禮教過分拘執、苛刻不近人情之處，改以重視真情至性的表露，對於人的情欲不再全然加以壓抑的一面。而求名、爭名現象，自漢末便沸沸揚揚，魏晉時期不僅士人無法逃脫名的執求，連佛門弟子如支遁等人，也陷入時代求名爭名的風氣中。

雖然這時期也有一段較安穩的時間，如西晉初期與東晉中期，但對於死亡的逼迫，魏晉士人難以瀟灑面對，除了這時期的士人重情至性之外，現實人生的享受也令魏晉士人戀世。雖有當權者以名教束縛或藉此夷誅異己的威脅，但更注重自身的士人，投身於各種能滿足物欲、精神的活動與事物中，對於朝政，或未進一言，對於所居職位，或無所用心，只要不與當權者為敵，士人有追求身名俱泰的空間。

於是在不違反當權者的利益下，士人發展許多個人求名保身的方式，而士人大部分挾其豐厚的經濟基礎，在無後顧之憂的情況下，從事清談、撰述、書畫、雅集、遊覽、琴藝……，士人的身泰不僅止於物質的滿足，更追求精神的滿足。竹林七賢遊於山水琴藝之中，藉此逃避現實的醜陋，甚至隱遊於酣醉之中，追求自由與人格的獨立，到了東晉時期追求生命高雅情調勃興，在面對生命將逝，對於生老病死感傷沉痛之際，王羲之藉由「絲竹陶寫」來排遣苦悶，陶冶性情。生命短暫而無常，藉由這些文藝活動，士人將自身的

心靈置放於一超脫而寧靜的空間，優游於琴棋書畫中，或於泛覽山水中，以「樂死」卒歲，不全以物質享樂或是愁老將至度過一生，這種以「絲竹陶寫」的生活情趣，與竹林七賢排遣對現實不滿的苦悶，已經不同，王羲之等人已無阮籍的掙扎徘徊，故追求的是生活高雅情趣，企圖以此種文藝活動，消解人生短暫的不安，對於老之將至，士人沉潛於琴棋書畫，更可見生命的從容優雅。除此之外，如阮咸曬犢鼻褲、顧長康啖甘蔗、郝龍曬書，都可以看出士人生活態度的從容，以及生活當中的雅趣〔註1〕。

　　除此之外，也有一批士人，抓緊活著的每分每秒，努力鑽研經典，為之作注，或是費時耗日的撰寫鉅作，這是鑽研。也有恆聚斂，佔山封田，燈下籌算，這是鑽營，顯見魏晉士人除從容優雅外，仍有其潛心鑽研、鄙吝鑽營的一面。

　　也有士人追求的是當世的聲名，而不籌畫後世的名聲，認為人死，即便名留後世，也難以改變現世的一切，《列子·楊朱篇》所言的及時行樂，便反映出當時士人的享樂主義，食前方丈，浮杯樂飲，館宇崇麗，士人藉由豐富的聲色享樂，充塞生活中，視外在美名與臭名皆為身外之物，無能滋潤死後白骨，而掌握眼前的歡樂，有限的生命才是最實在的，故《世說新語》所載一卒願捨棄外在名利，選擇遨遊酒鄉，便被視為達生者，可以看出此時代及時行樂的風氣。

　　而藝術創作除了需要有經濟的支持，政令的寬緩外，還要有能發揮的舞台。魏晉時期文藝風氣蓬勃，無論是從集會、傳抄、觀者雲集，都可以想見當時人們的文化素養，即便不高者，也要附庸風雅，以示不落人後。社會上重名愛才，都使得想發揮所長者，有其舞台一展才藝。士人挾其富足的經濟能力，於是築室名勝，建造山水園林，集悅耳歡心之物於家中宅第，呈現崇尚人生，享受人生的一面。

　　但追求名泰，個人勢必要有付出或是犧牲。若以建功立業來看，即有可能犧牲性命。若以立德垂範來看，則偽君子得當世名卻背負後世臭名，真君子則鬱悶憤慨一世來贏得後世美名。若以著述成一家之言，則必須付出多年心血，完成大作。

〔註1〕柯阿清《魏晉文人生活美學研究》提到魏晉士人能將日常生活瑣碎之事雅化，展現其任誕而又不失儒雅的風度，玄奘大學中國語文學系碩士論文，2012年6月，頁51。

　　顯然，各種身名俱泰的實現，各有利弊，而魏晉士人也都從中抉擇，也許最終結果並非原先預期，但敢於嘗試，就是最大收穫。

參考書目

古籍（依著作者年代排列）

1. 楊家駱主編《晏子春秋集釋》，臺北：鼎文書局，1977 年 3 月再版。

2.〔漢〕董仲舒《春秋繁露》，上海：上海古籍出版社，1989 年 9 月第 1 版。

3.〔漢〕王符撰〔清〕汪繼培箋《潛夫論箋》，臺北：大立出版社，1984 年 1 月初版。

4.〔漢〕徐幹撰蕭登福校注《中論》，臺北：臺灣古籍出版社，2000 年 10 月初版。

5.〔漢〕許慎撰〔清〕段玉裁《說文解字注》，臺北：藝文印書館，1979 年 6 月五版。

6.〔晉〕阮籍《阮嗣宗集》，臺北：華正書局，1979 年 3 月初版。

7.〔晉〕陳壽撰，盧弼集解，《三國志集解》，臺北：藝文印書館，1958 年。

8.〔晉〕郭象《郭象注莊》，臺北：金楓出版社，1987 年 5 月初版。

9.〔晉〕干寶撰，黃鈞注譯《新譯搜神記》，臺北：三民書局，1996 年 1 月初版。

10.〔晉〕陶淵明撰龔斌校箋《陶淵明集校箋》，上海：上海古籍出版社，1996 年 12 月第一版。

11.〔晉〕范寧注〔唐〕楊士勛疏〔清〕阮元校勘，《十二經注疏附校勘記》，臺北：大化書局，1989 年 10 月四版。

12.〔南朝宋〕范曄撰〔清〕王先謙集解《後漢書集解》，臺北：藝文印書館，1958 年。

13.〔南朝梁〕劉勰著，詹鍈義證《文心雕龍義證》，上海：上海古籍出版社，1994 年 9 月第一版第 2 刷。

14. 〔唐〕房玄齡等撰〔清〕吳士鑑、劉承幹注《晉書斠注》，北京：中華書局，2008 年 9 月第一版。

15. 〔唐〕劉知幾《史通》，西安：陝西人民出版社，2007 年。

16. 〔唐〕李善注《昭明文選》，臺北：河洛出版社，1975 年 5 月臺景印初版。

17. 〔宋〕朱熹《四書集注》，臺北：漢京文化事業有限公司，1983 年 11 月初版。

18. 〔清〕嚴可均輯《全後漢文》，西安：陝西人民出版社，2007 年。

19. 〔清〕嚴可均輯《全三國文》，西安：陝西人民出版社，2007 年。

20. 〔清〕嚴可均輯《全晉文》，西安：陝西人民出版社，2007 年。

21. 〔清〕孫希旦《禮記集解》，臺北：文史哲出版社，1988 年 10 月 3 版。

22. 〔清〕郭慶藩《莊子集釋》，臺北：河洛圖書出版社，1974 年 4 月臺景印一版。

23. 陳鐵凡《孝經鄭注校證》，臺北：國立編譯館，1987 年 12 月初版。

24. 高明《帛書老子校注·德經四十四》，今本第四十四章，北京：中華書局，1998 年 12 月二刷。

25. 楊伯峻《列子集釋》，北京：中華書局，1979 年 10 月第一版。

26. 樓宇烈校釋，《王弼集校釋》，臺北：華正書局，2004 年 8 月二版一刷。

27. 余嘉錫《世說新語箋疏》，臺北：華正書局，2003 年 11 月三刷。

28. 戴明揚校注《嵇康集校注》，臺北：河洛圖書出版社，1978 年 5 月臺景印初版。

29. 楊明照《抱朴子外篇校箋》，北京：中華書局，1997 年 10 月第一版。

30. 黎翔鳳《管子校注》，北京：中華書局，2004 年 6 月第 1 版。

31. 何寧《淮南子集釋》，北京：中華書局，1998 年 10 月第 1 版。

32. 逯欽立《先秦漢魏晉南北朝詩》，臺北：木鐸出版社，1984 年。

專書（依出版年代先後排列）

1. 唐君毅《中國人文精神之發展》，臺北：臺灣學生書局，1983 年 3 月 6 版（臺五版）。

2. 張蓓蓓《中古學術論略》，臺北：大安出版社，1991 年 5 月第一版。

3. 羅宗強《玄學與魏晉士人心態》，臺北：文史哲出版社，1992 年 11 月初版。

4. 余英時《中國知識階層史論古代篇》，臺北：聯經出版事業公司，1993 年 5 月初版二刷。

5. 劉大杰〈魏晉思想論〉,《魏晉思想甲編三種》,臺北:里仁書局,1995年8月初版。

6. 趙輝《六朝社會文化心態》,臺北:文津出版社,1996年1月初版。

7. 楊儒賓《儒家的身體觀》,臺北:中央研究院中國文哲研究所籌備處發行,1996年11月初版。

8. 陳曉芬選注《司馬遷散文選集》,天津:百花文藝出版社,1997年8月第一版。

9. 張仲謀《兼濟與獨善》,北京:東方出版社,1998年2月。

10. 尤雅姿《魏晉士人之思想與文化研究》,臺北:文史哲出版社,1998年9月初版。

11. 馮友蘭《三松堂全集》第二卷,鄭州:河南人民出版社,2000年12月2版。

12. 許尤娜《魏晉隱逸思想及其美學涵義》,臺北:文津出版社,2001年7月初版。

13. 鄭基良《魏晉南北朝形盡神滅或形盡神不滅的思想論證》,臺北:文史哲出版社,2002年4月初版。

14. 錢穆《中國學術思想史論叢》,合肥:安徽教育出版社,2004年6月第一版。

15. 黃金明《漢魏晉南北朝誄碑文研究》,北京:人民文學出版社,2005年3月第一版。

16. 郭瑞《魏晉南北朝石刻文字》,北京:人民文學出版社,2005年3月第一版。

17. 胡寶國《漢唐間史學的發展》,北京:商務印書館,2005年11月2刷。

18. 馬良懷《漢晉之際道家思想的復興》,廈門:廈門大學出版社,2006年3月第一版。

19. 劉成紀《形而下的不朽——漢代身體美學考論》,北京:人民出版社,2007年4月第一版。

20. 丁亮《「無名」與「正名」——論中國上中古名實問題的文化作用與發展》,臺北:花木蘭出版社,2008年9月初版。

21. 秦耀宇《六朝士大夫玄儒兼治研究》,揚州·廣陵書社,2008年4月第1版第1刷。

22. 季旭昇《說文新證》下冊,臺北:藝文印書館,2008年3月修訂版。

23. 王琳《齊魯文人與六朝文風》,濟南:齊魯書社,2008年12月第一版。

24. 蕭淑貞《魏晉山水紀遊詩文之研究》,臺北:學生書局,2009年2月初版。

25. 黃志盛《莊子思想藝術化》，臺北：花木蘭文化出版社，2009 年 3 月初版。

26. 周翊雯《時空之下的身體展演——「世說新語」研究》，臺北：花木蘭出版社，2009 年 3 月。

27. 張蓓蓓《漢晉人物品鑒研究》，臺北：花木蘭出版社，2010 年 3 月初版，頁 97。

28. 張舜清《儒家「生」之倫理思想研究》，北京：中國社會科學出版社，2010 年 5 月第 1 版。

29. 張造群《禮治之道——漢代名教研究》，北京：人民出版社，2011 年 7 月第一版第一刷。

30. 孫世民《魏晉身體修養論》，新北市：花木蘭文化出版社，2012 年 3 月初版。

31. 江建俊《魏晉「神超形越」的文化底蘊》，臺北：新文豐出版社，2013 年 11 月初版。

碩博士論文（依出版年代先後排列）

1. 林麗眞《魏晉清談主題之研究》，台灣大學中文所博士論文，1987 年。

2. 陳美朱《西晉之理想士人論》，國立成功大學中國文學研究所碩士論文，1995 年 6 月。

3. 黃碧璉《屈原與楚文化研究》，國立成功大學中國文學研究所碩士論文，1996 年 6 月。

4. 李宗定《老子「道」的詮釋與反思——從韓非、王弼注老之溯源考察》，中正大學中文所博士論文，2002 年 7 月。

5. 王岫林《魏晉士人的身體觀》，國立中山大學中國文學研究所博士論文，2006 年 6 月。

6. 陳君璧《魏晉死亡觀》，國立清華大學中國文學研究所碩士論文，2007 年 1 月。

7. 洪然升《六朝「文士」＼「文藝」品鑒論》，國立成功大學中國文學研究所博士論文，2009 年 4 月。

8. 王岫林《由「適性安命」到「達生肆情」——西、東晉士人應世思想之轉折》國立成功大學中國文學研究所碩士論文，1999 年 6 月。

9. 李興寧《魏晉別傳研究》，國立高雄師範大學國文學系博士論文，2003 年 7 月。

10. 陳瓊玉《魏晉忠孝觀》，國立成功大學中國文學研究所碩士論文，2004 年 6 月。

11. 徐靖婷《魏晉名士尚「清」之美學研究》，國立成功大學中國文學研究所碩士論文，2011 年 6 月。

12. 柯阿清《魏晉文人生活美學研究》，玄奘大學中國語文學系碩士論文，2012 年 6 月。

13. 期刊論文（依出版年代先後排列）

14. 江建俊〈魏晉「朝隱」風氣盛行的原因及其理論依據〉，《尉素秋教授八秩榮慶論文集》，臺北：文史哲出版社，1988 年 10 月初版。

15. 朱松林〈試論中古時期的招魂葬俗〉，《上海師範大學學報》，上海：上海師範大學學報，2002 年 3 月第 31 卷第 2 期。

16. 劉錦賢《儒家保身觀與成德之教》，臺北：樂學書局，2003 年 1 月初版。

17. 胡木貴〈儒、道生死觀異同論〉，《儒道比較研究》，北京市：中華書局，2003 年。

18. 李源澄〈儒道兩家之論身心情欲〉，《儒道比較研究》，北京市：中華書局，2003 年。

19. 高晨陽〈精神超越與價值理想〉，《儒道比較研究》，北京：中華書局，2003 年。

20. 江建俊〈魏晉「忠孝」辨〉，《魏晉南北朝文學與思想學術研討會論文集》，第五輯，國立成功大學中文系編輯，臺北：里仁書局，2004 年 11 月初版。

21. 龔鵬程〈東晉名教論〉，《魏晉南北朝文學與思想學術研討會論文集》，第五輯，國立成功大學中文系編輯，臺北：里仁書局，2004 年 11 月初版。

22. 羅因〈魏晉死亡觀中的神滅思想〉，《魏晉南北朝文學與思想學術研討會論文集》，第五輯，國立成功大學中文系編輯，臺北：里仁書局，2004 年 11 月初版。